# La barynia

# HENRI TROYAT

| | |
|---|---|
| *La Lumière des justes :* | |
| I. LES COMPAGNONS DU COQUELICOT | *J'ai lu* 272/4* |
| II. LA BARYNIA | *J'ai lu* 274/4* |
| III. LA GLOIRE DES VAINCUS | *J'ai lu* 276/4* |
| IV. LES DAMES DE SIBÉRIE | *J'ai lu* 278/4* |
| V. SOPHIE OU LA FIN DES COMBATS | *J'ai lu* 280/4* |
| LA NEIGE EN DEUIL | *J'ai lu* 10/1* |
| LE GESTE D'ÈVE | *J'ai lu* 323/2* |
| LES AILES DU DIABLE | *J'ai lu* 488/2* |
| *Les Eygletière :* | |
| I. LES EYGLETIÈRE | *J'ai lu* 344/4* |
| II. LA FAIM DES LIONCEAUX | *J'ai lu* 345/4* |
| III. LA MALANDRE | *J'ai lu* 346/4* |
| *Les Héritiers de l'avenir :* | |
| I. LE CAHIER | |
| II. CENT UN COUPS DE CANON | |
| III. L'ÉLÉPHANT BLANC | |
| FAUX JOUR | |
| LE VIVIER | |
| GRANDEUR NATURE | |
| L'ARAIGNE | |
| JUDITH MADRIER | |
| LE MORT SAISIT LE VIF | |
| LE SIGNE DU TAUREAU | |
| LA CLEF DE VOÛTE | |
| LA FOSSE COMMUNE | |
| LE JUGEMENT DE DIEU | |
| LA TÊTE SUR LES ÉPAULES | |
| DE GRATTE-CIEL EN COCOTIER | |
| LES PONTS DE PARIS | |
| *Tant que la terre durera :* | |
| I. TANT QUE LA TERRE DURERA | |
| II. LE SAC ET LA CENDRE | |
| III. ÉTRANGERS SUR LA TERRE | |
| LA CASE DE L'ONCLE SAM | |
| UNE EXTRÊME AMITIÉ | |
| SAINTE RUSSIE. Réflexions et souvenirs | |
| LES VIVANTS (théâtre) | |
| LA VIE QUOTIDIENNE EN RUSSIE AU TEMPS DU DERNIER TSAR | |
| NAISSANCE D'UNE DAUPHINE | |
| LA PIERRE, LA FEUILLE ET LES CISEAUX | *J'ai lu* 559/2* |
| ANNE PRÉDAILLE | *J'ai lu* 619/2* |
| GRIMBOSQ | *J'ai lu* 801/3* |
| UN SI LONG CHEMIN | *J'ai lu* 2457/3* |
| *Le Moscovite :* | |
| I. LE MOSCOVITE | *J'ai lu* 762/2* |
| II. LES DÉSORDRES SECRETS | *J'ai lu* 763/2* |
| III. LES FEUX DU MATIN | *J'ai lu* 764/2* |
| LE FRONT DANS LES NUAGES | *J'ai lu* 950/2* |
| DOSTOÏEVSKI | |
| POUCHKINE | |
| TOLSTOÏ | |
| GOGOL | |
| CATHERINE LA GRANDE | *J'ai lu* 1618/5* |
| LE PRISONNIER N° 1 | *J'ai lu* 1117/2* |
| PIERRE LE GRAND | *J'ai lu* 1723/4* |
| VIOU | *J'ai lu* 1318/2* |
| ALEXANDRE Ier, LE SPHINX DU NORD | |
| LE PAIN DE L'ÉTRANGER | *J'ai lu* 1577/2* |
| IVAN LE TERRIBLE | |
| LA DÉRISION | *J'ai lu* 1743/2* |
| MARIE KARPOVNA | *J'ai lu* 1925/2* |
| TCHEKHOV | |
| LE BRUIT SOLITAIRE DU CŒUR | *J'ai lu* 2124/2* |
| GORKI | |
| A DEMAIN, SYLVIE | *J'ai lu* 2295/2* |
| LE TROISIÈME BONHEUR | *J'ai lu* 2523/2* |
| TOUTE MA VIE SERA MENSONGE | *J'ai lu* 2725/2* |
| FLAUBERT | |
| LA GOUVERNANTE FRANÇAISE | |

Henri Troyat
de l'Académie française

La lumière des justes
2

# La barynia

Éditions J'ai lu

# PREMIÈRE PARTIE

## 1

Le cocher tira sur ses guides, les chevaux piétinèrent dans la boue et la voiture s'arrêta devant une barrière à bascule. Comme l'attente se prolongeait, le voyageur passa la tête par la portière. La nuit était fraîche, humide, imprégnée d'une fade odeur de marais. Une lanterne oscillait dans le vent, au bout de sa potence, et son reflet sautait dans les flaques. De chaque côté de la route, se dressait une guérite à rayures blanches, noires et jaunes. Une file de chariots stationnait plus loin, devant la maison du poste de garde. Des agents de l'octroi vérifiaient les chargements. Le voyageur porta les mains en cornet devant sa bouche et cria :

— Eh ! Quelqu'un ! Je suis pressé !

Un invalide en uniforme sortit de la brume. Il avait une jambe de bois et tenait un fanal. Son buste se balançait à chaque pas sur sa hanche meurtrie. Des médailles brillaient sur sa poitrine. Sans descendre de voiture, le voyageur lui tendit ses papiers et grommela :

— Michel Borissovitch Ozareff. Je viens à Saint-Pétersbourg pour affaires de famille.

— Ce sera fait tout de suite, Votre Noblesse, dit l'invalide.

Il glissa les papiers entre deux boutons de sa tunique et repartit en boitant vers le poste de garde. Michel Borissovitch Ozareff s'appuya au dossier de la banquette, allongea ses jambes et ferma les yeux. Il avait mis quatre jours à peine pour venir de sa propriété de Kachtanovka à Saint-Pétersbourg, et, malgré l'incommodité du voyage, il ne sentait pas sa fatigue. Sans doute le bonheur lui donnait-il une seconde jeunesse ! Dès qu'il avait reçu la lettre de son fils annonçant la naissance du petit Serge, il avait décidé de prendre la route. Pouvait-il encore témoigner de l'hostilité à sa bru, sous prétexte qu'elle était française, catholique et qu'il avait jadis refusé son consentement au mariage ? En mettant au monde un enfant mâle, héritier du nom des Ozareff, elle s'était placée au-dessus des reproches de son beau-père. Après quatre ans de séparation, il se félicitait de l'occasion qui leur était offerte à tous deux de se réconcilier, sans que ni l'un ni l'autre eût à souffrir dans son amour-propre. Au fond, il n'avait jamais cessé d'estimer cette femme. Il s'aperçut qu'il pensait moins à son fils qu'à sa belle-fille dans l'affaire. C'était, paradoxalement, Sophie et non Nicolas qu'il avait hâte de revoir. Il tira une montre de son gousset : dix heures du soir. N'était-il pas trop tard pour tomber dans la demeure d'une jeune accouchée? Il n'avait pas jugé utile d'annoncer sa venue : la missive fût arrivée en même temps que lui. Un rire silencieux lui monta aux lèvres. « Et le petit, comment est-il ? Brun comme sa mère, ou blond comme son père ? Cet imbécile de Nicolas ne le décrit même pas dans sa lettre ! » Il imagina un bébé robuste et hilare, une sorte d'Hercule enfant, étranglant des serpents dans son berceau. L'invalide rapporta les papiers :

— Tout est en règle, Votre Noblesse.

La barrière se leva en grinçant. Les deux chevaux s'arc-boutèrent. La voiture traversa la brume lumineuse de la lanterne et pénétra lentement dans la ville. De part et d'autre de la chaussée, s'alignaient des palissades disjointes, de maigres jardins, des bicoques basses et noires aux volets clos. Puis apparurent les premières maisons de pierre. Le village devenait une capitale. « Quelle idée d'habiter Saint-Pétersbourg ! songea Michel Borissovitch. L'air y est malsain, la société corrompue et la vie chère. Nicolas gagne un traitement dérisoire au ministère des Affaires étrangères où il n'a pas d'emploi défini et où ses chefs ne le conservent que par égard pour moi. Je suis obligé de lui envoyer de l'argent, chaque mois, pour l'aider à joindre les deux bouts. Et, à la campagne, il pourrait m'être d'une grande utilité pour diriger le domaine. Oui, vraiment, il est temps de réorganiser notre existence. Dès que Sophie sera en mesure de voyager, je les ramènerai sous mon toit. » Il était d'usage, dans la famille, de célébrer les naissances en plantant un petit sapin dans un coin du parc. Marie et Nicolas avaient chacun leur arbre, qui était déjà élancé et robuste. Celui de Michel Borissovitch les dominait de haut, avec ses branches touffues et noires, et sa tête inclinée comme pour écouter le vent. Celui de Boris Fédorovitch, le père de Michel Borissovitch, avait été frappé par la foudre, trois ans auparavant. « Je planterai moi-même celui de Serge, décréta Michel Borissovitch, Et j'y accrocherai une petite plaque : « 12 mai 1819. »

Des coupoles d'église défilèrent dans le brouillard sombre. La voiture aborda une rue aux façades élégantes et au pavé sonore : la Grande Morskaïa. Puis vinrent la perspective Nevsky, la perspective Liteïny... La fin du voyage approchait. Michel Borissovitch tira un peigne de sa poche et le passa dans ses cheveux, dans ses moustaches, dans ses favoris, pour se donner un air présentable. C'était bien le moins s'il tenait à ne pas effaroucher sa bru !

— Ralentis ! cria-t-il au cocher. C'est à droite. Le troisième porche...

Une litière de paille était étalée sur toute la largeur de la chaussée pour amortir le bruit des roues. Sans doute Sophie était-elle encore souffrante. La maison, datant de Catherine II, avait appartenu à Olga Ivanovna, la femme de Michel Borissovitch. Elle l'avait léguée par testament à son mari et à ses deux enfants. Depuis qu'elle était morte, ils étaient restés dans l'indivision, mais, conformément aux dispositions de la défunte, Michel Borissovitch percevait seul les loyers, en vérité assez modiques. Tous les appartements avaient été donnés à bail, sauf celui du premier étage. Nicolas et Sophie s'y étaient réfugiés après le malentendu qui les avait éloignés de Kachtanovka.

— On t'aidera à décharger, reprit Michel Borissovitch en mettant pied à terre.

Un quinquet à la flamme mourante éclairait le départ d'un large escalier de marbre. Michel Borissovitch gravit les marches, en soufflant, jusqu'au premier palier. Là, il frappa du poing au vantail. Un tonnerre secoua la maison. « Je suis fou ! pensa-t-il aussitôt. Je vais réveiller le bébé, la mère !... » Mais cette perspective l'amusait plus qu'elle ne lui donnait du scrupule. Ne recevant pas de réponse, il cogna encore. Des pas traînants se rapprochèrent. La porte s'entrebâilla. Une main s'éleva lentement, tenant une chandelle allumée. Dans ce halo surgit la face d'un domestique roux et lippu. Michel Borissovitch reconnut le serf Antipe, qu'il avait cédé à Nicolas. Les prunelles d'Antipe s'arrondirent, sa mâchoire se décrocha, il se signa le creux de la poitrine. Se fût-il trouvé nez à nez avec un fantôme, qu'il n'eût pas reculé plus précipitamment dans l'antichambre.

— Eh bien ! gronda Michel Borissovitch en se débarrassant de son manteau. Qu'est-ce qui te prend ? Va prévenir ton maître !

— Mon maître ! Mon maître ! bredouilla Antipe dans un reniflement.

— Quoi ? Il est déjà couché ? Il dort ?

— Oh ! non, barine !

Michel Borissovitch repoussa Antipe d'un revers du

bras, traversa le vestibule et entra dans le salon, où une lampe à l'abat-jour vert brûlait sur un bureau. Comme il parcourait du regard cette pièce grande, peu meublée et vétuste, une porte s'ouvrit, droit devant lui, et son fils parut.

Nicolas était pâle, avec une expression de faiblesse et d'égarement sur le visage. La vue de son père sembla l'étonner à peine. Une crainte effleura Michel Borissovitch. Il murmura :

— Que se passe-t-il ?

Nicolas baissa le front et dit :

— L'enfant est mort.

Michel Borissovitch demeura un instant immobile, sans tête pour penser, sans jambes pour soutenir son corps. Instinctivement, il s'appuya d'une main au dossier d'un fauteuil. Les pulsations de son sang emplirent le silence. Il hurla :

— Ce n'est pas vrai !

— Hélas, père ! dit Nicolas.

— Pourquoi ne me l'as-tu pas écrit ?

— Voici trois jours que j'ai confié la lettre à la poste. Elle a dû arriver à Kachtanovka après votre départ.

Michel Borissovitch aspira l'air profondément, et la douleur augmenta dans sa poitrine. Son chagrin se mêlait de colère. Contre toute raison, il refusait de croire que le malheur fût irréparable.

— Je veux le voir, prononça-t-il d'une voix sourde.

La lèvre inférieure de Nicolas se mit à trembler.

— Mais, père, dit-il, c'est impossible... Il est... Nous l'avons enterré...

L'indignation frappa Michel Borissovitch, comme si son fils lui eût avoué un crime.

— Quand ? Quand l'avez-vous enterré ? demanda-t-il.

— Avant-hier.

— Pourquoi ne m'avez-vous pas attendu ?

— Voyons, père...

— Pourquoi ? répéta Michel Borissovitch en tapant du poing droit le creux de sa main gauche.

Etait-il juste qu'on l'empêchât de connaître le visage de son petit-fils ? Brusquement, il eut l'impression qu'on lui mentait, que cet enfant, dont il ne pouvait même pas voir la dépouille, n'avait jamais existé, que c'était un leurre, une invention de Nicolas. Puis, sans transition, il s'emporta contre son fils et sa belle-fille, qui n'avaient pas su préserver de la maladie l'ange que Dieu leur avait envoyé du ciel.

— De quoi est-il mort ? demanda-t-il.

— Le docteur ne le sait pas au juste... Une malformation du cœur, sans doute... On l'a trouvé inanimé, le matin, dans son berceau...

— Qui est votre médecin ?

— Goloubiatnikoff.

— Un âne bâté ! Je parie qu'il a perdu la tête ! Il y avait probablement quelque chose à faire ! Si j'avais été là...

— Ne vous imaginez pas cela, père. Le docteur Goloubiatnikoff nous a montré beaucoup de dévouement. Mais tous ses efforts ont été inutiles. Personne n'est responsable...

— Personne n'est responsable ! répéta Michel Borissovitch. Tu le crois !... Tu le crois parce que cela t'arrange !...

Il haletait de fureur. Une idée se précisait dans son cerveau. La mort du petit Serge était un châtiment divin. Le Seigneur punissait Nicolas parce qu'il avait épousé, contre la volonté de son père, cette étrangère, cette catholique. Jamais — il en était convaincu — un pareil malheur ne fût arrivé si la mère avait été russe. Mort à quatre jours, Serge n'avait certainement pas été baptisé. Un prêtre avait-il du moins béni son corps avant l'inhumation ? Inutile de le demander. « De toute façon, il est parmi les chérubins, songea-t-il. Et moi qui voulais planter un sapin pour marquer sa naissance ! » Un voile de larmes passa devant ses yeux.

— Dors en paix dans le sein d'Abraham, mon petit ! dit-il. Et pardonne à tes parents de n'avoir pas mérité que tu vives !

Il chercha du regard une icône dans le salon, n'en trouva pas et se signa en appuyant fortement ses doigts unis sur son front, sur son ventre et des deux côtés de sa poitrine.

— Que voulez-vous dire, père ? grommela Nicolas qui se contenait difficilement.

Michel Borissovitch le considéra avec mépris. Il eût aimé lui crier toute sa pensée à la face, mais se ravisa, par égard au chagrin que son fils devait éprouver lui-même.

— Rien, marmonna-t-il, rien que tu puisses comprendre. Tu n'es qu'un gamin !... Comment va ta femme ?

Cette question venait trop tard. Nicolas était indigné que son père eût attendu si longtemps pour la poser. Tant d'égoïsme, tant de rudesse dépassaient tout ce qu'on pouvait craindre du personnage !

— Sophie a failli mourir en mettant l'enfant au monde ! dit Nicolas.

Les épais sourcils de Michel Borissovitch frémirent. Il darda sur son fils un regard froid.

— Ah ? dit-il. Et maintenant ?

— Elle est encore très faible. La mort du petit a été pour elle un choc terrible. Je ne sais comment elle s'en remettra...

— Oui, oui, soupira Michel Borissovitch.

Visiblement, il ne voulait pas se laisser émouvoir. Nicolas le détesta pour son hostilité obtuse. Depuis que Michel Borissovitch était entré dans cette maison, au deuil s'ajoutait la discorde.

— Dois-je faire préparer votre chambre ? demanda Nicolas brièvement.

— Oui. Et préviens Antipe qu'il décharge la voiture.

A ce moment, un tambourinage discret retentit derrière la porte. Une servante pénétra, pieds nus, dans le salon et dit à Nicolas que la barynia désirait le voir tout de suite. Nicolas jeta à son père un regard effrayé et partit en courant. Quand sa femme l'appelait ainsi, à l'improviste, il redoutait toujours un malaise, une crise de larmes. Mais Sophie reposait, lasse et calme, dans son lit, à la lueur d'une veilleuse. Elle avait entendu l'arrivée de la voiture et voulait savoir qui était ce visiteur nocturne.

— C'est mon père, dit Nicolas à contrecœur.

Sophie se souleva à demi sur ses oreillers et une rougeur colora ses pommettes.

— Il a fait le voyage de Kachtanovka ? chuchota-t-elle.

— Oui, Sophie.

— Il savait ?...

— Non.

— Le pauvre ! Prie-le de venir ici.

Ayant pu constater les mauvaises dispositions de Michel Borissovitch à l'égard de Sophie, Nicolas craignait que, mis en présence l'un de l'autre, ils n'en vinssent de nouveau à se disputer.

— Est-ce bien utile, ma chérie ? dit-il. Mon père est fatigué par le voyage. Et toi-même...

Elle balança la tête lentement, de droite à gauche tandis qu'une faible grimace découvrait ses dents :

— Va le chercher, Nicolas !

Sans doute, la mort de son enfant l'avait-elle bouleversée au point que toutes ses querelles d'autrefois lui paraissaient maintenant petites et ridicules. Elle se souvenait à peine de la manière odieuse dont Michel Borissovitch l'avait accueillie à Kachtanovka. Levant sur son mari un regard d'une douceur fervente, elle dit encore :

— Va vite !

Sans force pour lui résister, il retourna dans le salon. En apprenant que Sophie l'appelait auprès d'elle, Michel Borissovitch ne cacha pas sa contrariété. Il appréhendait ce genre d'entrevues où la charité chrétienne vous oblige à mentir pour sauver les apparences. Nicolas avait une expression de prière. « Il a peur que je ne casse les vitres ! », pensa Michel Borissovitch.

— Eh bien ! allons, dit-il en haussant les épaules.

Et il suivit son fils avec ennui. Au bout d'un long couloir, Nicolas poussa une porte. Michel Borissovitch franchit le seuil et s'immobilisa, étonné. Dans la pénombre, il reconnaissait le lit avec son baldaquin jaune, les deux tables de nuit cylindriques, l'armoire au fronton sculpté, l'icône de la Vierge d'Ibérie, dans son coin. C'était la chambre qu'il avait occupée avec sa femme, Olga Ivanovna, peu après leur mariage. Nicolas était né ici même, vingt-cinq ans plus tôt. Pris de vertige, Michel Borissovitch sentait revivre en lui une angoisse, une joie, une fierté, dont la source était depuis longtemps tarie. L'évocation de ce passé était si précise qu'il en oubliait pourquoi il était venu. Il pensait à sa jeunesse, à des moments de bonheur, à des paroles d'amour, à des rires, à des baisers, et ne voyait pas Sophie. Soudain, il la découvrit, à travers un écran de brume. Elle était étendue à la place de sa femme, dans le lit de sa femme, avec, sur son visage, cet air de fatigue et de vaillance que sa femme avait après son accouchement. Mais, près d'Olga, il y avait alors un berceau avec un bébé à l'intérieur. Près de Sophie, il n'y avait rien. Comme elle devait souffrir de ce vide !

Michel Borissovitch mit ses besicles et la regarda plus attentivement. La veilleuse éclairait les méplats de son petit visage aux sourcils noirs bien arqués, à la lèvre supérieure un peu courte, aux yeux sombres, brillants de fièvre, au nez fin et charmant. Une fanchon de dentelle coiffait ses cheveux bruns, relevés sur la nuque. Son cou, long et souple, était légèrement renflé à la base. Une cape de tricot rose pendait de ses épaules. L'émotion s'empara de Michel Borissovitch. Son cœur battait vite et fort, sans qu'il fût capable ni de se maîtriser ni d'expliquer son trouble. Avant qu'il n'eût ouvert la bouche, elle murmura :

— Ce qui nous arrive est affreux ! Pardonnez-moi de vous avoir causé cette fausse joie.

Il tressaillit : elle avait parlé en russe. Quand

avait-elle appris la langue de son mari ? Pourquoi Nicolas n'en avait-il rien dit dans ses lettres ?

— Tout ce voyage, ce grand voyage, pour rien ! reprit-elle dans un souffle.

Elle avait un accent français très touchant. Michel Borissovitch luttait contre l'envie de déposer les armes. Tout à coup, il se sentit ridicule, avec sa hargne revendicatrice, devant cette jeune femme pleine de dignité dans la douleur. Nicolas s'était assis au chevet de Sophie et la couvait d'un regard amoureux. Au bout d'un long moment, Michel Borissovitch entendit sa propre voix qui disait :

— Nous devons nous incliner devant la volonté de Dieu et la bénir, quoi qu'il nous en coûte. Vous êtes jeune, vous aurez d'autres enfants...

— Père, ne parlez pas ainsi ! dit Nicolas.

Il craignait que Sophie ne fût choquée. Mais elle souriait avec tristesse en contemplant le mur devant elle. Avec une brusque décision, Michel Borissovitch prit la main de Sophie et la porta à ses lèvres : c'était une main légère et chaude, une main d'enfant. Il la reposa au bord du lit, délicatement. Un parfum d'amande restait devant son visage. Il balbutia :

— Je voudrais... Il faudrait... Il faut absolument que vous veniez vivre à Kachtanovka !...

# 2

Dans la rue, Nicolas respira l'air de la nuit avec avidité. C'était la première fois, depuis trois semaines, qu'il mettait les pieds dehors. Sophie avait insisté elle-même pour qu'il se rendît à cette réunion d'amis chez Kostia Ladomiroff. N'avait-elle pas son beau-père pour lui tenir compagnie après le souper ? Ils joueraient aux échecs. Nicolas était à la fois heureux et inquiet de leur bonne entente. Connaissant le caractère entier de sa femme et de Michel Borissovitch, il doutait que l'accalmie fût durable. En tout cas, le résultat de cette réconciliation était que Sophie acceptait maintenant d'aller vivre à Kachtanovka. Elle semblait même pressée de quitter Saint-Pétersbourg. Nicolas admettait fort bien qu'elle voulût fuir les lieux qui lui rappelaient son deuil. Mais il était persuadé qu'après quelques mois à la campagne elle regretterait sa décision. A ce moment-là, il serait trop tard pour revenir en arrière. Enterrés à Kachtanovka, ils y resteraient jusqu'à la fin de leurs jours.

Or, Nicolas ne pouvait plus se passer de l'existence brillante et incohérente de la capitale. Il s'y était fait des amis parmi les jeunes gens les plus en vue de l'administration civile et de l'armée. Nombre d'entre eux avaient participé, comme lui, aux campagnes de 1814 et de 1815 contre Napoléon et s'étaient trouvés en occupation à Paris. Ils en avaient rapporté des idées générales et le goût de la discussion. Leurs rencontres hebdomadaires, chez Kostia, se terminaient toujours par des conversations politiques. Chacun relatait ce qu'il avait entendu dire en ville, à la caserne, au ministère, à la cour, et donnait son opinion sur des sujets aussi graves que la légitimité du pouvoir, l'abolition du servage et le moyen d'associer les classes éclairées de la nation aux affaires de l'Etat. Certes, d'une réunion à l'autre, on échangeait à peu près les mêmes propos, mais cette répétition était exaltante. Nicolas récapitulait toutes les joies qu'il allait sacrifier aux exigences de Sophie. Qui, de lui ou d'elle, était le plus égoïste ? Il avait essayé, ce matin encore, de la dissuader. Elle n'avait rien voulu entendre : « Le médecin a dit que, dans trois semaines, je pourrai voyager dans une bonne voiture. N'es-tu pas impatient de retrouver le pays de ton enfance ? Nous serons si heureux là-bas ! » Comment pouvait-elle parler de la sorte, alors qu'ici, sur les bords de la Néva, commençait la saison la plus douce et la plus mystérieuse ? La ville baignait dans une clarté de printemps polaire, qui n'était ni le jour ni la nuit. Dans cette fausse aurore, les maisons perdaient leur épaisseur, les ombres n'appartenaient à personne, l'existence quotidienne était déviée. Depuis trois semaines, la deuxième glace du fleuve était partie à la dérive. Des bateaux étrangers arrivaient déjà du golfe de Finlande et accostaient au quai de la Bourse. Ils apportaient avec eux l'odeur du goudron et de la résine, les cris des pilotes, le grincement des mâtures lourdement gréées.

Marchant dans la rue, à grandes enjambées, Nicolas humait le parfum de la mer toute proche. Un vent vif, accourant du large, balayait la perspective Nevsky dans le sens de la longueur. Les rares passants entrevus à cette heure tardive semblaient des fantômes, des représentations abstraites, des pensées en promenade, dont les auteurs, en chair et en os, dormaient au fond de leurs lits. C'étaient les rêves des habitants de Saint-Pétersbourg qui prenaient le frais, à l'insu de leurs maîtres. Nicolas lui-même n'était-il pas un spectre déambulant dans la cité, tandis que son corps réel était resté là-bas, entre son père et Sophie ? Le fait seul qu'il pût se poser la question lui prouva qu'il n'était pas dans son état normal.

Kostia Ladomiroff habitait un immense appartement, près de la place Saint-Isaac. Il reçut Nicolas dans un salon meublé à l'orientale, avec des sofas très bas, des coussins de cuir multicolores posés par terre, des tapis sur les murs, des tables naines, incrustées de nacre, dans tous les coins et un narghileh au centre de la pièce. Des pastilles odorantes fumaient dans un brûle-parfum. Le maître de maison était vêtu d'une robe de chambre en cachemire, chaussé de babouches jaunes et coiffé d'un fez. C'était le déguisement qu'il adoptait traditionnellement pour accueillir ses invités du lundi. Ainsi attifé, il ressemblait, avec ses traits pointus, son toupet sur le front et ses longues jambes, à un oiseau échassier porteur d'un somptueux plumage.

— Je suis heureux d'être arrivé le premier, dit Nicolas en s'asseyant à la turque sur un sofa. Il faut que je te parle... Ça ne va pas du tout, à la maison !...

— Comment veux-tu que ça aille ? dit Kostia, qui en était resté à la mort de l'enfant. Laisse au temps le soin de guérir les plaies !

— Il y a autre chose !

— Quoi ? Sophie t'inquiète ?

— Oui, dit Nicolas.

Mais, sur le point d'annoncer qu'il devait quitter Saint-Pétersbourg pour obéir au désir de sa femme, il se ravisa. Kostia étant célibataire ne pouvait comprendre que parfois, dans un ménage, c'était l'épouse et non le mari qui prenait les décisions importantes. Par crainte de paraître ridicule aux yeux de son camarade, il murmura d'un ton évasif :

— Je la trouve très fatiguée, très nerveuse... L'air de la campagne lui fera du bien... Dès qu'elle sera rétablie, je l'emmènerai à Kachtanovka et nous nous y installerons...

— Pour longtemps ?

— Je le suppose. En tout cas, je vais donner ma démission au ministère.

— Tu es fou ! s'écria Kostia.

Nicolas avait espéré que son ami lui remonterait le moral. Mais Kostia réagissait exactement comme lui devant ce projet absurde :

— Tu ne peux pas partir ainsi ! Tu vas t'encroûter en province !

Blessé à un point sensible, Nicolas eut du mérite à cacher son désarroi.

— Ne crois pas ça ! dit-il. J'adore la solitude. J'en profiterai pour lire, pour méditer, pour m'occuper de culture, d'élevage, pour entrer en contact avec ces paysans que nous connaissons si mal !...

— Tu es un drôle de bonhomme ! dit Kostia en hochant la tête, ce qui balança élégamment le gland de son fez le long de sa joue. Je n'aurais jamais imaginé que tu puisses être attiré par la campagne !

— Ai-je l'air si léger ? dit Nicolas avec un pauvre sourire. Et puis, tu viendras me voir...

— Dans ce trou perdu ? N'y compte pas trop !...

— Alors, c'est moi qui m'arrangerai pour faire, de temps en temps, un voyage à Saint-Pétersbourg !

Il continuait à feindre la bonne humeur, cependant qu'un voile de cendre tombait sur sa vie. Tout n'était que grisaille, ennui et inutilité. Kostia lui offrit une longue pipe à fourneau de porcelaine et à bout d'ambre jaune. Ils fumèrent en silence. Puis Kostia demanda :

— Et que pense Sophie de ta décision ? Je suis sûr qu'elle n'est pas enchantée de partir !

— Oh ! si, dit Nicolas... Enfin, je n'ai pas eu trop de mal à la convaincre...

La sonnette retentit. Quatre invités se présentèrent ensemble. Tous des militaires. Ils avaient dégrafé leurs ceintures et posé leurs épées dans l'antichambre. Le plus imposant de ces officiers était Hippolyte Roznikoff, qui avait été l'ami intime de Nicolas à Paris. Devenu aide de camp du général Miloradovitch, gouverneur de Saint-Pétersbourg, le « bel Hippolyte » avait gagné de l'embonpoint et de l'assurance. Grand et fort, frisé, moustachu, il éclatait de rire pour un rien et prétendait que la température montait de trois degrés dès qu'il entrait dans une pièce. Avec lui, étaient venus le petit Youri Almazoff, lieutenant au régiment de Moscou, Volodia Kozlovsky, cornette aux gardes à cheval, et l'énorme Dimitri Nikitenko, qui servait dans les dragons. Peu après, arrivèrent encore le capitaine Shédrine, du régiment Ismaïlovsky, et un homme d'une trentaine d'années, aux cheveux blonds coupés en brosse, au regard déformé par d'épaisses lunettes et au menton replet. Il se nommait Stépan Pokrovsky, se disait poète, et était employé à l'administration des douanes.

Les domestiques de Kostia s'empressèrent. Un samovar fumant apparut sur une table, mais sa présence n'était que symbolique. La véritable réserve de boisson était constituée par une batterie de bouteilles : tous les alcools du monde à portée de la main ! C'était Platon, le vieux laquais de Kostia, qui remplissait les verres. Chaque fois que l'un de ces messieurs lâchait un gros mot, Platon devait crier : « *Salem aleïkoum*, que la paix soit sur vous ! » et offrir une coupe d'expiation au coupable. La coupe d'expiation contenait obligatoirement un mélange de champagne et de cognac. Le premier qui eut à l'avaler fut Kostia lui-même, pour avoir décrit en termes crus les charmes d'une actrice de sa connaissance. Puis ce fut Youri Almazoff qui raconta une anecdote scabreuse sur l'archimandrite Photius, coqueluche des dames mystiques de Saint-Pétersbourg.

Nicolas était gêné de rire avec les autres, malgré son deuil. Certes, tous ses amis lui avaient présenté leurs condoléances à domicile. Mais, cette formalité accomplie, ils parlaient devant lui aussi librement qu'autrefois. Eût-il préféré rester chez lui pour ne pas entendre leurs plaisanteries ? Il était si bien parmi ces gens jeunes à l'esprit vif et à la langue déliée ! Assis sur des coussins, vautrés sur des sofas, l'uniforme déboutonné, le sang au visage, la pipe à la bouche, ils discutaient maintenant les mérites comparés des deux grandes danseuses Kolossova et Istomina. Chacune avait ses partisans fanatiques. Il en était de même pour les chanteuses. Quand Kozlovsky prétendit avoir une admiration sans réserve pour la cantatrice française Dangeville-Vanderberghe, Kostia, qui était un adorateur de l'Italienne Catalani, se fâcha, traita tous les sopranos français d'excréments musicaux et se vit contraint d'avaler une deuxième coupe expiatoire. Les esprits s'échauffant, on en vint naturellement à la politique. Là, tout le monde fut d'accord pour condamner les tergiversations du tsar Alexandre. Il avait octroyé, l'année précédente, une sorte de constitution à la Pologne. Qu'attendait-il pour étendre ces mesures libérales à la Russie? Ne jugeait-il pas son peuple assez mûr pour jouir des mêmes droits que les voisins ? Au lieu de se relâcher, la surveillance policière s'était renforcée.

— Une fois de plus, messieurs, nous avons été bernés, dit Kozlovsky. En Russie, la seule chose qui change, ce sont les uniformes. On prétend qu'en France tout finit par des chansons ; chez nous, tout finit par des soldats !

Nicolas comprit qu'il faisait allusion aux colonies militaires instituées par le général Araktchéïeff, conseiller intime du tsar. D'après les plans de ce personnage redoutable, des provinces entières étaient transformées en cantonnements. Un régiment arrivait dans un district et tous les moujiks de ce district devenaient automatiquement des soldats. Répartis en compagnies, bataillons, escadrons, ils constituaient les réserves des unités régulières installées sur leur territoire. Leurs isbas étaient rasées et remplacées par des maisonnettes symétriques. Vêtus d'un uniforme, ils apprenaient le service militaire, et, pendant leurs heures de loisir, travaillaient pour approvisionner l'armée. Le règlement les obligeait à se couper la barbe, à se rendre aux champs en tenue, au son du tambour, à inscrire leurs fils comme recrues dès l'âge de sept ans et à soumettre à l'approbation de leur colonel le mariage de leurs enfants des deux sexes.

— J'ai entendu raconter, dit Nicolas, que, dans une province, le déplacement de la population s'est opéré en vingt-quatre heures. Femmes enceintes, vieillards, malades, ont été transportés à plus de mille verstes de leurs foyers par décision administrative.

— Ce qui est curieux, dit Kostia, c'est que, chez nous, il n'y a pas de Loi, mais uniquement des décisions administratives !

— Comment ça, pas de Loi ? s'écria Hippolyte Roznikoff. Il me semble, au contraire, que nos moindres gestes sont prévus par le législateur !

— Oui, mais les dispositions du législateur demeurent lettre morte pour le pouvoir central, dit Stépan Pokrovsky. Par exemple, il n'existe pas, en Russie, de loi précise établissant le servage des moujiks. S'ils se présentaient devant un tribunal pour réclamer leur liberté, et que ce tribunal fût équitable, ils devraient obtenir gain de cause. Eh bien ! essayez donc d'imaginer une action judiciaire de ce genre ! Les serfs qui se hasarderaient à l'intenter seraient battus à mort... par décision administrative ! Dans une nation civilisée, la Loi est au-dessus du chef de l'Etat, chez nous, le chef de l'Etat est au-dessus de la Loi !

— Tu as raison sur ce point, dit Nicolas. Mais Kozlovsky, lui, a tort lorsqu'il affirme que rien n'a changé en Russie. Il y a quelques années, personne n'aurait osé parler de ces choses, personne n'y aurait même songé !

— Evidemment ! ricana Youri Almazoff, nous

n'étions pas encore sortis de chez nous, nous n'avions aucun point de comparaison. Mais, dès qu'on a eu l'imprudence de nous lâcher dans le vaste monde, nous avons compris. Nous sommes allés en France combattre le tyran Bonaparte, et nous en sommes revenus malades de liberté !

— C'est cela même ! dit Shédrine. Pour ma part, j'ai souffert de retrouver dans ma patrie la misère du peuple, la servilité des fonctionnaires, la brutalité des chefs, les abus de pouvoir ! Je me refuse à croire que nous ayons émancipé l'Europe pour demeurer nous-mêmes en esclavage !

— Vous me faites rire avec votre émancipation de l'Europe ! dit Hippolyte Roznikoff. Lorsque j'étais en occupation à Paris, la liberté française m'a paru contrôlée de très près par la police de Louis XVIII.

— Tu ne vas pas la comparer à la nôtre ! répliqua Shédrine. Ou alors, permets-moi de te dire que tu n'as jamais eu affaire avec elle ! Non, messieurs, pour moi la cause est entendue. Après avoir vécu quelques mois en France, en Allemagne, après avoir lu Montesquieu, Benjamin Constant et tant d'autres, il est impossible de voir notre univers avec les mêmes yeux qu'autrefois !

— Ce n'est pas moi qui te contredirai ! grogna Nicolas.

— D'autant plus, s'écria Kostia, que toi, tu ne t'es pas borné à rapporter de Paris de vagues rêveries constitutionnelles, tu en as ramené une femme ! Et quelle femme ! Le charme, l'intelligence et la distinction personnifiés !

— Est-il vrai qu'elle était très proche des milieux de l'opposition ? demanda Stépan Pokrovsky.

— Oui, dit Nicolas avec un mélange de fierté et de gêne.

Il n'était pas sûr que le passé politique de Sophie fût apprécié de tous les invités de Kostia. Ceux-là mêmes qui paraissaient les plus favorables aux idées démocratiques n'envisageaient pas sérieusement le renversement de l'ordre établi.

— Elle a dû être horrifiée en débarquant dans notre pauvre pays sur lequel plane encore l'ombre de Pierre le Grand ! reprit Stépan Pokrovsky.

— Je l'avais prévenue pour qu'elle ne fût pas trop étonnée ! dit Nicolas.

— Et que pense-t-elle de la Russie, maintenant qu'elle s'est habituée à notre mode de vie ?

— Elle s'y plaît beaucoup.

— Voilà qui est tout à ton honneur ! dit Kostia en riant.

— Evidemment, poursuivit Nicolas, certaines de nos institutions la choquent. Elle souhaiterait, comme nous tous, l'abolition du servage, la garantie des libertés élémentaires...

Hippolyte Roznikoff l'interrompit en lui appliquant une claque sur la cuisse :

— Attends donc ! Ne m'avais-tu pas dit, autrefois, que Sophie faisait partie d'une organisation clandestine ? Les compagnons de la rose, de l'œillet, ou de quelque autre fleur...

— « Les Compagnons du Coquelicot », dit Nicolas. C'était, en vérité, une association très inoffensive, dont les membres se contentaient d'imprimer et de diffuser des brochures d'inspiration républicaine...

— Voilà ce qu'il nous faudrait en Russie ! dit Kostia.

Tous le regardèrent avec étonnement. Effondré sur un sofa, il avait laissé tomber ses babouches et contemplait pensivement ses orteils emprisonnés dans des chaussettes vertes.

— Nous avons servi notre patrie en temps de guerre, reprit-il. Nous devrions nous montrer aussi utiles en temps de paix !

— En conspirant contre le régime ? demanda Hippolyte Roznikoff.

— Est-ce que tu conspires contre le régime, toi qui es affilié à une loge maçonnique ? rétorqua Stépan Pokrovsky.

Le bel Hippolyte cambra la taille et dit sèchement :

— Certainement pas !

— Eh bien ! dit Stépan Pokrovsky, nous ne conspirerons pas davantage que toi. Je ne vois rien de répréhensible à ce que des amis, qui ont les mêmes idées sur l'avenir de leur pays, se réunissent et publient un petit bulletin...

Hippolyte Roznikoff lui coupa la parole :

— Tu le présenteras à la censure, ton petit bulletin ?

— Pas nécessairement.

— Donc, tu seras dans l'illégalité !

— S'il n'y a pas moyen d'agir autrement !...

— On peut très bien former une association secrète sans publier de bulletin, suggéra Youri Almazoff.

— C'est pour le coup qu'elle serait secrète, votre association ! s'exclama Roznikoff. Tellement secrète qu'elle en paraîtrait vite inutile !

Ayant jeté un coup d'œil autour de lui, il s'aperçut qu'il était seul de son avis et se troussa la moustache.

— Je crois, moi, dit Stépan Pokrovsky avec douceur, que plus il y aura de gens qui, comme nous, discuteront de la chose publique, plus le gouvernement se sentira moralement obligé de passer aux actes. Ne dit-on pas en français qu'une idée est dans l'air ? Cette expression est très juste. Il faut que l'air soit saturé de nos idées, que les gens respirent nos idées du matin au soir, sans y prendre garde...

Ses yeux bleus brillaient derrière ses lunettes. Il avait quelque chose d'un philosophe allemand. Nicolas éprouva un élan de sympathie envers ce personnage, dont la force de persuasion venait, peut-être, de sa candeur. Soudain, Kostia bondit sur ses jambes, repoussa le fez sur sa nuque, étendit des bras de magicien turc pour réclamer le silence et dit :

— Mes amis, j'ai une proposition à vous faire.

Nous allons constituer une société secrète. Cette société aura son siège chez moi. Son but sera l'étude des meilleurs moyens d'assurer le bonheur de la Russie. Les membres de l'organisation se jureront aide et fidélité jusqu'à la mort. Peut-être publierons-nous un bulletin... C'est à voir ! En tout cas, s'il faut de l'argent pour quelque chose, je suis prêt à en avancer ! Qu'en pensez-vous ?

Après une seconde d'indécision, l'assistance éclata en cris d'allégresse :

— Hourra Kostia ! Tu es génial !

Nicolas était dans l'enthousiasme. La sensation d'être pris dans la chaleur d'un groupe, de rencontrer partout des échos à sa voix, lui donnait envie de se dévouer sans mesure. Il enrageait d'avoir à quitter Saint-Pétersbourg au moment où sa vie allait s'enrichir d'une signification nouvelle. D'un côté, l'avenir de la Russie, de l'autre, les caprices d'une femme éprouvée par un grand malheur et habituée à toujours obtenir ce qu'elle désirait ! A peine eut-il formulé cette réflexion, qu'il la désapprouva. Il lui arrivait souvent d'être injuste envers Sophie. Dès qu'il souffrait d'un désagrément, il était tenté de l'en rendre responsable. Et, pourtant, aujourd'hui plus que jamais, elle avait droit à sa sollicitude. Il la revit, tenant le bébé mort dans ses bras. Elle avait voulu l'habiller elle-même, le coucher elle-même dans le cercueil. La figure de l'enfant était d'une perfection surnaturelle. « Il était trop beau pour vivre, pensa-t-il. Je n'ai plus de fils. Je n'en aurai peut-être jamais ! » Prêt à suffoquer, il tressaillit sous le choc d'une tape amicale.

— Seras-tu des nôtres, Nicolas ? demanda Kostia.

— Certainement, balbutia-t-il. Mais, tu sais bien que je dois partir...

— Ce n'est rien. Tu ne quittes pas la Russie. Nous resterons en contact !

Nicolas serra la main de son ami.

— Alors, dit-il, ce sera avec joie... avec... avec gratitude !...

Kostia posa la même question à tous ses invités. Ils répondirent par l'affirmative, à l'exception d'Hippolyte Roznikoff, qui demanda à réfléchir. Sans doute ne voulait-il pas risquer de compromettre sa carrière en s'intéressant à un mouvement qui n'avait pas l'approbation des autorités.

— Je suivrai votre effort avec sympathie, dit-il. C'est tout...

Ses paroles se perdirent dans un joyeux tumulte. Les conjurés cherchaient à baptiser leur association. Stépan Pokrovsky proposa de reprendre le nom et les statuts du *Tugendbund*, dissous en Allemagne depuis quatre ans. Mais Youri Almazoff fit observer qu'il était dommage de donner un nom de consonance allemande à une entreprise essentiellement russe. Dimitri Nikitenko était partisan, lui, d'une étiquette sérieuse, comme « la Ligue des bons Sentiments », ou « l'Alliance pour la Vertu et pour la Vérité », mais Kostia trouvait que cela manquait de poésie.

— Pourquoi ne nous appellerions-nous pas, nous aussi, « les Compagnons du Coquelicot » ? dit-il.

Nicolas rougit de plaisir.

— Cela sonne moins bien en russe qu'en français ! dit Stépan Pokrovsky.

— Rien ne nous oblige à le traduire en russe ! rétorqua Nikitenko.

— Mais si ! Voyons, messieurs, un peu de logique ! Vous ne vouliez pas du *Tugendbund*, et maintenant...

La discussion s'alluma. Malgré le caractère secret de la réunion, nul ne prenait garde au vieux laquais qui servait à boire. Kostia le saisit par l'oreille et dit :

— Et toi, Platon, qu'est-ce que tu en penses ?

— Je ne sais pas, barine ! Je n'ai pas reçu l'instruction suffisante ! bafouilla l'autre en tendant le cou.

— Tu as tout de même une cervelle ! Fais-la travailler, que diable !

— Les coquelicots, c'est joli dans un champ de blé, dit Platon.

Kostia lâcha l'oreille de son serviteur et lui donna une chiquenaude sous le nez.

— *Salem aleïkoum !* s'écria Platon.

Et il recula contre le mur.

— Bravo, Platon ! dit Nicolas. Nous serons des coquelicots dans les champs de blé de la Russie !

— Je demande qu'on mette la proposition aux voix, dit Shédrine.

— Eh bien ! Platon ! Tu dors, vieille mule ? rugit Kostia. De quoi écrire ! Et vite !

On vota en jetant de petits papiers dans le casque du garde à cheval Kozlovsky. Nicolas dépouilla le scrutin. Sur huit suffrages, il y en eut trois en faveur des « Compagnons de Coquelicot » et cinq en faveur de « l'Alliance pour la Vertu et pour la Vérité ».

— Messieurs, annonça Kostia, permettez-moi de vous faire remarquer qu'à l'exemple de ce qui se passe dans les démocraties authentiques, nos décisions sont prises à la majorité. J'aurais personnellement préféré les « Coquelicots », mais je m'incline volontiers devant « la Vertu et la Vérité », puisque cette formule a l'assentiment du grand nombre. Mon souhait le plus cher est que chacun d'entre vous recrute beaucoup d'adeptes à notre cause !

Nicolas regretta que les coquelicots de France ne se fussent pas acclimatés en Russie. Mais cette déception fut effacée par les nouvelles déclarations de Kostia.

— Il faut, dit-il, convenir entre nous d'un signe de reconnaissance. Que diriez-vous d'une bague avec quelque chose de gravé dessus ? Un flambeau renversé, un masque, un poignard... Je pourrais faire étudier le dessin par un orfèvre. Il nous fabriquerait la quantité d'anneaux nécessaire. Nous les utiliserions comme cachets pour la correspondance.

— Adopté ! dit Nicolas.

— Adopté ! Adopté ! crièrent les autres.

Youri Almazoff bondit à pieds joints sur une table basse, faillit perdre l'équilibre, se rattrapa à l'épaule de Nikitenko et déclama d'une voix vibrante :

*C'est la Loi et non la nature,*
*Tyrans, qui vous a couronnés !*
*Vous êtes au-dessus du peuple,*
*La Loi est au-dessus de vous !*

Depuis plus d'un an, ce poème du jeune Pouchkine circulait en copie manuscrite dans la ville. Tout le monde le connaissait par cœur. Mais Youri Almazoff le récitait si bien, qu'à la fin les applaudissements éclatèrent.

— Si Pouchkine continue, il ne restera pas longtemps à Saint-Pétersbourg, dit Hippolyte Roznikoff. La patience des autorités a des bornes !

— Le tsar respecte le talent ! dit Stépan Pokrovsky.

— A condition que le talent respecte le tsar !

— Messieurs, messieurs, ne nous égarons pas ! dit Kostia en agitant une cuiller dans un verre pour réclamer le silence. Vous n'avez pas choisi le dessin de la bague.

— Choisis-le toi-même ! dit Nicolas. Flambeau, poignard, masque, serpent, qu'est-ce que cela change ? L'essentiel est que l'emblème soit sacré pour tous ! Ah ! mes amis, quelle soirée mémorable !

— J'ai soif ! hurla Kostia. Répétez avec moi : cette maison est un bordel sans le charme des putains...

Les invités reprirent la formule en chœur. Platon riait, la face fendue jusqu'aux oreilles, ses gros doigts croisés sur son ventre.

— Qu'est-ce que tu attends ? demanda Kostia.

— *Salem aleïkoum* à tout le monde ! dit Platon avec un salut.

Chacun reçut sa coupe d'expiation. Les émanations douceâtres du brûle-parfum écœuraient Nicolas. Le mélange du champagne et du cognac brouillait ses idées. Selon qu'il pensait à l'un ou à l'autre côté de son existence, il avait foi en l'avenir ou envie de se donner la mort. Youri Almazoff récita encore un poème de Pouchkine, où l'auteur se demandait s'il verrait un jour « le servage aboli par un geste du tsar ». Puis Stépan Pokrovsky, ayant essuyé ses lunettes et mouché son nez, lut une fable de sa composition : il s'agissait d'un caillou qui se plaignait de son sort et priait Dieu de le transformer en homme. Devenu moujik, le caillou souffrait tellement, qu'il implorait Dieu de le rendre à son premier état... Le thème n'avait rien d'original, mais les vers étaient harmonieux. Nicolas se leva avec peine du sofa et baisa Stépan Pokrovsky sur le front, en disant :

— Tu as une flamme, là !

Cette remarque fit rire les officiers. Nicolas, qui était sincère, faillit prendre la mouche. On le calma en l'assurant qu'entre membres d'une société secrète il n'y avait pas d'offense impardonnable. Il fût volontiers resté chez Kostia toute la nuit, mais il avait promis à Sophie d'être rentré pour onze heures. Alors que nul ne songeait encore à partir, il prit congé de ses camarades avec un air de tristesse et de devoir.

A la maison, il trouva sa femme étendue sur un canapé, dans le salon, la nuque soutenue par des oreillers, les jambes couvertes d'une fourrure d'ours. Michel Borissovitch était assis près d'elle dans le rond lumineux d'une lampe. Ils venaient de terminer une partie d'échecs. C'était Sophie qui avait gagné. Contrairement à son habitude, Michel Borissovitch paraissait ravi de s'être fait battre. Ni lui ni elle n'insistèrent pour que Nicolas leur racontât sa soirée. Il préférait cela d'ailleurs, car il avait l'intention d'en parler longuement, seul à seul, avec sa femme.

Ayant baisé la main de sa bru et béni son fils d'un signe de croix, Michel Borissovitch se retira enfin. Nicolas aida Sophie à se lever et la soutint par le bras pour la conduire jusqu'à leur chambre. Le médecin l'avait autorisée, depuis peu, à marcher dans l'appartement. Elle avançait à petits pas, le corps plié en avant, les jambes faibles.

Quand elle fut couchée, Nicolas s'assit en face d'elle et la contempla en silence.

— Tu ne te mets pas encore au lit ? demanda-t-elle.

— Non ! J'ai trop de choses à te dire ! Devine de quoi il a été question chez Kostia !

— De politique, comme d'habitude !

Elle connaissait les amis de Nicolas et partageait leur désir de voir s'instaurer un régime libéral en Russie. Souvent, au cours d'un dîner, dans un bal, entre deux danses, au théâtre, pendant l'entracte, elle avait échangé quelques mots avec eux au sujet de leurs aspirations communes. Mais qui donc, à Saint-Pétersbourg, ne souhaitait pas une réforme des institutions ? Le tsar lui-même était, disait-on, plein d'intentions généreuses !

— Cette fois, lança Nicolas, nos discussions sont allées plus loin !

Et il lui annonça la création de l' « Alliance pour la Vertu et pour la Vérité ».

— Figure-toi que Kostia voulait même baptiser notre société « les Compagnons du Coquelicot » ! dit-il.

Sophie fut désagréablement surprise. Elle ne savait pourquoi il lui déplaisait que Nicolas rappelât devant ses camarades l'activité politique qu'elle avait eue à Paris. Peut-être ne les jugeait-elle pas assez évolués pour être admis dans de telles confidences ? En tout cas, elle eût été désolée s'ils avaient adopté pour jouer aux conspirateurs le nom de « Compagnons du Coquelicot », qui évoquait pour elle le souvenir de quelques hommes admirables.

— Je suis contente que vous ayez choisi une autre appellation, dit-elle avec douceur.

Il la regarda, décontenancé, et poursuivit :

— Kostia va faire ciseler des bagues spéciales qui nous serviront de signe de reconnaissance. Il faudra instituer un cérémonial pour l'admission des nouveaux membres...

Soudain, il pensa que, s'il savait l'intéresser à son projet, elle aurait moins envie de quitter Saint-Pétersbourg. Elle lui avait trop souvent prouvé, à Paris, de quelle audace elle était capable par dévouement à une cause, pour qu'il n'eût pas l'espoir de la retourner en faisant appel à ses convictions républicaines.

— Je n'aurais jamais supposé qu'il y eût une telle puissance dans l'accord des hommes autour d'une idée ! reprit-il. Ce soir, nous étions comme des frères, tout heureux, tout émus de notre décision ! Toi qui as connu cela, tu dois me comprendre...

Sophie l'écoutait attentivement et s'étonnait de l'enthousiasme qu'il manifestait pour une affaire si peu importante. Frappée par la mort de son enfant, elle avait perdu le goût des discussions doctrinales. Sans doute un homme était-il incapable de vivre profondément un deuil de ce genre. Alors qu'elle ne trouvait de réconfort que dans la solitude et la réflexion, lui, cherchait à s'étourdir dans le monde. Il s'inventait des soucis de remplacement, des passions compensatrices. Cette « Alliance pour la Vertu et pour la Vérité », quelle aubaine !

— Cela peut devenir une entreprise très absorbante, dit-il. La Russie entière nous remerciera, si nous réussissons !

— Oui, oui, Nicolas, murmura-t-elle d'un ton conciliant.

— J'ai l'impression que tu n'y crois pas. Tu devrais assister à une de nos séances.

— J'aime mieux que tu me les racontes.

— Comment le pourrai-je, si nous partons ? Avoue que c'est dommage ! Juste au moment où une grande idée va prendre corps...

Elle lui opposa un sourire et, comme toujours lorsqu'elle le regardait de cette façon maternelle, raisonnable et autoritaire, il comprit qu'il ne pourrait pas lui résister.

— Tu as tort, grommela-t-il. C'est bête ! Si nous retardions notre départ de deux ou trois mois...

A force de parler, sa voix s'était enrouée. Sans répondre, Sophie lui prit la main et l'appuya contre sa joue. Il avait chaud. Il sentait la fumée, l'alcool. Il avait dû s'amuser, là-bas. Il avait ri, peut-être. Pleine d'une indulgence grondeuse, elle lui fit signe de s'asseoir près d'elle, au bord du lit. Nicolas obéit en silence. Mais il avait peur de la toucher. Depuis l'accouchement, elle lui paraissait étrangement vulnérable. Sophie l'attira contre sa poitrine. Tandis qu'elle l'embrassait, il s'étonna d'être à la fois si malheureux et si heureux.

# 3

La salle à manger était obscure et fraîche, mais les deux fenêtres, ouvertes sur le jardin de Kachtanovka, encadraient un fouillis de verdure ensoleillée. Des moucherons dansaient à la limite de la lumière. De temps à autre, une servante jetait une pincée de poudre sur un brasier. Le nuage de fumée qui se dégageait des charbons écartait les moustiques de la table. Le déjeuner était, pour Michel Borissovitch, le meilleur moment de la journée. Ayant sa famille au complet sous les yeux, il vivait quatre vies au lieu d'une. De tous les convives, c'était Sophie qui appelait le plus souvent son attention. Elle avait encore embelli, depuis quinze jours qu'elle se trouvait à la campagne. Sa robe de percale blanche, garnie de volants, était simple et, pourtant, elle semblait habillée avec une extrême élégance. Le timbre amorti de sa voix ajoutait du mystère à ses moindres propos. Auprès d'elle, la petite Marie, potelée, blonde, fade, avec ses yeux bleus délavés et ses taches de rousseur, faisait vraiment pauvre figure. Michel Borissovitch regretta de n'avoir pas une fille plus jolie, plus piquante. « Nicolas est tout de même mieux réussi, pensa-t-il. Dommage qu'il ait si peu de cervelle ! » Au bout de la table, M. Lesur reprit seul, pour la troisième fois, de la tarte aux fraises, arrosée de miel et coiffée de crème. Il suffisait que Michel Borissovitch portât les regards sur l'ancien précepteur de ses enfants pour avoir envie de l'humilier. Sans laisser le temps au Français d'avaler une bouchée, il se leva pour signifier que le repas était fini. M. Lesur se hâta de reposer dans son assiette le morceau de gâteau qu'il serrait entre le pouce et l'index.

— Je vous en prie, dit Michel Borissovitch, ne vous gênez pas pour nous, M. Lesur !...

— Non, non, j'ai terminé, bredouilla celui-ci en s'essuyant les doigts à sa serviette.

— Nous pouvons très bien attendre encore cinq minutes !

— Oh ! Monsieur... Vous voulez rire !...

Quand il taquinait quelqu'un, Michel Borissovitch sentait comme une bulle qui se formait en lui, se dilatait, s'irisait, avant d'éclater en ondée bienfaisante. Ayant pris son plaisir, il décocha un coup d'œil à Sophie. Elle avait une expression de colère contenue qui lui allait à ravir. « Elle n'aime pas que je me moque de son compatriote, songea Michel Borissovitch. Il faudra que je fasse attention à ne pas dépasser la mesure. Juste un peu, comme ça, pour m'amuser !... »

— Cette tarte est excellente, dit Sophie. J'en reprendrai volontiers moi-même, père, avec votre permission.

Chaque fois qu'elle lui disait « père », Michel Borissovitch s'attendrissait.

— Mais faites donc, Sophie, dit-il en se rasseyant avec une lenteur solennelle.

Puis il hurla :

— Alors, imbécile, tu n'as pas compris ? La barynia veut encore de la tarte !

Le valet de pied sursauta dans son habit trop large. Des filles coururent dans tous les sens. Et un énorme quartier de pâte, chargé de fraises, barbouillé de miel et de crème, glissa sur l'assiette de Sophie. Elle dut se forcer pour le manger jusqu'au bout, tandis que M. Lesur engloutissait sa portion en quatre coups de fourchette.

— Décidément, dit Michel Borissovitch, ce sont les Français qui, de nos jours, apprécient le plus la cuisine russe.

Et, de nouveau, il jeta les yeux sur Sophie pour voir si cette réflexion, du moins, ne l'avait pas fâchée. A tort ou à raison, il lui sembla qu'elle s'empêchait de rire. Il en fut si heureux, qu'il se versa un verre d'eau-de-vie de cerise et l'avala d'un trait.

— Et maintenant, mes enfants, dit-il, je vais faire ma sieste.

Il avait l'habitude de se reposer une heure ou deux après le déjeuner. Passant devant M. Lesur, Nicolas, Marie et Sophie, rangés contre le mur, il fit un sourire à chacun ; puis il monta dans sa chambre, retira ses chaussures, ses chaussettes et s'allongea sur son canapé de cuir noir. La vieille niania, Vassilissa, vint le rejoindre et s'assit sur un tabouret. Elle attendait ses ordres.

— Eh bien ! va, dit-il.

Elle se mit à lui gratter les pieds. Ses doigts agiles grimpaient au-dessus du talon, effleuraient la cheville, dansaient autour des orteils, revenaient à la voûte plantaire où la peau est d'une sensibilité exquise. Cette caresse fourmillante préparait Michel Borissovitch à la somnolence mieux qu'une infusion de plantes médicinales. Beaucoup de propriétaires des environs avaient une gratteuse de pieds, pour eux-mêmes et pour leur femme. Evidemment, Michel Borissovitch eût pu confier ce travail à une paysanne jeune et délurée, mais Vassilissa exerçait cette fonction depuis si longtemps, qu'il n'avait pas le cœur de la révoquer au profit d'une autre. « Je suis trop bon ! », pensa-t-il avec délices en regardant les deux mains osseuses, veineuses, qui s'ébattaient autour de ses extrémités inférieures.

— Est-ce bien ainsi, barine ? marmonna Vassilissa.

— Oui, souffla-t-il. Un peu plus haut... à droite... Là... Continue...

Il flottait sur un nuage. Quand son ronflement devint régulier, Vassilissa lui baisa la main et sortit de la pièce en faisant craquer le plancher sous ses grands pieds nus.

★

Assis sous la tonnelle, Nicolas lisait et annotait le premier tome de *l'Esprit des Lois*. Sophie vint lui proposer d'aller avec elle et Marie au village de Chatkovo. L'air animé de sa femme le réjouit. La campagne avait sur elle une action bienfaisante. Peu à peu, elle émergeait de son deuil et regardait le monde avec surprise et presque avec gratitude. Elle avait découvert les moujiks et brûlait de les mieux connaître pour soulager leur misère. Chaque fois que Nicolas l'avait accompagnée dans ses randonnées à travers le domaine, il avait pu constater qu'elle s'indignait d'un état de choses auquel lui-même était trop habitué pour en ressentir l'injustice. Elle eut beau insister, il refusa, en souriant, de la suivre à Chatkovo.

— Je ne te comprends pas, dit-elle. Tu prétends vouloir le bonheur du peuple, et tu aimes mieux rester dans tes livres que d'aller voir des paysans !

— Je les connais, tes paysans, dit-il. Je n'ai pas besoin de leur rendre visite pour savoir ce qui leur manque. D'ailleurs, étant leur maître, je me trouve dans une situation fausse pour m'attendrir sur eux. Toi, tu n'es pas née en Russie, tu viens de l'extérieur, tu ignores nos traditions, tu es donc à ton aise pour critiquer, pour aider...

— Voudrais-tu dire que je suis plus proche que toi des moujiks ?

— Tu n'es pas plus proche d'eux, mais tu peux plus pour eux ! Cela te semble paradoxal ?

— Un peu, je l'avoue.

Elle coiffa son chapeau de paille souple et le fixa avec une épingle. L'obstination de Nicolas la contrariait. Pleine d'une soudaine vindicte, elle le soupçonna de n'aimer les petites gens que d'une manière abstraite. Il souhaitait l'abolition du servage, mais se désintéressait des serfs. Tout en parlant de liberté et d'égalité comme la plupart de ses camarades, il répugnait à entrer dans une isba. Au fond, la pauvreté l'ennuyait. Il préférait lire ce qu'en disaient les autres. Elle se pencha sur le volume qu'il était en train de compulser et remarqua des phrases soulignées au crayon :

— « La liberté politique ne consiste pas à faire ce que l'on veut... Une constitution peut être telle que personne ne sera contraint de faire les choses auxquelles la Loi ne l'oblige pas et à ne point faire celles que la Loi lui permet... »

— C'est extraordinaire de lucidité, d'acuité ! dit-il. Tu ne trouves pas ?

— Mais si, Nicolas !

— Quand je lis des choses pareilles, tout s'éclaire dans ma tête. J'ai l'impression que, par l'exercice de l'intelligence, on peut résoudre le problème de l'humanité, mettre le bonheur en équations, agir à coup sûr !...

Sophie mesura la distance qui séparait Montesquieu des moujiks.

— Et bien ! je te laisse à tes livres, dit-elle. Mais je doute que ce soit en étudiant les philosophes que tu te rendras utile à ton pays.

— Et toi, dit-il gaiement, crois-tu que ce soit en distribuant quelques couvertures à des moujiks que tu changeras le destin de la Russie ?

Elle le regarda. Son visage allongé, aux yeux pailletés d'or et de vert, avait le don de l'émouvoir alors qu'elle s'y attendait le moins. Frappée par la certitude de son amour, elle entendit à peine sa belle-sœur qui l'appelait :

— La voiture est prête ! Dépêchez-vous !

— Bonne promenade ! dit Nicolas.

Sophie s'arracha à sa contemplation et alla s'asseoir, à côté de Marie, dans la calèche. Le cocher, énorme, se glissa sur son siège et demanda :

— Où ordonnez-vous que nous allions, barynia ?
— A Chatkovo, dit Sophie.
Il y avait une dizaine de villages dans le domaine, mais celui de Chatkovo était le plus proche de la maison. Les chevaux s'ébranlèrent. L'allée se creusa entre deux haies de sapins noirs. Un parfum d'herbe sèche, de résine chaude flottait dans l'air. Marie serra la main de sa belle-sœur et murmura :
— Vous êtes fâchée que Nicolas ne soit pas venu ?
— Nullement ! dit Sophie. Il se serait ennuyé. Il est dans une période de lecture.
— Oui, dit Marie, et moi je préfère toujours être seule avec vous. Devant lui, il y a des choses que je ne peux pas dire, vous comprenez ?
— Pas très bien.
— C'est un homme !
— Ah ! cette fois, je comprends, dit Sophie en souriant.
Et elle s'apprêta à recevoir des confidences sentimentales. Mais Marie ne semblait pas pressée de parler. Pour l'encourager, Sophie demanda :
— Votre vie n'a-t-elle pas changé depuis le jour où je vous ai vue pour la première fois ? Vous avez vingt ans maintenant...
— Et tout se passe comme si j'en savais encore seize ! dit Marie.
— Vous ne sortez pas davantage ? Vous ne recevez pas vos voisins ?
Marie secoua la tête.
— Il y a sûrement des jeunes gens, des demoiselles aimables dans les familles de la région, reprit Sophie.
— Mon père dit que non.
— Libre à lui de détester le monde, mais il n'a pas le droit de vous cloîtrer, à votre âge ! Ce n'est pas en vous cachant qu'il vous donnera l'occasion de vous marier !
— Il ne tient pas tellement à ce que je me marie ! dit la jeune fille en baissant les yeux.
Et elle ajouta avec vivacité :

— Moi non plus, d'ailleurs, je n'y tiens pas !
— Pourquoi ?
— Pour beaucoup de raisons. D'abord, parce que je suis laide !
Sophie eut un haut-le-corps :
— Laide ?
— Oui, laide, dit Marie. Laide, avec un nez bête, des yeux petits ! Je ne suis pas à l'aise dans ma peau...
— Quelle sottise ! s'écria Sophie. Vous êtes charmante !
Elle le pensait réellement : malgré un visage aux traits un peu gros, sa belle-sœur avait une nuance mélancolique dans l'expression, une grâce naturelle dans l'attitude, qui ne pouvaient laisser insensible.
— Quand vous vous regardez dans une glace, c'est un plaisir pour vous, dit Marie. Pour moi, c'est une punition. J'ai envie de me fuir. Et puis, les hommes me font peur. Tous les hommes. Je ne peux pas vous expliquer !...
Sophie devina que, pour garder la confiance de la jeune fille, elle ne devait pas la contrecarrer sur ce point.
La calèche sortit de l'allée et aborda une route découverte. Des points multicolores s'agitaient dans les champs. Çà et là, brillait l'éclair courbe d'une faucille. Les paysans coupaient le seigle. Un nuage de poussière entourait les chevaux. Les roues tressautaient dans les ornières sèches.
— Même si vous ne voulez pas vous marier, dit Sophie, vous pourriez recevoir des amis, avoir une existence plus animée, plus libre...
— Cela ne me plairait pas.
— Alors, de quoi vous plaignez-vous ?
— Je ne me plains pas. Vous m'avez posé une question sur ma vie à Kachtanovka, je vous ai répondu.
Il y eut un long silence.
— Je parlerai à votre père, dit Sophie.
— Surtout n'en faites rien ! dit Marie en lui en-

fonçant ses ongles dans la main. Il me prendrait pour une de ces filles sans principes, une de ces chiennes qui ne songent qu'à s'amuser !

Elle fit une grimace de dégoût et proféra entre ses dents :

— Je déteste les chiennes !

Sophie réprima un sourire. Il y avait dans cette affirmation un accent de naïveté agressive, qui lui rappelait son intransigeance d'autrefois. La calèche traversa un rideau de bouleaux grêles, à l'écorce baguée de noir et d'argent, et les premières maisons apparurent. Planté sur un talus, un poteau soutenait un écriteau de bois : « Village de Chatkovo, appartenant à Michel Borissovitch Ozareff. Feux 57 ; hommes recensés : 122 ; femmes : 141. » Des masures en rondins s'alignaient au bord de la chaussée. Dans un enclos de pieux, se dressaient trois tilleuls au feuillage malade. Ailleurs, c'étaient des tournesols, qui haussaient leurs énormes fleurs jaunes à cœur de velours noir. Personne dans la rue. Toute la population valide était aux champs. Sophie et Marie descendirent de voiture. Derrière le hameau, la colline glissait en pente douce vers la rivière. Près de l'eau, s'étirait un troupeau d'oies. Sur la rive opposée, des vaches paissaient sous la garde d'une fillette en robe rouge. Les portes des isbas étaient ouvertes. En passant de l'une à l'autre, Sophie retrouvait, d'un coup d'œil, le même intérieur noir de fumée et de crasse, la même odeur de bottes pourries, d'huile rance et de choux aigres, les mêmes images saintes dans leur coin, et, sur la couchette du four, le même vieillard somnolent, avec des mouches sur la figure. Dans la quatrième maison, une aïeule, assise sur un tabouret, taillait une cuiller de bois avec un canif. En apercevant les deux jeunes femmes, elle se leva péniblement, laissa tomber le canif, la cuiller, et baisa la main de Marie, puis de Sophie, en marmottant :

— Dieu nous envoie ses anges et nous n'avons ni pain ni sel pour les recevoir !

Ce n'était pas la première fois que Sophie lui rendait visite. La vieille était bossue, édentée, un œil couvert d'une taie blanchâtre, l'autre à demi fermé. Elle se nommait Pélagie et passait pour n'avoir pas toute sa raison. Marie lui demanda des nouvelles de sa santé.

— Ça va ! ça va ! bafouilla Pélagie.

— Ne l'écoutez pas, vos hautes seigneuries, elle est folle ! grommela une voix d'homme

Et un moujik sortit de l'ombre. Il était vieux, lui aussi, et très maigre, avec une barbe grise qui poussait de travers.

— Comment ça peut-il aller, lorsque la pauvreté est assise à notre table ? reprit-il. Bien sûr, nous sommes douze dans la maison ! Mais le nombre ne fait pas la force, quand tous les fils sont des ivrognes et des propres à rien ! Moi, je ne travaille plus, à cause de mes tremblements ! La vieille, c'est la même chose ! Et nos enfants nous reprochent le pain que nous mangeons ! Un pain noir, arrosé de larmes !

— Si vous avez besoin de quelque chose, dites-le-moi, murmura Sophie en s'appliquant à prononcer les mots russes correctement.

— C'est de la bonté divine que nous avons besoin, barynia. Mais Dieu n'est bon qu'avec ceux qui font brûler des cierges devant ses icônes. Et les cierges coûtent cher...

— Moins cher que l'eau-de-vie, dit Marie en français. Surtout, ne lui donnez rien ! Il le boirait !

— Si je pouvais brûler un cierge, le dimanche, la Reine des cieux y verrait plus clair dans ma vie, reprit le moujik en frissonnant de tous ses membres. En ce moment, elle cligne des yeux, la pauvrette. Elle dit : « Que se passe-t-il chez Porphyre et Pélagie ? Je ne distingue rien ! C'est tout noir ! » Ah ! Passion du Seigneur ! Saint ! Saint ! Saint ! Tous nos péchés viennent de notre misère !

Sophie posa une pièce de monnaie sur le coin de

la table et sortit. Derrière elle, les deux vieillards se répandirent en bénédictions.

— Vous n'auriez pas dû ! dit Marie.

Elles visitèrent encore le fils Ivanoff, qui s'était brûlé la main en aidant le forgeron, l'idiot du village, toujours bavant sur le pas de sa porte, et une mère dont le bébé avait failli mourir des « fièvres ». Chaque fois qu'elle voyait un enfant en bas âge, Sophie éprouvait un regret poignant, une secousse intérieure qui la laissait étourdie.

— Si ses malaises le reprennent, préviens-moi, dit-elle à la paysanne. Au besoin, on fera venir un médecin de Pskov.

Au mot de médecin, la mère se signa avec épouvante :

— Epargnez-moi, barynia ! Que l'enfant meure de la main de Dieu, s'il le faut, mais pas de la main d'un Allemand !

Pour elle, tous les médecins étaient des étrangers, par conséquent des Allemands.

— Qui a soigné ton bébé, ces temps-ci ? demanda Sophie.

— Pélagie.

— La folle ?

— Oui. Elle connaît les herbes.

— Laissez-les donc s'arranger entre eux, dit Marie. Ils ont leurs habitudes...

De nouveau, Sophie se sentit coupable d'être riche, instruite et en bonne santé. La mère prit le bébé dans la caisse qui lui servait de berceau et pressa ce paquet de chiffons sales contre sa poitrine. Le visage du nourrisson était bouffi et rougeaud. Des traces de lait séché marquaient son menton. Il se mit à crier. Marie entraîna Sophie hors de la maison.

A deux pas de là, dans un carré d'herbe, se dressait l'église paroissiale, aux murs blancs et aux coupoles vertes. Des poules picoraient au seuil du presbytère. Elles se dispersèrent avec des caquètements indignés devant Marie. La jeune fille ne venait pas à Chatkovo sans rendre visite au père Joseph, qui l'avait baptisée. Sophie, suivant sa belle-sœur, pénétra dans une pièce dont un poêle de faïence occupait le fond. La lumière du jour, passant par une fenêtre étroite, éclairait une table recouverte d'une nappe tricotée, deux bancs de bois et un groupe d'icônes, avec leur veilleuse en verre rouge. L'air était imprégné d'une odeur que Sophie ne tarda pas à reconnaître : cela sentait l'encens et la pâte fraîchement levée. La femme du pope fabriquait elle-même les petits pains pour la célébration de la messe.

— Loukéria Siméonovna ! cria Marie.

Une porte s'ouvrit et Loukéria Siméonovna, la *popadia,* se déversa dans la pièce avec la force d'un torrent. Grande, luisante, cramoisie, elle était au huitième mois d'une superbe grossesse. Ce serait son neuvième rejeton en seize ans de mariage. Le père Joseph disait modestement que Dieu bénissait leur union d'une dextre infatigable. Des têtes d'enfants, les uns blonds, les autres roux, surgirent derrière Loukéria Siméonovna dans l'encadrement de la porte. Ils se bousculaient pour mieux voir.

— Allez-vous-en, race d'anathème ! s'écria Loukéria Siméonovna par-dessus son épaule.

Les enfants s'envolèrent en piaillant.

Aussitôt, changeant sa grimace de colère en sourire d'hospitalité, Loukéria Siméonovna poursuivit :

— Quel bonheur ! Asseyez-vous donc ! Et pardonnez à l'humble demeure ! Les sièges y sont durs, mais les cœurs y sont tendres ! Le père Joseph ne va pas tarder. Il est en prière... Ou il fait un petit somme... L'un et l'autre sont nécessaires au chrétien !

Sophie et Marie s'assirent à la table. Le sacristain apporta un samovar fumant et demanda la clef du garde-manger pour les confitures. Loukéria Siméonovna la lui confia de mauvaise grâce et montra un air inquiet jusqu'à son retour. Enfin, le sacristain reparut, serrant un bocal contre sa poitrine creuse.

Derrière lui, marchait le père Joseph en personne. Il était encore plus grand que sa femme et paraissait, lui aussi, en état de maternité avancée, tant son ventre bombait sous la soutane noire. Une barbe, d'un gris de fer, débordait son visage comme une pelle. Ayant béni les deux visiteuses, il s'installa entre elles pour prendre le thé. Dès les premières gorgées, la sueur perla à son front.

— Dieu vous saura gré, à toutes deux, de vos bontés pour cet humble village, dit-il dans un soupir. Je suis sûr que, chaque jour, quelqu'un à Chatkovo parle de vous dans ses prières. Dans l'ensemble, ce sont tous des vauriens : voleurs, buveurs, menteurs, jureurs et fornicateurs ! Mais quoi, le Seigneur les a voulus ainsi !

— J'aimerais les aider, dit Sophie.

— A quoi faire ? demanda le père Joseph. Malheur à celui qui veut changer le cours des choses sans avoir les moyens d'aller jusqu'au bout ! La douceur que tu donnes à l'indigent aujourd'hui, demain il te la réclamera comme un dû, et, après-demain, si tu ne lui offres pas davantage, il t'accusera de méchanceté ! N'éveille pas une soif que tu es incapable d'étancher ! Ne tire pas vers la lumière celui qui s'est habitué à l'ombre ! Ne corrige pas l'œuvre de Dieu, à moins que Dieu ne te l'ordonne !

— Il faudrait donc, d'après vous, dit Sophie, laisser les malades à leur maladie, les ignorants à leur ignorance, les pauvres à leur pauvreté, les ivrognes à leur ivrognerie ?...

— ... Les riches à leur richesse, poursuivit le père Joseph, et les saints à leur sainteté. Le vrai bonheur, ce n'est pas autrui qui nous l'apporte, mais nous qui le trouvons dans notre âme. Il n'y a de cadeau aimable, selon Dieu, que celui qu'on ne peut ni mesurer en archines, ni peser en zolotnik, ni évaluer en roubles. Prodigue ton cœur, ma fille, prodigue tes prières, mais ne t'aventure pas inconsidérément dans des entreprises charitables qui n'ont rien à voir avec la religion...

Il toussota, se rappelant sans doute que Sophie était catholique, fit disparaître une cuillerée de confiture dans le trou de sa barbe et conclut :

— Etre un chrétien orthodoxe est déjà une grande consolation ! Le moujik le plus misérable de Chatkovo doit jubiler à l'idée qu'il aurait pu, avec un peu de malchance, naître païen !

— Leur avez-vous dit cela ? demanda Sophie.

— Je le leur répète chaque dimanche, après la messe.

— Et ils vous croient ?

Loukéria Siméonovna, qui couvait son mari d'un regard énamouré, murmura :

— Comment ne pas le croire ? Il a une si belle voix !

A ce moment, Sophie remarqua un jeune paysan de quinze ou seize ans, qui s'était glissé dans la pièce et se tenait appuyé au mur. Il avait des cheveux couleur de paille, coupés en rond, un front bas, têtu, un nez court, une mâchoire forte et des yeux bleus, presque violets. Une chemise déchirée couvrait ses maigres épaules. Le père Joseph fronça les sourcils et gronda :

— Encore ! Que veux-tu de moi, Nikita ? Je t'ai déjà dit que je n'avais pas le temps !

— Demain, peut-être ? balbutia le garçon.

— Ni demain ni après-demain. J'ai trop à faire avec cinq villages à desservir. Est-ce que j'apprends à lire à mes enfants ? Non, n'est-ce pas ? Alors, pourquoi t'apprendrais-je à toi ?

— Il veut apprendre à lire ? demanda Sophie.

Le père Joseph haussa ses larges épaules et sa croix pectorale brilla, touchée par un rayon de soleil.

— Oui, dit-il, c'est une idée qui l'a piqué et qui ne le lâche plus ! Mais à quoi cela lui servira-t-il, dans son état ? Le moujik et l'alphabet ne sont pas faits pour vivre ensemble !

— Est-ce que vous ne pourriez pas au moins me prêter un livre, père Joseph ? dit le garçon. Je recopierais les lettres sur un papier. Je me les ferais expliquer...

— Par qui ?

— Par Pélagie.

— Elle n'en sait pas plus que toi !

— Si, elle connaît toutes les majuscules !

— Mais oui, dit Sophie, le père Joseph te prêtera un livre. Et, quand tu sauras ton alphabet, tu viendras me voir. Je te ferai travailler...

Le visage du garçon s'empourpra. Il se prosterna devant Sophie, baisa le bas de sa robe, puis, se traînant à genoux, appliqua ses lèvres sur la robuste main du père Joseph :

— Merci, ma bienfaitrice, merci, mon bienfaiteur !

Le prêtre ne s'attendait pas à ce retournement de situation. Il gonfla les joues, comme s'il eût étouffé sous un excès de nourriture.

— Donne-lui le martyrologe, Loukéria, dit-il enfin. Avec l'aide de nos saints pravoslaves, il arrivera peut-être à éviter les embûches du diable !

Tandis qu'il parlait, son regard s'arrêta, une fraction de seconde, sur Sophie, brilla d'un feu aigu, hostile, et s'éteignit.

— Encore une tasse de thé, barynia ? demanda Loukéria Siméonovna avec un sourire.

★

Ragaillardi par la sieste, Michel Borissovitch sortit de son bureau dans une heureuse disposition d'esprit. En traversant le salon, il avisa une énorme touffe de fleurs des champs dans un vase. Inutile de demander qui avait assemblé ce bouquet avec tant de goût ! Depuis que Sophie s'était installée à Kachtanovka, la maison était toujours fleurie. Dehors, le ciel et la terre n'étaient qu'un flamboiement immobile. Michel Borissovitch rejoignit son fils sous la tonnelle, jeta un coup d'œil sur le livre qu'il lisait et grommela :

— L'*Esprit des Lois !* Drôle d'idée ! Parler de l'esprit des lois, c'est chercher une excuse pour ne point leur obéir. Les Français ont détruit la grandeur de leur pays en s'acharnant à l'analyser. J'espère que tu ne donnes pas trop dans les billevesées libérales dont on commence à discuter chez nous !

— Je crois qu'une évolution est nécessaire, dit Nicolas prudemment.

— Quelle évolution ? La liberté, l'égalité, à la française ?

— Pas précisément, mais...

— Il n'y a pas de mais ! La Russie tient debout sur des assises séculaires. Elle est un exemple de force, d'ordre, de religion pour les autres pays. Si quelque chose doit changer, que le tsar le décide !

— On pourrait le lui conseiller.

— Qui ? s'écria Michel Borissovitch en riant. Toi ? Tes amis ?

— Peut-être, dit Nicolas.

— Ah ! gamin ! Où est Sophie ?

— Elle est partie pour Chatkovo avec Marie.

— Et tu n'as pas jugé utile de les accompagner ?

Nicolas étouffa un bâillement derrière sa main :

— Il fait trop chaud ! Et Chatkovo est sinistre...

Michel Borissovitch songea que la jeune génération manquait d'enthousiasme. A la place de son fils, il eût suivi Sophie des heures durant, pour profiter de ses étonnements, de ses sourires, de ses questions posées en russe avec l'accent français ! Brusquement, il boutonna son gilet, tourna les talons et marcha vers les communs.

En entendant son maître lui ordonner de seller Pouchok, le garçon d'écurie s'alarma. Il y avait bien huit ans que Michel Borissovitch n'était monté à cheval ! N'allait-il pas revenir épuisé de cette première course ?

— Il ne faudrait pas pousser trop loin, barine, murmura l'homme en amenant le cheval par la bride.

— Chatkovo et retour, c'est une bagatelle ! dit Michel Borissovitch.

Il se mit en selle pesamment et partit dans l'allée. En repassant devant le perron, il aperçut M. Lesur qui ouvrait les bras. L'affolement du Français faisait plaisir à voir. Michel Borissovitch lança Pouchok au trot. Il n'avait pas une bonne monte et raidissait tous ses muscles pour se tenir droit.

Quand il fut sur la route, son contentement s'étala aux limites de l'horizon. La face brûlée de soleil, il retrouvait l'ivresse conquérante de ses vingt ans. Pas une veine malade dans tout son corps. Sa force et son appétit étaient intacts. Dans les champs, des paysans le reconnaissaient et le saluaient très bas. Une lueur palpita au loin et s'éteignit. Le ciel parut d'un bleu plus sombre, comme sali par une fumée. Un grondement roula au bout du monde. Le vent se leva et fit tourbillonner de la poussière, des brins d'herbe, des graines de chardon. Puis la bourrasque tomba, le tonnerre se tut. Un rai de soleil perça violemment les nuages. Michel Borissovitch, clignant des yeux, discerna une calèche qui venait à sa rencontre.

Aussitôt, il rectifia la tenue de ses rênes et cambra les reins. Comme il approchait de la voiture, Marie s'écria :

— Père ! Ah ! mon Dieu, vous êtes venu jusqu'ici ?

La mine bouleversée de sa fille, ses questions inquiètes le comblèrent d'aise. Sophie, en revanche, ne se montra pas aussi surprise qu'il l'eût souhaité. Sans doute ignorait-elle qu'il n'était plus monté à cheval depuis longtemps. Le cocher tirait sur ses guides et murmurait : « Trr... trr ! » à pleines lèvres. Michel Borissovitch fit tourner Pouchok et se rangea du côté de Sophie, avec l'élégance d'un jeune cavalier rencontrant des dames à la promenade.

— Alors ? dit-il en contrôlant sa respiration. Cette visite à Chatkovo s'est-elle bien passée ?

— A merveille ! dit Marie. Une fois de plus, Sophie a conquis tous les cœurs !

— Qui avez-vous trouvé là-bas ? demanda-t-il.

Ce fut encore Marie qui répondit. Sophie était

trop absorbée dans ses réflexions pour avoir envie de parler. La vue de son beau-père à cheval, le teint coloré, les favoris défaits, les narines largement ouvertes, lui était pénible. Elle regardait les bottes de Michel Borissovitch, ses gants, sa badine, la chaîne d'or qui lui barrait le ventre, et pensait avec horreur à tous les serfs qui peuplaient son domaine. Ils étaient deux mille, disait-on. Deux mille individus, soumis corps et âme à la volonté d'un seul. Quelque chose comme un bétail à têtes humaines, un ramassis de monstres, participant à la fois de l'animal et de l'outil. Leur maître pouvait les punir ou les marier à sa guise, les faire battre, les vendre, les expédier en Sibérie. Ce n'était pas le malheureux staroste, élu par les moujiks pour les représenter devant le seigneur, qui eût osé défendre leur cause ! Sophie voulait bien croire que Michel Borissovitch n'abusait pas de son omnipotence, mais l'idée qu'il eût droit de vie et de mort sur un si grand nombre de ses semblables la révoltait. Subitement, elle le rendait responsable de cet état de fait, comme s'il eût dépendu de lui que le servage fût aboli en Russie. La calèche roulait doucement. Michel Borissovitch chevauchait à côté de sa belle-fille.

— Chatkovo n'est pas le plus pittoresque de mes villages, dit-il. Un jour, je vous accompagnerai à Tcherniakovo. Là, vous verrez un site vraiment admirable...

— Et des serfs, comme partout ailleurs ! dit Sophie.

Michel Borissovitch considéra sa belle-fille avec étonnement et dit :

— Comme partout ailleurs, oui !

— Combien d'âmes ?

Elle avait posé la question avec une froide ironie. Il rit, sans se vexer :

— Trois cent cinquante, environ.

— Sont-ils aussi heureux que ceux de Chatkovo ?

— Je le suppose, dit Michel Borissovitch. Mais ni vous ni moi ne pourrions nous en rendre compte, même en les regardant vivre de près, car leur notion du bonheur n'est pas la nôtre.

Il parlait en russe. Sophie en fut gênée, à cause du cocher qui les entendait. Elle le désigna du doigt à son beau-père. Michel Borissovitch fit un œil malicieux et continua en français :

— Ne vous tourmentez pas pour lui ! Il est moins dégourdi que son cheval ! Nous n'aurions plus de vie possible, si nous devions nous inquiéter de ce que pensent ces gens-là ! Du reste, ils ne sont pas tellement à plaindre ! Privés de liberté, ils sont, en contrepartie, déchargés de toute préoccupation matérielle. Si les récoltes sont mauvaises, si la disette survient, peu leur importe : ils savent que leur maître ne les laissera pas dans l'embarras. Il leur doit la nourriture, le couvert, la protection...

— Et s'il ne veut pas les secourir ?

— Il agit contre son propre intérêt : la terre a besoin d'hommes sains et forts pour être cultivée.

— Et s'il est ruiné ?

— Il vend ses serfs à un autre propriétaire, qui prendra soin d'eux.

— Vous me décrivez le paradis !

— Je vous décris la Russie. C'est un grand pays, où il y a de la place pour le riche et le pauvre, le malade et le bien portant, le simple d'esprit et le philosophe. Souvent, un serf affranchi ne sait que faire de sa liberté. Elle l'effraie. Il souhaite revenir sous l'aile protectrice de son seigneur...

Cette « aile protectrice » était si surprenante que Sophie éclata de rire. Marie tourna vers elle un regard lourd de prière. Michel Borissovitch se rembrunit et tira sur les rênes de son cheval, qui fit un écart et choppa du pied. Le cavalier se retint maladroitement au pommeau de la selle.

Le ciel s'obscurcissait sous des vapeurs d'orage. Un gros nuage glissait presque au ras de la terre. Sa lenteur était menaçante. Des haillons noirâtres pendaient de ses flancs. Le tonnerre se remit à gronder. Des éclairs, d'une blancheur aveuglante, embrasèrent l'horizon. Une odeur de poussière chaude tournoya dans le vent. Les oreilles des chevaux frémirent. Des gouttes tièdes s'écrasèrent sur les mains de Sophie. Le cocher arrêta ses bêtes, sauta de son siège et releva la capote de la voiture.

— Vous devriez monter près de nous, père, dit Marie.

— Non ! non ! dit-il. Nous sommes presque arrivés !

Sans doute eût-il considéré comme une déchéance, étant venu à cheval, de finir sa promenade en calèche, avec les dames. On reprit la route. La pluie tombait, légère, serrée. Soudain, le ciel se déchira avec un craquement horrible, libérant une cataracte. Marie se blottit contre l'épaule de sa belle-sœur. Mille doigts tapotaient la capote de cuir sur leur tête. Un rideau liquide les séparait du monde. Recroquevillé sur lui-même, le cocher n'était plus qu'un ballot d'étoffe exposé à la bourrasque.

Michel Borissovitch, en revanche, ne courbait pas le dos. Planté raide sur sa selle, il se laissait tremper avec stoïcisme. Ses mains se crispaient sur les rênes luisantes comme des algues. Sa veste humide collait à ses omoplates. Son pantalon moulait ses cuisses maigres, ses genoux osseux. Du chapeau rond, enfoncé jusqu'à ses oreilles, l'eau ruisselait, comme d'une écuelle, sur son grand nez, sur ses favoris pendants. Quand il soufflait, des gouttes d'eau s'envolaient de sa moustache mouillée. Sophie lui trouva l'air vieux et fatigué. Elle eut pitié de lui. Marie dit encore :

— Père, je vous en supplie !... C'est absurde !...

Il répondit en secouant la tête négativement, avec force.

La route s'était transformée en bourbier. Dans les ornières, couraient des ruisseaux et sautaient des bulles. Enfin, l'allée de sapins noirs s'ouvrit devant la calèche. Sur le perron, se tenaient Nicolas, M. Lesur, des domestiques...

En descendant de cheval, Michel Borissovitch plia les genoux, faillit tomber et se rattrapa à l'épaule de Vassilissa. Il riait et claquait des dents. On s'empressa autour de lui. Nicolas le grondait pour son imprudence. Sophie et Marie le suppliaient d'aller vite se sécher, se changer. Vassilissa le traînait par la main vers sa chambre. Et il se laissait faire, fourbu, bourru, radieux, reniflant à pleines narines et mouillant le plancher sur son passage.

Assise entre Sophie et Nicolas dans le salon, Marie attendait avec impatience que son père fût de nouveau visible.

— Depuis sa fluxion de poitrine, il est resté très fragile des bronches, dit-elle. C'est pour cela que je m'inquiète !

— A-t-il l'habitude de visiter son domaine à cheval ? demanda Sophie.

— Pas du tout ! dit Nicolas. Il y a des années qu'il n'a plus chaussé les étriers ! Je ne comprends pas ce qui l'a pris ! Un coup de folie !

Sophie s'étonna. L'extravagance de Michel Borissovitch ne pouvait s'expliquer que par le désir d'éblouir son entourage. Un vieil enfant capricieux et hâbleur ! Nicolas, qui le critiquait, tenait de lui à ce point de vue. Elle les associa dans un sentiment de tendre ironie. Après avoir sévèrement jugé son beau-père, elle se surprenait à craindre pour sa santé. En vérité, il avait le double pouvoir de l'irriter et de la séduire. Plus elle le condamnait, plus elle s'attachait à lui. Elle prit sur un guéridon des journaux de mode que sa mère lui avait envoyés de Paris et les feuilleta machinalement. Des images gracieuses défilèrent devant ses yeux : « Coiffure écossaise en gaze lamée, avec guirlande de roses. Robe de tulle à corsage bouillonné... » Elle sourit avec mélancolie. « On a vraiment un goût exquis, chez nous, pour ce genre de choses ! » pensa-t-elle. C'était un bien petit côté du génie français qu'elle évoquait là, mais tout ce qui lui rappelait son pays avait le don de l'émouvoir. Que la France lui paraissait donc lointaine, fragile, précieuse, au retour d'une promenade à Chatkovo ! Elle regretta de ne pouvoir retrouver la chaleur de la patrie dans les lettres que lui adressaient ses parents. Ils lui parlaient d'un monde superficiel qui était le leur et où elle ne s'était jamais sentie à l'aise. Tout en souffrant d'être loin d'eux, elle répondait à leurs missives plus par habitude que par besoin de se confier à des êtres chers. Leurs traits s'estompaient pour elle dans la brume. Elle les aimait un peu comme s'ils eussent été morts, avec tristesse, avec douceur, avec sérénité.

Elle décida de monter dans sa chambre pour s'occuper de sa correspondance. Mais, déjà, un pas se rapprochait. Michel Borissovitch parut, suivi de Vassilissa. Il avait revêtu un habit couleur de pois vert et noué une cravate blanche à son cou. Ses traits étaient tirés. Pourtant, il refusait d'avouer sa fatigue.

— Cette promenade m'a ouvert l'appétit ! dit-il. J'ai une faim de loup !

Sophie remit à plus tard le soin d'écrire à ses parents.

# 4

Nicolas entendit le trot d'un cheval et sortit sur le perron. Le domestique, chargé de prendre deux fois par semaine le courrier à la poste, revenait de Pskov, les bottes crottées, le visage important et la sacoche en bandoulière.

— Rien pour moi ? demanda Nicolas.

— Si, barine ! dit l'homme en sautant à terre.

Il ouvrit la poche de cuir et en tira une lettre et un petit paquet. L'écriture des deux adresses était de Kostia Ladomiroff. Nicolas monta dans sa chambre pour n'être pas dérangé. Le petit paquet contenait trois chevalières en argent, avec un flambeau gravé sur le chaton. La lettre disait :

« Mon cher coquelicot (c'est le surnom que nous t'avons donné ici), je t'envoie trois bagues, dont l'une pour toi et les autres pour les amis que tu pourrais avoir à la campagne. Ces objets, ayant été bénits par un moine de mes relations, sont, en fait, de véritables reliques. Ne les distribue donc qu'à des personnes très croyantes. »

Nicolas eut un sourire : la plupart des lettres étant ouvertes à la poste, ces considérations mystiques étaient destinées à apaiser les soupçons des censeurs.

« Si tu veux d'autres bagues consacrées par le très saint homme, poursuivait Kostia, fais-le moi savoir. A Saint-Pétersbourg, nous regrettons beaucoup ton absence. Le cercle de nos compagnons s'élargit. Bientôt, mon appartement ne sera pas assez vaste pour les contenir. A ce moment-là, on s'assemblera dans la rue... »

D'une phrase à l'autre, Nicolas devinait mieux le sens caché du message. Non seulement ses camarades ne l'avaient pas oublié, mais encore ils comptaient sur lui pour propager les doctrines libérales en province. Quelle belle marque de confiance il recevait là et comme il avait hâte de s'en montrer digne ! Son père l'avait chargé de gérer le domaine. Tournées dans les villages, conversations avec les starostes, tenue des registres, correspondance, cette routine lui prenait quatre heures par jour. Le reste du temps, il l'emploierait à courir le pays pour se faire de nouvelles relations et renouer avec les anciennes. Au premier abord, il ne voyait pas grand monde dans les environs qui fût capable de le comprendre. Néanmoins, il ne désespérait pas de susciter quelques vocations politiques. Il glissa une bague à son doigt et la contempla longuement. Sans méconnaître ce qu'il y avait de puéril dans ce genre d'insigne, il y trouvait le symbole d'une si noble cause, que l'émotion le gagnait. Il appela Sophie. Chaque fois qu'il éprouvait un plaisir, il fallait qu'elle en eût sa part. Elle admira les chevalières d'un air amusé et dit :

— C'est charmant !

Il fut un peu vexé de cette condescendance. En revanche, elle s'intéressa vivement à la lettre de Kostia. Après l'avoir lue, elle tourna vers son mari un visage radieux :

— Tu vois qu'il y a beaucoup à faire pour toi, même loin de Saint-Pétersbourg !

Il eut un soupçon : avait-elle si peur qu'il ne s'ennuyât à la campagne ? Mais, déjà, elle poursuivait avec entrain :

— As-tu quelque idée des gens qui, à Pskov, pourraient partager tes opinions ?

— Non, dit-il. Je vais aller au club, cet après-midi, pour tâter le terrain. Peut-être Bachmakoff ?

— Qui est-ce ?

— Un capitaine en retraite, célèbre pour ses duels, ses pertes au jeu et ses bonnes fortunes. Ce qui est dangereux l'intéresse par principe.

— N'est-il pas trop fou ? murmura-t-elle.

— Juste assez pour m'écouter !

— Tu me fais peur ! Sois très prudent, je t'en supplie !

— L'étais-tu quand tu conspirais à Paris ?

— Je te défends de prendre exemple sur moi !

Il éclata de rire :

— Au fond, toi, la républicaine, tu préférerais que je sois monarchiste ! Je te donnerais moins d'inquiétude !

Elle rougit sous le coup de la colère, puis se radoucit et se laissa embrasser. Il lui offrit une bague.

— A quel titre ? demanda-t-elle.

— N'es-tu pas avec nous ?

— En pensée, dit-elle.

— Tu le seras aussi en action, le moment venu !

Elle soupira :

— Nous n'en sommes pas encore là ! Il me semble qu'il est très difficile de changer quoi que ce soit en Russie !

— J'espère te prouver que non ! Bien entendu, il ne faut pas que père voie ces anneaux ! Il nous demanderait des explications !

— Ah ! Nicolas ! quel âge as-tu ? dit-elle en lui ébouriffant les cheveux avec amour.

Et elle cacha les trois bagues dans un tiroir de son secrétaire.

★

La ville, étalée sur les deux rives de la Vélikaïa et de la Pskova, avait un charme archaïque, avec ses églises aux coupoles multicolores et son Kremlin à l'enceinte fortifiée, qui dominait le pays. Comme il avait plu à midi, une boue épaisse couvrait la chaussée. De part et d'autre de la rue que suivait Nicolas, s'alignaient des maisons à un étage, aux toitures de bardeaux et aux auvents de bois découpé. Les passants les mieux habillés avaient un air de province. Après avoir vécu à Saint-Pétersbourg, il était impossible de supporter l'ennui que respirait cette vieille cité somnolente.

Le club était, malgré son nom pompeux, un local sombre et sale, aux tentures déchirées, aux fauteuils de cuir avachi et au buffet assailli de mouches. Assis par groupes autour des tables, les habitués jouaient au whist, aux échecs, fumaient, lisaient des journaux. Ayant salué quelques connaissances, Nicolas chercha Bachmakoff et le découvrit dans la salle du fond. Une queue de billard en main, la paupière plissée, il « blousait » une bille après l'autre, avec une dextérité diabolique. Son adversaire était un jeune homme très brun, très frisé, aux beaux yeux italiens, aux narines trop minces et aux lèvres féminines. Nicolas eut l'impression de l'avoir rencontré jadis, mais ne put mettre aucun nom sur son visage.

— Nicolas, mon soleil ! hurla Bachmakoff. Tu arrives pour boire à ma victoire ! J'ai gagné six parties de suite à cet honorable gentilhomme ! A cinquante roubles l'unité, calcule un peu le bénéfice !

— Vous serez payé demain matin, je vous en donne ma parole ! dit le jeune homme.

— Je te crois, mon coquelet, dit Bachmakoff en poussant la dernière bille dans son trou.

Il riait, la peau de la figure couleur brique, les dents blanches, la moustache rêche et noire, telle une brosse à reluire collée sous les narines.

— Veux-tu nous présenter ? dit Nicolas.

— Comment ? Mais tu ne connais que lui ! s'écria Bachmakoff. C'est Vassia, Vassia Volkoff, de Slavianka !

— Ah ! mon Dieu ! soupira Nicolas en portant une

main à ses yeux comme pour les protéger d'une vive lumière.

Le domaine des Volkoff touchait celui des Ozareff. La dernière fois que Nicolas s'était rendu chez ses voisins, à Slavianka, c'était en 1812, avant la déclaration de la guerre. A cette époque, Vassia pouvait avoir une douzaine d'années. Il en avait donc dix-neuf ou vingt maintenant.

— Eh ! oui, mon cher, dit Bachmakoff, le temps passe ! On ne remarquerait même pas qu'on vieillit, si ces jeunes gens n'étaient là pour nous le rappeler !

— Moi, je me souviens parfaitement de vous ! dit Vassia avec élan. Vous étiez en uniforme de cadet quand vous êtes venu à la maison !

Debout devant Nicolas, les yeux brillants, il lui jetait son admiration à la face. Nicolas en éprouva un plaisir vaniteux.

— Eh bien ! vous voyez, dit-il, j'ai quitté l'uniforme et je me suis installé à la campagne, comme tant d'autres. Et vous, que faites-vous ?

— Je viens de terminer mes études à l'Université de Goettingue, dit Vassia. Pour l'instant, je ne pense donc qu'à me reposer, en famille. Plus tard, j'aviserai... Peut-être entrerai-je au département de la Justice, où ma mère a des relations...

— Pourquoi pas ? dit Bachmakoff. C'est très amusant, la justice : on joue l'innocence des gens à pile ou face !

Ayant ri bruyamment de sa plaisanterie, il appela le garçon de salle et commanda une deuxième bouteille de vin du Rhin, à porter au compte de Vassia Volkoff. Ils s'assirent sur le billard pour trinquer.

— Ainsi, il n'y a pas longtemps vous vous trouviez encore en Prusse, dit Nicolas pensivement. Vous avez dû connaître une grande agitation, au mois de mars dernier...

— Au mois de mars ?

— Oui, vous voyez ce que je veux dire : l'affaire de Mannheim.

Il faisait allusion à l'assassinat par l'étudiant Sand, de l'écrivain allemand Kotzebue, qui était un agent du tsar. Ce meurtre politique avait soulevé dans toute l'Europe l'indignation des partisans de l'absolutisme et l'enthousiasme des libéraux.

— En effet, déclara Vassia. J'étais, comme on dit, aux premières loges.

— Et quelle fut, à cette occasion, la réaction des milieux universitaires ?

Vassia répondit sans hésiter :

— Une fierté et une joie profondes ! Nul n'ignorait, parmi nous, que Kotzebue était un scélérat. Il ne manquait pas une occasion d'attaquer la jeunesse et ses *sacra* les plus chers : unité nationale, constitution, indépendance de la presse...

— Bref, il était pour le maintien de l'ordre ! dit Bachmakoff.

— Oui, si le maintien de l'ordre suppose l'écrasement de l'individu par l'Etat ! répliqua Vassia en dressant le menton.

Une onde de bonheur envahit Nicolas. Il aurait pu se croire à Saint-Pétersbourg, dans l'appartement de Kostia Ladomiroff.

— Quelle fougue ! s'écria Bachmakoff. Je ne savais pas qu'on formait des révolutionnaires à l'Université de Goettingue !

— Je suis loin d'être un révolutionnaire, dit Vassia en baissant le ton. Je déteste le sang, les désordres, la racaille. Mais j'ai le culte de l'honneur. Et Kotzebue a failli à l'honneur en vendant sa plume.

— Il ne l'a pas vendue à n'importe qui, dit Bachmakoff, mais au tsar.

Vassia détourna les yeux et grommela :

— Ce n'est pas une excuse !

Nicolas l'eût embrassé.

— Qui a décidé cet assassinat ? demanda Bachmakoff.

— Une assemblée de conspirateurs, dit Vassia. Le poignard de Sand a fait le reste

Bachmakoff fronça les sourcils :

— Et tu l'admires ?
— Oui
— Aurais-tu osé, toi-même ?...
— Certainement pas ! dit Vassia.
— Tu penses trop pour agir ?
— Sans doute !
— Je suis comme vous, dit Nicolas.
— Moi, pas ! annonça Bachmakoff. J'agis d'abord et je pense après. C'est pourquoi je ne veux pas me mêler de politique. Je ne ferais que des bêtises !

Il rit et vida son verre. Nicolas le classa d'un coup d'œil : « A n'utiliser qu'en cas de nécessité absolue. » Vassia, en revanche, semblait une recrue possible. Mais il était si jeune, si impulsif ! Il faudrait l'observer de près avant de se confier à lui. Cinq ans à peine les séparaient et, cependant, Nicolas se sentait lourd d'expérience en face de ce garçon frais émoulu de l'Université. Comme ils se vouvoyaient encore, Bachmakoff leur proposa de boire à la *Bruderschaft*, les bras entrecroisés et les yeux dans les yeux. Ayant vidé leur verre, ils se diraient des injures. Ensuite, ils seraient frères et se tutoieraient. Le cérémonial fut suivi à la lettre.

— Sacré imbécile ! gronda Nicolas d'une voix tonnante.
— Vieux porc ! murmura Vassia en rougissant de son audace.

Puis ils s'embrassèrent et Vassia dit :
— Je suis heureux de t'avoir rencontré, Nicolas.

Quand la bouteille fut vide, Bachmakoff s'aperçut qu'il devait partir. Il avait rendez-vous avec une jolie Juive, qui lui réservait ses bontés deux fois par semaine. Seul avec Nicolas, Vassia lui parla de sa vie à la campagne. Il aimait les spectacles de la nature et la méditation. C'était sa mère, restée veuve très jeune, qui gérait le domaine. Nicolas croyait se rappeler qu'il y avait beaucoup de filles dans la maison.

— Combien as-tu de sœurs ? demanda-t-il.

— Trois, dit Vassia. L'aînée, Hélène, a seize ans, la moyenne, Nathalie, quatorze et la cadette Euphrasie, douze.

— Et pas de frère ?

— Non.

— Tu es donc le seul homme de la tribu !

— Eh, oui ! dit Vassia en riant de toutes ses dents petites et blanches.

L'ombre de ses longs cils palpita sur ses joues.

— Que fais-tu, maintenant ? reprit-il.

— Rien, dit Nicolas.

— Alors, je t'emmène !

— Où ?

— A Slavianka. Ma mère sera heureuse de te voir. Elle se plaint que ses voisins de Kachtanovka la négligent. Cela ne l'empêche pas d'ailleurs d'être au courant de tout ce qui se passe chez vous. Sans avoir jamais vu ta femme, nous savons qu'elle est d'une rare beauté, que vous êtes un ménage très uni et que vous avez eu un grand malheur...

— Ne parle pas de cela ! dit Nicolas.

Soudain, il avait moins envie d'aller à Slavianka. Il craignait d'y être accueilli par des félicitations et des condoléances également maladroites. Sûrement, l'aimable Daria Philippovna Volkoff se croirait obligée de mettre la conversation sur tout ce qu'il souhaitait oublier. Vassia le regardait avec insistance. Il céda, par faiblesse, en se promettant de ne pas prolonger sa visite au-delà d'une heure.

Ils firent la route à cheval, sans se presser. En découvrant la maison de Slavianka, Nicolas lui trouva un aspect plus vétuste que dans ses souvenirs. C'était une longue bâtisse, toute en bois noirci par le temps. Un vestibule de planches s'avançait jusqu'au perron de trois marches. Les fenêtres étaient minuscules, avec des volets peints en rouge, en vert et en orange vif. De cette demeure de poupée, s'échappèrent trois gamines aux tresses volantes, qui criaient :

— Vassia ! Vassia !

En apercevant Nicolas à côté de leur frère, elles s'arrêtèrent, pétrifiées. Aucune des trois n'était jolie. Maigres et brunes, habillées de robes à fleurs, elles avaient des allures de sauvageonnes. Vassia fit les présentations. Nicolas eut droit à trois petites révérences, les genoux à peine pliés. Et les demoiselles s'enfuirent. Elles revinrent bientôt, escortant leur mère. Daria Philippovna était une femme de trente-huit ans, grande, belle et majestueuse, au visage régulier, au sourire moelleux et aux yeux bombés, d'un bleu de faïence. Elle accueillit Nicolas avec autant de joie que s'il eût été un de ses proches parents au retour d'un voyage.

— Je comprends si bien que votre femme et vous désiriez rester à l'écart du monde pendant quelque temps ! dit-elle. Mais n'oubliez pas que vous avez ici des amis sincères et discrets, qui seront heureux de vous recevoir dès que vous en éprouverez l'envie.

Son fils et ses trois filles la contemplaient avec vénération. Sans doute était-elle pour eux un modèle de grâce et d'intelligence. Nicolas lui-même était conquis. Daria Philippovna insista pour qu'il prît le thé avec elle et ses enfants. La table était servie sous deux tilleuls qui mêlaient leurs feuillages. Le samovar fumait. Dix sortes de confiture attiraient les abeilles. Les fillettes se taisaient, laissant parler les grandes personnes. Interrogé par Daria Philippovna sur les échos de Saint-Pétersbourg, Nicolas raconta les pièces de théâtre qu'il avait applaudies, cita quelques bons mots recueillis en ville et donna son opinion, fort impertinente, sur des gens en renom. Il s'étonnait de l'aisance avec laquelle s'enchaînaient ses phrases. L'atmosphère de cette maison lui était favorable. De temps à autre, Daria Philippovna avait un doux rire de gorge et ses yeux bleus se voilaient. Nicolas ne se rappelait pas qu'elle fût si belle ! Comment se fier aux souvenirs d'un gamin ? La dernière fois qu'il l'avait vue, elle était pour lui la mère de quatre enfants, c'est-à-dire une personne aux fonctions bien définies, dont l'aspect physique lui importait peu. Maintenant, il découvrait qu'elle était aussi une femme. La meurtrissure bistre qui entourait ses paupières ajoutait de la gravité à son regard. On la sentait pleine d'indulgence maternelle, de tendresse inutile, de naïveté attardée. « Une âme de jeune fille dans un corps de trente-huit ans », décida Nicolas. Puis il la compara à une rose trop épanouie, jetant son ultime parfum dans le soir, et cette image banale acheva de le troubler. Autour de lui, on riait. Qu'avait-il dit de si drôle ? Soudain, Daria Philippovna prit un air sérieux et murmura :

— Cher Nicolas Mikhaïlovitch, j'ai un projet dont je voulais entretenir votre père depuis longtemps, mais je n'ai pas osé le déranger. Puis-je profiter de votre visite pour vous dire de quoi il s'agit ?

— Mais oui, s'écria-t-il. Tout à votre service...

— C'est au sujet de Chatkovo, dit-elle. Ce village forme, vous ne l'ignorez pas, une enclave dans mes terres. Seriez-vous disposé à me le vendre ?

Nicolas demeura une seconde interloqué. Il était à cent lieues de ces considérations matérielles.

— Nous tenons beaucoup à Chatkovo, dit-il enfin. C'est un bon coin pour le seigle.

— Certainement, dit Daria Philippovna. Mais je pourrais vous céder, à titre de dédommagement, notre hameau de Blagoïé, qui est, en somme, chez vous, de l'autre côté de l'eau...

— Ce serait, en effet, une heureuse rectification de frontières ! dit Nicolas en souriant.

— Si vous saviez, soupira-t-elle, comme je suis gênée d'avoir à vous parler de cela ! Une femme est toujours déplacée quand elle s'occupe elle-même de ses affaires. Mais je suis bien obligée, étant seule...

— Ne dites pas cela, maman ! s'écria Vassia.

Le mot « maman » frappa désagréablement l'oreille de Nicolas. Il lui était difficile de croire que ce grand garçon, au menton bleu et à la voix de baryton, fût issu de la douce créature qui présidait la table.

— Je me comprends, mon chéri ! dit Daria Philippovna. Et Nicolas Mikhaïlovitch me comprend aussi, j'en suis sûre !

— Non, Daria Philippovna, je ne vous comprends pas ! répliqua Nicolas. Vous n'êtes nullement déplacée, comme vous dites !...

Et, brusquement, il eut envie de rendre service à cette femme méritante.

— Combien avez-vous d'âmes à Chatkovo ? demanda-t-elle.

— Deux cent soixante-trois, dit-il en la regardant avec une affection respectueuse

— Ce n'est pas beaucoup.

— Je vous donne le chiffre du dernier recensement. Depuis, il y a eu quelques naissances. Et à Blagoïé, quel est le compte ?

— Soixante-dix-sept seulement, dit-elle. Mais, sur ce total, vous avez quinze moujiks de moins de trente ans, en parfaite santé !

— J'essayerai de décider mon père.

— De toute façon, revenez nous voir le plus vite possible, cher Nicolas Mikhaïlovitch. L'affaire n'est rien, les relations de bon voisinage sont tout !

Le ciel s'éteignait. Il était temps pour Nicolas de songer au retour. Toute la famille, assemblée devant la maison, le regarda monter à cheval et partir dans un galop brillant.

★

M. Lesur marchait à petits pas dans l'allée, un livre ouvert à la main. En arrivant à sa hauteur, Nicolas arrêta son cheval et dit :

— Vous vous promenez bien tard !

— Je n'ai plus d'heure pour rien, mon cher Nicolas, répondit M. Lesur d'une voix tremblante.

A son air vexé, Nicolas devina qu'il avait été, une fois de plus, rabroué par Michel Borissovitch.

— Mon père est à la maison ? demanda-t-il.

— Mais comment donc ! s'écria M. Lesur. Il joue aux échecs avec Mme Sophie !

Ce disant, il dirigea sur Nicolas un regard qui réclamait justice. Il était un courtisan renvoyé. Incapable de le plaindre, Nicolas poussa le cheval au trot.

En pénétrant dans le salon, il eut conscience de déranger un heureux tête-à-tête. Levant les yeux de l'échiquier, son père et sa femme lui adressèrent le même sourire distrait.

— Je viens de Slavianka, dit-il.

Et il leur raconta sa conversation avec Daria Philippovna. Au fur et à mesure qu'il avançait dans son récit, le visage de Sophie prenait une expression plus inquiète. Quand il parla de vendre Chatkovo, elle éclata :

— J'espère que tu as refusé !

— Je lui ai dit que la décision dépendait de père !

Sophie eut un mouvement si vif qu'une pièce de l'échiquier tomba :

— C'est inouï ! Cette femme est folle !

— Ne croyez pas cela, dit Michel Borissovitch. Son idée me paraît logique. Es-tu sûr qu'elle accepterait de nous céder Blagoïé ?

— Oui, père, dit Nicolas.

Michel Borissovitch tirailla un de ses favoris, puis l'autre, méditativement.

— Il faut voir le pour et le contre, grommela-t-il.

— Mais, père, c'est tout vu ! s'exclama Sophie. Vous n'avez pas le droit de vendre Chatkovo ! Ce serait... ce serait monstrueux !

Les sourcils de Michel Borissovitch s'arquèrent au-dessus de ses yeux ronds.

— Voilà un bien grand mot ! dit-il. Et pourquoi, s'il vous plaît, serait-ce monstrueux ?

Le temps d'un éclair, Sophie évoqua les isbas croulantes, les moujiks dans les champs, la vieille Pélagie sur le pas de sa porte, le petit Nikita qui voulait apprendre à lire et un grondement de révolte emplit sa tête.

— Depuis combien de temps Chatkovo est-il dans votre patrimoine ? demanda-t-elle.

— Depuis un siècle, je pense, dit Michel Borissovitch.

— Eh bien ! les habitants de ce village sont plus proches de vous que certains membres de votre famille. De génération en génération, ils se sont habitués à voir un Ozareff diriger leur destin. Ils vous considèrent comme leur maître, et, je l'espère, comme leur bienfaiteur. Allez-vous brusquement les arracher de vous ?

— Vous vous faites des illusions sur les sentiments des moujiks à mon égard, dit Michel Borissovitch.

— Non, père, je leur ai parlé. Vous voyez, je n'essaye même pas de critiquer l'institution du servage. J'admets que, si vous aviez besoin d'argent, si vous étiez acculé à la ruine, il faudrait vendre Chatkovo ou tel autre village de votre bien. Mais ne bouleversez pas la vie de centaines d'individus pour le simple plaisir de conclure une affaire !

Elle reprit sa respiration, et, tournée vers son mari, poursuivit d'une voix blanche :

— Je m'étonne, Nicolas, que tu n'aies pas pensé à cela lorsque cette Daria Philippovna t'a fait sa proposition !

— Tu n'y penserais pas toi-même, si tu la connaissais ! dit-il. Jamais je n'accepterais de vendre nos moujiks à un seigneur négligent ou brutal. Mais Daria Philippovna est la douceur, la prévenance et la justice mêmes. Avec elle, nos serfs seront aussi heureux, sinon plus, qu'avec nous.

— Il a raison ! dit Michel Borissovitch.

Sophie eut l'impression de parler à des sourds.

— Mais le principe, Nicolas, le principe, qu'en

fais-tu ? s'écria-t-elle. Toi, si plein de théories généreuses, comment concilies-tu ton soi-disant respect de la personne et ton désir de vendre trois cents êtres humains après avoir débattu le prix des mâles, des femelles et des enfants en bas âge ?

Il fut touché par cet argument et garda le silence. Comme toujours, elle était plus proche que lui de la réalité. Il s'élançait dans le monde des idées, rêvait d'apporter le bonheur à la Russie et oubliait de répondre au moujik qui le saluait, chapeau bas. C'était un défaut, chez lui. Mais ses intentions étaient bonnes. Sophie n'avait pas le droit d'en douter.

— Eh bien ! que répondrez-vous à Mme Volkoff, père ? demanda-t-elle.

Les yeux mi-clos, Michel Borissovitch fit durer le plaisir de l'incertitude. La conscience de pouvoir, à son gré, désespérer sa belle-fille ou la combler d'aise l'amusait d'autant plus qu'il la trouvait belle dans l'émotion. A défendre la cause de ces stupides moujiks, elle s'était enflammée comme une amoureuse !

— Vous m'avez convaincu, Sophie, déclara-t-il enfin. Nous ne vendrons pas Chatkovo, puisque vous tenez à ce village...

Elle bondit de sa chaise et lui serra les deux mains en murmurant : « Merci, père ! » C'était la première fois qu'elle se montrait si affectueuse avec lui. Etonné, il ne savait plus que dire. Comment pouvait-elle passer, en un clin d'œil, de la violence à la douceur ? Nicolas, de son côté, n'était pas mécontent que Sophie eût obtenu gain de cause. Au fond, pas plus qu'elle, il ne souhaitait vendre Chatkovo. Simplement, il eût voulu faire plaisir à Daria Philippovna. Il se demanda de quelle façon il lui présenterait une résolution si décevante pour elle.

— Et maintenant, reprenons notre partie d'échecs ! dit Michel Borissovitch à Sophie.

Ce fut sur ces mots que M. Lesur entra, pâle de réprobation. Marie le tirait par la main. Elle l'avait rencontré dans le jardin, à la nuit tombante.

— M. Lesur est souffrant ! dit-elle.

— Nullement ! protesta celui-ci. J'ai des frissons comme toujours lorsque je suis contrarié ! Il faudra bien que j'en prenne l'habitude !...

— Je vous le conseille, M. Lesur, dit Michel Borissovitch en le frappant d'un regard dur comme un coup de canne.

# 5

La troisième bague fut pour Vassia. Après une dizaine d'entrevues au club et à Slavianka, Nicolas s'était convaincu qu'il pouvait, en toute tranquillité, accorder à son nouvel ami cette marque de confiance. Sur les questions les plus importantes, le jeune homme partageait son opinion. Daria Philippovna avait été fort contrariée d'apprendre que, par attachement aux moujiks de Chatkovo, Michel Borissovitch refusait de vendre le village. Néanmoins, elle avait eu l'élégance de dire à Nicolas : « Du moment que vous y voyez une affaire de sentiment, je m'incline. Mon cœur vous approuve, si ma raison vous contredit ! » Cette phrase l'avait frappé comme une sentence digne du théâtre antique. Ayant déçu la mère de Vassia dans ses espérances, il se croyait son obligé. Il eût aimé lui faire rencontrer sa femme et qu'elles éprouvassent l'une pour l'autre de l'estime. Mais Sophie refusait de sortir. L'existence familiale, à Kachtanovka, l'avait rendue sauvage. Nicolas dut insister pour qu'elle reçût au moins Vassia à la maison. Elle le jugea charmant, malgré son air de fille. Quant à Marie, qui le connaissait depuis son enfance, elle fut tout juste aimable avec lui. « Je l'ai toujours trouvé ennuyeux et prétentieux », dit-elle après son départ. Les protestations indignées de son frère la laissèrent de glace. Il lui criait qu'elle se trompait, que Vassia était un garçon d'une intelligence raffinée, d'une fraîcheur d'âme extraordinaire, et elle souriait avec un entêtement de pucelle, en regardant au loin. Découragé, il pria Sophie de la convaincre, car il voulait que Vassia, nouveau membre de « l'Alliance pour la Vertu et pour la Vérité », se sentît chez lui lorsqu'il reviendrait à Kachtanovka. Sophie le calma en l'assurant que l'humeur des jeunes filles était changeante

Pour travailler en paix, Nicolas s'était aménagé un cabinet dans une pièce du rez-de-chaussée et y avait transporté tous les ouvrages traitant de la politique qu'il avait pu dénicher dans la maison. Sur ses instances, Sophie avait écrit à ses amis Poitevin, à Paris, pour leur demander de lui envoyer quelques livres à la mode, sans préciser lesquels. En vérité, elle doutait que la prose d'un Condorcet, ou d'un Benjamin Constant fût autorisée à passer la frontière. Mais Nicolas avait une telle faim de lectures que tout lui était bon ! En attendant les brochures subversives qui ne venaient pas, il dévorait pêle-mêle de Bonald, Chateaubriand et Jean-Jacques Rousseau.

Laissant son mari à son exaltation sédentaire, Sophie se rendait chaque jour, ou presque, dans les villages. Au début du mois d'août, elle appela un médecin de Pskov pour soigner des enfants malades du croup, à Tcherniakovo. Cette initiative fit grand bruit dans la région. Certains propriétaires fonciers reprochèrent à « la Française » d'inciter les moujiks à la fainéantise en les persuadant que tout leur était dû. Nicolas, qui avait entendu cette réflexion au club, la rapporta, en souriant, à Sophie. Elle y répondit par un redoublement de charité.

Cependant, la bienfaisance de Sophie envers les paysans ne se bornait pas à une aide matérielle. Ils lui racontaient leurs soucis de famille et prenaient son avis dans leurs disputes. Au cours de ses conversations avec eux, elle s'efforçait aussi de les initier à ce qui se passait dans le reste du monde. Mais ils semblaient craindre d'être dérangés au fond de leur ignorance. Dès que la barynia leur parlait d'un pays lointain ou d'un événement historique, ils rentraient dans leur coquille. Pour eux, la Russie, c'était leur village, les villages voisins, Kachtanovka, Pskov, et, plus loin, derrière des forêts noires et des plaines vertes, Moscou aux mille églises, Saint-Pétersbourg où des généraux entourent un tsar resplendissant comme le soleil, et les steppes de Sibérie où travaillent des forçats enchaînés. Autour de cet empire chrétien, flottaient des peuples étranges, mal aimés de Dieu, tels que les Français, les Anglais, les Allemands, les Chinois, les Turcs... Comment s'était construite la Russie, quels souverains s'étaient succédés sur son trône, d'où venait l'institution du servage ? Les moujiks refusaient de le savoir. Sophie avait conscience de l'énorme épaisseur de sottise, de paresse, de méfiance, de superstition qu'elle aurait à vaincre pour se faire entendre d'eux, mais la difficulté de l'entreprise augmentait le désir qu'elle avait de s'y consacrer.

Un soir, comme elle revenait à Kachtanovka, en calèche, à travers bois, une ombre bondit hors des fourrés et se dressa au milieu du chemin. Le cocher tira sur ses guides pour éviter le choc.

— Espèce d'imbécile ! hurla-t-il. Tu ne peux pas faire attention ?

Sophie se pencha à la portière et reconnut Nikita, hirsute, les pieds nus, la chemise déchirée. Il lui tendit un papier roulé en tube et attaché avec un ruban d'un rose sale :

— Prenez, barynia !

— Qu'est-ce que c'est ?

— Je ne peux pas vous le dire !

Le soleil couchant tremblait, rouge, entre les branches des arbres. Sophie dénoua le lien et trouva une page d'écriture. Les caractères, maladroitement dessinés, se suivaient, cahin-caha, sur des lignes tracées au crayon :

« Barynia, maintenant je connais les lettres. Est-ce que vous comprenez ce que j'écris ? Si c'est oui, je serai plus heureux aujourd'hui que dans tout le reste de ma vie. Je vous salue jusqu'à terre et je prierai Dieu éternellement pour vous. Votre esclave dévoué. — Nikita. »

Elle fut émue par cette épître, que Nikita avait eu, sans doute, tant de mal à rédiger et à laquelle il attachait une telle importance !

— C'est très bien ! dit-elle. Il faut continuer, Nikita !

— Je pourrai vous écrire encore, barynia ? demanda-t-il.

Elle hésita. Quelle que fût sa sympathie pour les serfs de la propriété, il ne lui paraissait pas bienséant qu'un moujik de seize ans lui adressât des lettres.

— Non, dit-elle. Enfin... une fois de temps en temps... Ecris à quelqu'un d'autre...

— A qui, barynia ? Je n'ai personne !

— Ecris à toi-même.

— Comment peut-on s'écrire à soi-même ?

— C'est très amusant ! Tu notes tes impressions, tu racontes les événements de ta vie...

— Et après ?

— C'est tout.

Il baissa la tête, déçu, puis la releva et dit :

— Quand j'en aurai écrit assez, vous le lirez, barynia ?

— Je te le promets, dit-elle.

Elle roula le papier et l'attacha de nouveau avec le ruban, tandis qu'il suivait ses moindres gestes d'un regard attentif. Eut-il peur, au dernier moment, qu'elle ne lui rendît la lettre ? Il fit un saut de côté et s'enfuit dans le sous-bois.

Elle n'entendit plus parler de lui pendant trois semaines. Puis, un après-midi qu'elle se trouvait au jardin avec Marie, Antipe accourut, l'œil tragique et la bouche hilare :

— Aïe-Aïe ! Aïe ! Il s'en passe des choses à la maison ! Igor Matvéïtch, le staroste de Chatkovo, est arrivé avec Nikita. Il paraît que le gamin a fait je ne sais quel crime, qu'il faut lui donner les verges !...

— Quoi ? s'écria Sophie. Qu'est-ce que tu inventes ?...

— Depuis le jour de ma naissance, je n'ai pas menti ! Michel Borissovitch et Nicolas Mikhaïlovitch sont en train de les recevoir...

— Où ?

— Dans le bureau, barynia. Mais ça se terminera dans la cour. Ah ! je n'aimerais pas être dans la peau de Nikita ! You-hou, ça va siffler ! You-hou, ça va saigner !...

Plantant là sa belle-sœur, Sophie se précipita vers la maison, frappa à la porte du bureau et entra sans y être invitée. Michel Borissovitch était assis à sa table de travail, Nicolas sur le canapé. Devant eux, se tenaient debout, tête basse, le staroste Igor Matvéïtch, efflanqué, ridé, avec une barbiche de chanvre qui pendait sur sa poitrine, et Nikita. Le gamin était ivre de peur. Des traces de larmes rayaient la crasse de ses joues. Il glissa vers Sophie un regard stupide.

En apercevant sa belle-fille, Michel Borissovitch eut un geste d'impatience et demanda :

— Que voulez-vous ?

— Intercéder en faveur de ce garçon, dit-elle. Je le connais bien. Il est incapable d'une mauvaise action.

— Il paraît que si ! dit Michel Borissovitch.

Il n'osait prier Sophie de sortir, mais sa présence, visiblement, le gênait. Tourné vers le staroste, il gronda :

— Eh bien ! Explique-toi !

Igor Matvéïtch fit un pas en avant et dit d'une voix bêlante :

— Vous savez, barine, que je suis souvent obligé de quitter le village pour aller vendre des marchandises dans les foires. Vous savez aussi que les femmes sont des créatures du diable...

— Non, dit Michel Borissovitch.

— La mienne, si ! Une créature du diable qui en remontrerait au diable lui-même ! Elle s'est acoquinée avec un roulier de Pskov, cet escogriffe de Kitaïeff ! Encore un que le baptême n'a pas changé en chrétien !...

— Mais Nikita, là-dedans ?

— J'y arrive, barine ! J'y arrive ! Le malheur a voulu que, ces derniers temps, Nikita apprenne à lire et à écrire !

En disant ces mots, il regarda Sophie du coin de l'œil.

— C'est moi qui l'ai poussé à s'instruire, dit-elle.

— Parfois, la bonne graine tombe dans une mauvaise terre ! soupira le staroste. A quoi ce vaurien a-t-il employé la connaissance des beaux signes de l'alphabet russe ? A une œuvre puante, que Votre Seigneurie me passe l'expression ! Beaucoup de filles, au village, le prient maintenant de leur griffonner quelques mots, pour rire. Ma sorcière de femme, Eudoxie, est allée le trouver, comme ça, et lui a demandé d'écrire en cachette à Kitaïeff, le roulier, pour lui dire quel jour je partais, quel jour je revenais, et comment elle pourrait le rencontrer pour l'amour !... Et il l'a fait !... Il a écrit ce que voulait cette renarde lubrique !

— Je ne pouvais pas refuser à la femme du staroste, bredouilla Nikita en reniflant sa morve.

— Tu le devais, pourceau infâme ! La tête ne peut ignorer ce que fait la main. Si tu prêtes ta plume à l'adultère, c'est que tu approuves l'adultère. Et de quel adultère s'agit-il ? De celui qui couvre de honte un homme respectable, le staroste de ton village, justement !

Un sanglot secoua les épaules de Nikita et il tomba à genoux :

— Sois charitable, Igor Matvéïtch !

Sophie observa Michel Borissovitch et constata qu'il était sur le point de perdre son sérieux. Des frissons parcouraient ses joues, tiraillaient ses lèvres, agitaient les poils de sa face. Elle se rassura : on ne ferait pas de mal à son protégé. Nicolas, lui aussi, paraissait s'amuser beaucoup.

— Mais comment as-tu appris ton infortune ? demanda-t-il au staroste.

Igor Matvéïtch mit une main sur son cœur.

— Dieu m'a aidé, dit-il. Vous rappelez-vous le terrible orage de la nuit dernière ? Au village, chacun croyait que c'était la fin du monde. Moi-même, je m'apprêtais à paraître devant le Juge suprême et je faisais le compte de mes péchés. Tout à coup, au milieu des éclairs, voilà mon Eudoxie, épouvantée, qui saute à bas du lit, se prosterne devant les icônes et dit : « Pardonne-moi, Igor, je t'ai vraiment trompé avec Kitaïeff !... »

Michel Borissovitch et Nicolas pouffèrent de rire. Sophie les imita. A genoux devant eux, Nikita releva la tête.

Le staroste regardait, tour à tour, le vieux barine et le jeune barine avec des yeux pleins d'incertitude.

— Alors, qu'as-tu fait ? dit Michel Borissovitch.

— J'ai battu Eudoxie, je l'ai obligée à tout me raconter, et j'ai amené ce morveux à Vos Seigneuries pour qu'il reçoive le châtiment public des verges !

— Tu y tiens vraiment ? demanda Michel Borissovitch.

— Je veux la justice ! répondit Igor Matvéïtch d'un air obtus.

Sophie sentit que c'était le moment, pour elle, d'intervenir.

— Y a-t-il beaucoup de gens qui savent que ta femme te trompe avec Kitaïeff ? dit-elle.

— Je ne le crois pas, barynia.

— Si tu fais passer Nikita par les verges, tout le village apprendra le motif de la punition. Est-ce là ce que tu désires ?

Igor Matvéïtch hésita, puis, rouge de confusion, dit :

— Non, barynia.

— Rentre donc chez toi, et, surtout, ne parle à personne de cette affaire. Ainsi, du moins, les voisins n'auront pas l'occasion de se moquer de toi !

— Mais la lettre... la lettre qu'il a écrite pour ma femme ! bégaya l'autre.

— Il n'en écrira plus, dit Sophie. Tu le promets, Nikita ?

— Je le jure, barynia, notre bienfaitrice ! marmonna l'enfant. Que Dieu accorde le royaume céleste à tous ceux qui vous sont chers !

— Alors, comme ça, c'est fini ? demanda le staroste, déçu.

— C'est fini ! dit Michel Borissovitch. Dehors ! Que je ne vous revoie plus, ni l'un ni l'autre !

Les deux moujiks marchèrent à reculons vers la porte. Au moment de passer le seuil, le staroste se ravisa et dit :

— Il y a encore quelque chose, barine. En allant chercher le gamin, j'ai trouvé des écrits dans ses affaires. Vous aimeriez peut-être voir ce que c'est...

Un cri s'échappa des lèvres de Nikita :

— Non, Igor Matvéïtch !... Je t'en prie !...

Déjà, le staroste tirait un cahier de sa botte. Nikita voulut le lui arracher des mains. Mais Igor Matvéïtch, ricanant et soufflant, leva la liasse de feuillets à bout de bras pour que l'enfant ne pût l'atteindre.

— Que signifie cette comédie ? hurla Michel Borissovitch en tapant du poing sur la table.

Sophie se précipita vers le staroste et dit :

— Donne-moi ça !

Nikita se calma instantanément et Igor Matvéïtch remit de mauvaise grâce le cahier à la jeune femme.

Quand ils furent partis, Michel Borissovitch étala ses deux mains devant lui, sur la table, les doigts écartés, renversa le buste en arrière et considéra sa bru avec réprobation. Malgré la haute idée qu'il se faisait d'elle, il était furieux qu'elle se fût mêlée de cette histoire de moujiks, dont il aurait voulu être le seul juge. Ni son fils ni sa fille n'auraient osé empiéter sur son autorité seigneuriale. D'où cette étrangère prenait-elle tant d'audace ?

— Je n'aime pas beaucoup que mes serfs s'occupent de gribouillages ! dit-il en chaussant ses bésicles. Chez nous, en Russie, écrire c'est déjà se plaindre ! Qu'y a-t-il dans ce torchon ?

Il allongea la main. Sophie pressa le cahier sur son corsage et répondit :

— Non, père.

Les yeux de Michel Borissovitch étincelèrent :

— Que signifie ?...

— Ce cahier m'est destiné, dit Sophie. C'est moi qui ai demandé à Nikita de l'écrire. Laissez-moi en prendre connaissance la première. Si j'y relève quelque chose d'intéressant, je vous le communiquerai.

Ce langage raisonnable arrêta la fureur de Michel Borissovitch. Il lui sembla qu'il descendait dans un bain d'eau fraîche. Son esprit bouillonnant se calmait, ses nerfs crispés se détendaient, sa respiration devenait égale.

Laissant son beau-père avec Nicolas, Sophie se dépêcha de monter dans sa chambre. Là, elle s'assit devant la fenêtre et ouvrit le cahier sur ses genoux. Il se composait d'une dizaine de pages cousues ensemble. Elle déchiffra le début péniblement, car Nikita écrivait les mots comme il les entendait :

« Ma bienfaitrice est belle. Plus belle que le plus beau des nuages. Elle m'éblouit et elle passe... »

Sophie relut ces lignes pour se convaincre qu'elle les avait bien comprises. Était-il possible que ce préambule poétique fût l'œuvre d'un garçon ignorant et rustaud ? Excitée par sa découverte, elle poursuivit :

« Elle m'a dit d'écrire les histoires vraies de ma vie, mais ma vie est grise comme la poussière. Ma mère est morte depuis longtemps et c'est une autre femme qui couche sur le four avec mon père, Christophore Ivanytch. Malgré cela, il ne me bat pas trop. Seulement quand il est ivre, et toujours sur la même oreille, la gauche. Je lui ai souvent demandé de changer, et il ne veut pas. Il a ses habitudes. On est très bien à Chatkovo. Je prends part à tous les travaux de la communauté : le curage des étangs, la réparation des chemins, la fenaison... J'aime beaucoup faucher et rentrer le foin. Mais la moisson du seigle est plus difficile. L'année dernière, je me suis blessé avec la faucille. C'est la vieille Pélagie qui m'a soigné avec de l'herbe et de la salive. Cette année j'ai surtout lié les gerbes. Tous les événements de l'univers, nous les apprenons par notre voisin, Timothée, marchand de chaudrons et de seaux, qui rentre le vendredi. Dès qu'il arrive, les villageois l'entourent. Il parle des maisons qui se construisent en ville, des nouveaux oukases, de la levée des recrues, des vols, des assassinats et des présages. Il m'a fait cadeau d'une vieille balalaïka. J'en joue souvent le soir. La musique est plus belle quand il fait sombre. Le dimanche, nous nous réunissons à plusieurs garçons et filles pour chanter, pour danser...

« Tous, ici, ont peur des incendies. Quand la neige commence à glisser des toits, vers la semaine Sainte, le staroste interdit de passer la soirée devant le feu, même pas devant un lumignon de résine. Il inspecte les poêles, l'été, chaque lundi. L'année dernière, il a réussi à faire envoyer deux moujiks au régiment, pour vingt-cinq ans. Ils lui avaient désobéi. Peut-être que moi aussi, un jour, on me tondra les cheveux et on m'obligera à servir la patrie jusqu'à la vieillesse. Il paraît que l'intendant d'un certain domaine expédie comme recrues à l'armée les moujiks dont les femmes lui plaisent. Il paraît qu'il y a un staroste, — pas le nôtre — qui fixe une rançon pour les jeunes filles qui refusent de se marier. Il paraît que tous les livres imprimés sont écrits par des sénateurs de Saint-Pétersbourg. Depuis dix jours, on entend de nouveau les loups dans les bois. C'est que l'été va finir. Je ne crains pas les loups. Mais il y a des endroits où se cachent les mauvais esprits. Près de l'étuve du village, la femme d'un soldat s'est pendue Sitôt qu'il fait sombre, toutes les femmes pendues des alentours la rejoignent. Elles chantent, elles dansent, elles s'aspergent avec l'eau des baquets. Le père Joseph nous recommande de nous signer en passant devant la cabane des bains. J'ai déjà écrit beaucoup de lignes. C'est facile et amusant. Chaque nuit, en m'endormant, je pense à ma bienfaitrice. Le père Joseph dit qu'elle est française et que tous les Français sont des païens. Il dit aussi que Napoléon a bu le sang de la Russie... »

La suite était si mal écrite que Sophie dut renoncer à la lire. Elle savait maintenant qu'elle ne s'était pas trompée sur le compte de Nikita. L'enfant qui, après quelques semaines d'études, était capable de rédiger une pareille confession, méritait qu'on le tirât de l'ignorance. Néanmoins, quand Nicolas la questionna, le soir, sur le contenu du cahier, elle dit évasivement :

— Beaucoup de fautes... Mais beaucoup de bonne volonté aussi... Tu perdrais ton temps à lire ces gribouillages...

Le lendemain, elle rapporta le cahier à Nikita, le félicita pour son travail et lui fit cadeau de papier blanc et de livres. Il se tenait dans l'isba, entre son père, un robuste moujik à la barbe rousse, et sa belle-mère, sèche comme une sauterelle, qui disait :

— Faites-nous l'honneur de vous asseoir... Eclairez de votre présence notre foyer indigne...

Nikita, lui, se taisait, ravi par une vision céleste. Il raccompagna Sophie jusqu'au centre du village. Des enfants pouilleux entouraient la calèche. Sophie leur distribua des bonbons. Au moment où elle remontait en voiture, Nikita murmura :

— Est-ce que vous me permettez de continuer ?

— Je te le demande ! dit-elle.

En rentrant à la maison, elle apprit par Marie que les starostes de Chatkovo, de Tcherniakovo, de Krapinovo et de deux autres villages s'étaient présentés à Michel Borissovitch en délégation. Inquiète, elle crut d'abord que cette démarche avait un rapport avec la mésaventure de Nikita, mais sa belle-sœur la rassura : les paysans étaient venus trouver leur maître pour se plaindre des loups, qui se montraient entreprenants pour la saison, et le prier d'ordonner une battue.

Le soir, au souper, Michel Borissovitch évoqua l'affaire. Il lui paraissait difficile d'organiser une chasse aussi importante sans y convier des voisins.

— Ce serait contraire à tous les usages ! dit-il. Mais, d'un autre côté, j'hésite à rameuter tous ces gens que j'ai perdus de vue...

— Je ne comprends vraiment pas ce qui vous arrête, père ! dit Nicolas.

Sans répondre à son écervelé de fils, Michel Borissovitch posa sur Sophie un regard qui demandait conseil. Sachant qu'elle répugnait à voir des visages nouveaux, il ne voulait prendre aucune décision qui pût lui déplaire. Elle devina son scrupule et en fut touchée.

— Nicolas a raison, dit-elle. Nous ne pouvons rester plus longtemps à l'écart. Vos amis d'autrefois vous taxeraient d'impolitesse.

— Je me moque de leur opinion, dit Michel Borissovitch. C'est ce que vous pensez, vous, qui m'importe !

Une flamme étrange brilla dans les yeux de Marie. Visiblement, elle espérait de toutes ses forces que sa belle-sœur ne s'opposerait pas au projet. Sophie la jugea bien excitée pour une jeune fille qui prétendait avoir horreur du monde. N'y avait-il pas quelque mystère là-dessous ?

— Invitez qui vous voulez, dit Sophie. Je serai heureuse de connaître les propriétaires des environs.

Marie baissa les paupières. Nicolas sourit à sa femme comme pour la remercier d'une faveur. Et Michel Borissovitch dit avec sentiment :

— Si vous êtes d'accord, je crois que le 23 septembre serait une bonne date.

Après le dessert, il se fit apporter du papier, de l'encre, une plume, et là, sur la table de la salle à manger, dressa la liste des invités à la battue aux loups.

## 6

Arrivé le premier dans la clairière, Nicolas descendit de cheval et poussa un cri de ralliement. Autour de lui, à perte de vue, frémissaient des draperies de feuillages roux, vert amande et jaune d'or. Après la pluie, les troncs luisaient comme enduits de laque. Un tapis de feuilles mortes recouvrait le sol. Il était convenu que les invités se rassembleraient en ce lieu, y laisseraient leurs montures et gagneraient à pied leurs emplacements de chasse à l'orée du bois. Déjà, une galopade lourde se rapprochait. Tour à tour, Nicolas vit déboucher du sentier son père, pesamment assis sur le nerveux Pouchok, Vassia, rouge, essoufflé, le chapeau incliné sur l'oreille, le géant Bachmakoff qui montait à l'anglaise, Vladimir Karpovitch Sédoff, officier de marine en retraite, habitant à huit verstes de là, Marie en amazone noire et toque à plume de paon, Hélène, la fille aînée de Mme Volkoff, qui oscillait dangereusement sur sa selle, le comte Toumanoff, petit, grêle et grimaçant, d'autres cavaliers qui étaient tous des voisins... Les dames et les enfants suivaient en voiture. Lorsqu'il aperçut, dans la même calèche découverte, sa femme et Daria Philippovna, Nicolas éprouva un tendre pincement au cœur. Assises côte à côte, elles devisaient avec grâce. Sophie était serrée dans une redingote gris perle, en gros de Naples, garnie d'une double ganse de satin gris foncé. Une capeline mauve très légère ombrageait son visage. Daria Philippovna avait un châle de cachemire sur les épaules et un étrange chapeau, au plumet vert, enfoncé sur les yeux. Nicolas regrettait ce couvre-chef imposant, mais se consolait en pensant qu'il n'avait aucun goût en matière de mode. Il n'avait pas encore eu l'occasion de demander à Sophie son opinion sur Mme Volkoff. Pourtant, à les contempler ainsi, l'une grande, mûre et forte, avec un air doux, l'autre jeune, menue, le regard ardent, il trouvait qu'elles se complétaient trop bien pour n'être pas destinées à devenir des amies. La fraîcheur du matin le mettait en humeur joyeuse. Il se porta vers les deux jeunes femmes pour pour les aider à descendre de voiture.

— Quelle merveilleuse promenade ! dit Daria Philippovna en français, d'une voix hésitante.

— Oui, répondit Sophie en russe. Même si nous ne voyons pas un seul loup, ce sera un beau souvenir.

— Vous en verrez ! dit Nicolas. Je vous le promets ! Nos paysans les ont découverts, cernés, et n'attendent qu'un signal pour commencer la battue.

Les valets d'écurie rassemblèrent les chevaux. La clairière s'emplit de monde. Au-dessus du brouhaha des conversations, on entendait la voix de Michel Borissovitch qui lançait des ordres. Des servantes passaient de groupe en groupe et présentaient aux dames un coffret avec des peignes, des brosses, des épingles et des eaux parfumées, pour celles qui désiraient corriger leur toilette. Sophie demanda à Nicolas quel était cet invité d'une trentaine d'années, aux lèvres minces et au nez long, qui abordait Marie, échangeait deux mots avec elle et s'éloignait d'une démarche raide.

— C'est Vladimir Karpovitch Sédoff, dit Nicolas. Un drôle d'homme, solitaire, orgueilleux, distant. Il aurait pu faire une brillante carrière dans la marine, mais, à la suite de je ne sais quelle vilaine histoire, il a dû donner sa démission et se retirer dans son domaine.

— Dans son tout petit domaine ! renchérit Daria Philippovna. Il n'a que deux cents âmes. Et je ne serais pas surprise si la moitié au moins étaient hypothéquées !

— Je me demande de quoi il vit ! dit Nicolas.

— De dettes ! répliqua Daria Philippovna. Et puis, il paraît qu'il fait commerce de jolies filles serves. Il leur apprend la politesse, le français, le chant, l'aquarelle, toutes sortes de façons qui plaisent aux hommes...

Nicolas fit entendre un rire d'une sonorité virile, qui agaça Sophie.

— Et, une fois qu'il les a bien préparées, reprit Daria Philippovna, il les vend très cher. On m'a parlé d'une certaine Douniacha, pour laquelle il aurait touché trois mille cinq cents roubles !

— Ce sont peut-être des racontars ! dit Sophie.

— Il n'y a pas de fumée sans feu !

— A la campagne, les plus petits feux font les plus grosses fumées !

— Dieu que vous êtes drôle ! s'écria Daria Philippovna. Voilà une répartie bien parisienne !

Et, se penchant vers Sophie, elle ajouta très vite :

— Regardez... regardez mon Vassia qui fait sa cour à votre Marie !... Vous savez qu'il est fou d'elle, depuis sa tendre enfance ?... Il ne l'avouerait pour rien au monde, mais, moi qui suis sa mère, je lis en lui à livre ouvert !... Sont-ils charmants tous les deux !... Ne disons pas à haute voix ce que désire notre cœur, le diable pourrait nous entendre et nous contrarier !... Tenez, voici notre cher comte Tourmanoff et sa femme !... Vous les connaissez, je suppose !... Des gens tout à fait adorables !...

Sophie remarqua que Vassia parlait à la jeune fille avec une expression déférente et qu'elle l'écoutait mal, la tête basse, l'air buté, fouettant sa jupe nerveusement avec sa cravache. De toute évidence, les assiduités du garçon lui étaient désagréables. Au loin, éclatèrent les hurlements des rabatteurs et des aboiements furieux. Il y avait, dans la meute, quelques braques appartenant aux propriétaires voisins et tous les chiens galeux et hargneux des villages.

— Messieurs, cria Michel Borissovitch, il est temps ! Allons rejoindre nos places !

Les hommes prirent congé des dames, cérémonieusement. Ils portaient tous un fusil en bandoulière et un coutelas à la ceinture. Même le comte Toumanoff, boiteux et contrefait, avait un long poignard qui ballait sur sa cuisse.

— N'avons-nous rien à craindre en restant ici ? demanda Daria Philippovna, subitement alarmée.

— Absolument rien ! dit Nicolas. Les rabatteurs chassent les loups vers le côté opposé du bois. D'ailleurs, nous vous laisserons quelques moujiks et un tireur pour vous protéger.

— Je veux bien faire le guet, dit Bachmakoff.

Daria Philippovna le remercia personnellement. Tous les autres chasseurs s'éloignèrent. Les dames s'assirent sur un tronc d'arbre abattu pour parler de malaises, de modes et de domestiques. Les enfants organisèrent une partie de colin-maillard dans la clairière. Parfois, une mère levait la tête et disait :

— Attention aux loups ! N'allez pas vous perdre dans les sentiers !...

Un chœur de voix obéissantes répondait :

— Mais oui, mère... mais oui, tante...

Prenant son rôle de protecteur au sérieux, Bachmakoff humait le vent, roulait des yeux et faisait sauter son fusil dans ses mains. Soudain, les conversations tarirent, les jeux s'arrêtèrent, les chevaux à l'attache pointèrent leurs oreilles. Amplifiées par les échos de la forêt, les voix des paysans et des chiens paraissaient venir de tous les côtés à la fois. On entendait même les gourdins des rabatteurs, frappant les troncs pour effrayer les loups. Des détonations isolées retentirent.

— Gardez votre sang-froid, Mesdames, dit Bachmakoff. L'écho est trompeur.

Sa moustache noire inspirait confiance à la majorité. Sophie chercha Marie du regard et ne la trouva pas. Inquiète, elle revint à sa calèche et demanda au cocher s'il n'avait pas vu la jeune barynia.

— Elle est partie par là, dit-il en tendant le bras vers une laie qui se perdait parmi les fougères.

— Toute seule ?

— Oui, barynia. Ce n'est pas prudent !

Ayant fait quelques pas dans la direction indiquée, Sophie appela : « Marie ! Marie ! », ne reçut pas de réponse et continua de marcher en silence, retenant sa respiration. Elle n'aurait su dire pourquoi elle se taisait ainsi. Une intuition la guidait. Bientôt, des chuchotements lui parvinrent. Elle s'immobilisa.

— Laissez-moi ! Laissez-moi ! disait la voix de Marie.

Son intonation était suppliante. Des ramures craquèrent. Il y eut un bruit de lutte dans les fourrés. Sophie se précipita en avant, troua un rideau de fougères et découvrit Vladimir Karpovitch Sédoff et Marie, dressés face à face. Il la tenait par les poignets et s'efforçait de l'attirer contre sa poitrine. En se débattant, elle avait perdu son chapeau. Son visage était pâle, défait. Une mèche de cheveux pendait sur sa joue. Poussée par l'indignation, Sophie ramassa la cravache que la jeune fille avait laissé tomber et en cingla le bras de Sédoff.

— Lâchez-la ! cria-t-elle. Allez-vous-en !

Il ouvrit les doigts, fit un pas en arrière et sa longue figure prit une expression sarcastique. L'intervention de la jeune femme paraissait l'amuser plus qu'elle ne le mettait dans l'embarras. Marie plongea son visage dans ses mains.

— Eh bien ! qu'attendez-vous, Monsieur ? reprit Sophie. Partez ! Partez !...

Ce dernier mot mourut sur ses lèvres. Elle écarquilla les yeux et son cœur faillit. Droit devant elle, suivant le sentier, arrivait un loup au pelage gris et à la tête fine. Le cou tendu, la gueule ouverte, il trottait sans hâte, avec une légèreté dansante, comme s'il n'eût pas craint d'être rejoint par les chasseurs. Le fusil de Sédoff était appuyé contre une souche. Allongeant le bras, il empoigna l'arme par le canon, maladroitement. Mais il n'avait pas fini d'épauler, qu'une détonation partit, sur sa gauche. Le loup bondit dans les fourrés. Un autre coup de feu claqua sèchement. La voix de Bachmakoff hurla :

— Je l'ai eu !

Dominant son émotion, Sophie regarda sa belle-sœur. La jeune fille semblait inconsciente du danger qu'elle avait couru. Ses yeux étaient vagues. Le rose revenait à ses joues. Non loin d'elle, Vladimir Karpovitch Sédoff souriait, flegmatique, glacial, insolent. Les buissons s'écartèrent et Bachmakoff parut, en sauveteur tonitruant et jovial :

— Eh bien ! vous dormiez, Vladimir Karpovitch ? dit-il. Heureusement que je faisais ma ronde !... Si je n'avais pas été là !... Une bête splendide !... Venez la voir !...

Sophie et Marie le suivirent. Sédoff profita de l'occasion pour s'éclipser. Dans la clairière, les dames, bouleversées, entourèrent les deux imprudentes :

— Quelle folie de vous être écartées ainsi ! Quand nous avons entendu les cris, les coups de feu, nous avons redouté le pire !

Avec tous ces gens réunis autour d'elles, Sophie ne pouvait interroger sa belle-sœur comme elle l'aurait voulu. Daria Philippovna tendit un flacon de sels à la jeune fille.

— Respirez, cela vous fera du bien après la peur que vous avez eue !

— Je n'ai pas eu peur, dit Marie.

Quelques paysans revinrent, traînant des corps de loups par les pattes. Les bêtes furent rangées côte à côte, par terre. Certaines avaient été achevées au couteau. Un sang écarlate maculait leur pelage. Des chiens couraient, la queue battante, le museau au sol. Enervés par l'odeur, les chevaux hennissaient et tiraient sur leurs longes. Plus tard, un cor sonna et les chasseurs regagnèrent le lieu de rassemblement.

— J'en ai eu deux ! annonça Nicolas en retrouvant Sophie.

Il rayonnait d'une joie enfantine. Lorsque Daria Philippovna lui eut raconté le péril auquel avaient échappé sa femme et sa sœur, il s'effraya, s'appliqua un coup de poing sur le front et dit :

— Mon Dieu ! Quand je pense à ce qui aurait pu arriver ! Brave Bachmakoff ! Il faut que je le remercie !...

Michel Borissovitch lui-même félicita Bachmakoff pour la rapidité de son intervention et s'étonna que Sédoff eût à ce point manqué de vigilance.

— J'allais tirer, lorsque Monsieur a cru habile de me devancer, dit Sédoff. Je reconnais d'ailleurs volontiers que je n'aurais pas fait mieux que lui.

Cette déclaration, prononcée d'un ton acerbe, jeta un froid dans l'assistance. La mauvaise foi de Sédoff exaspéra Sophie. Elle dut se contenir pour ne pas le démasquer devant tout le monde. Mais, déjà, Michel Borissovitch conviait ses hôtes à admirer le tableau de chasse : dix-sept loups ! Ce n'était pas exceptionnel. Des corbeaux se perchaient hardiment sur les plus hautes branches. D'autres tournaient dans le ciel en croassant.

— Et maintenant, dit Michel Borissovitch, nous allons rentrer à la maison. J'espère que cette battue vous a ouvert l'appétit !

Les invités firent honneur au copieux dîner, qui commença par une avalanche de hors-d'œuvre, et se continua par une bisque d'écrevisses, du gibier parfumé aux herbes et d'énormes oies farcies. Excités par l'eau-de-vie, les convives bavardaient en français et en russe. Assis au bas bout, M. Lesur lançait, de temps à autre, une plaisanterie dont il était le premier à rire. Nicolas partageait son attention entre sa voisine de droite, la comtesse Toumanoff, et sa voisine de gauche, Daria Philippovna, avec une nette préférence pour cette dernière. Vassia essayait en vain d'intéresser Marie au récit de ses souvenirs de Goettingue. Sédoff ne parlait à personne, mangeait à peine et observait tout d'un œil critique. Michel Borissovitch, congestionné et heureux, devait crier pour se faire entendre de Toumanoff et de Bachmakoff, qui discutaient des mérites comparés de leurs chiens. Les enfants, réunis à une autre table, dans le salon, menaient un caquetage de volière. Vingt domestiques couraient en tous sens, se croisaient et se bousculaient, l'air affolé, comme si on les eût chargés d'éteindre un incendie et qu'ils eussent manqué de seaux. Et Sophie attendait avec impatience que le repas s'achevât.

A trois heures et demie, on se leva de table. Les pièces disponibles de la maison avaient été aménagées en dortoirs, pour que les invités pussent faire la sieste. Les messieurs, traditionnellement infatigables, s'attardèrent à fumer dans le salon. Les dames, plus faibles de complexion, se retirèrent. Elles étaient pressées d'ôter leurs chaussures et de dégrafer leur corset. Comme il n'y avait pas assez de lits, les enfants s'étendirent sur des matelas, disposés par terre.

Quand elle eut installé tout le monde, Sophie alla frapper à la porte de sa belle-sœur. La jeune fille ouvrit et montra un visage mécontent. Une lourde tresse blonde pendait sur son épaule. Elle avait dépouillé son élégante amazone et se trouvait en camisole et en jupon blancs.

— Que voulez-vous ? demanda-t-elle.

— Vous parler, dit Sophie en entrant.

Marie se recoucha sur le lit, les mains derrière la nuque, les pieds joints. Sophie s'assit à son chevet et murmura :

— Cet homme, Marie, je ne peux comprendre son audace ! Comment a-t-il osé ?...

— Et vous, comment avez-vous osé ? s'écria la jeune fille en tremblant de fureur. Pourquoi êtes-vous intervenue ?

Après une seconde d'étonnement, Sophie dit avec douceur :

— Mais, Marie, il essayait de vous embrasser, vous le repoussiez, vous vous débattiez...

— Vous n'aviez qu'à me laisser me débattre... et ne pas... ne pas arriver avec votre air de gouvernante, comme si j'étais une petite fille que vous étiez chargée de surveiller !...

La violence de cette révolte incita Sophie à changer de tactique.

— Je ne savais pas, dit-elle, que cet homme était si cher à votre cœur !

Marie dressa la tête dans un mouvement de bravade :

— Il n'est pas du tout cher à mon cœur, comme vous dites !

— Enfin, vous l'aimez !...

— Non.

— Alors, pourquoi regrettez-vous que je l'aie empêché de vous prendre dans ses bras ?

Marie se tut, se ferma.

— Ne croyez surtout pas que je vous blâmerais si vous aviez un penchant pour M. Sédoff, reprit Sophie diplomatiquement. Il a de la prestance, de l'expérience, du charme...

— C'est un homme affreux ! balbutia Marie.

— Vous le connaissez bien ?

La jeune fille ne répondit pas. Certainement, après un accès de méfiance, elle luttait contre le désir de s'abandonner à quelqu'un. Son secret lui pesait tellement, qu'il y avait une expression de souffrance physique sur son visage. Enfin, elle chuchota :

— Non. Je le connais à peine. Il n'est venu que cinq ou six fois à la maison. Mais, à chaque rencontre, il s'est arrangé pour passer quelques minutes seul avec moi. Et je n'ai rien fait pour l'éviter.

— Quel âge aviez-vous lorsque il vous a remarquée ?

— Quinze ans. C'était le jour de mon anniversaire. Il m'a entraînée dans le jardin et m'a embrassée.

J'étais comme folle. Je n'en ai parlé à personne. Ensuite, je ne l'ai plus revu pendant deux ans.

— Et aujourd'hui ?

— C'est sa première visite depuis... depuis Noël !... Cela fait neuf mois ! Sans doute disparaîtra-t-il encore pour longtemps. Peut-être pour toujours. Il ne me dit rien d'aimable. Il s'amuse de moi. Je le déteste. Mais, si jamais il revient, je ne pourrai pas lui résister... Comment expliquez-vous cela ?

Elle baissa le front et se mit à pleurer. Sophie posa sa main sur la nuque de la jeune fille :

— Allons ! Allons ! ce n'est pas grave !

— Si. Et puis, j'ai été méchante avec vous ! Il me rend méchante !... Que vais-je devenir ?

— Vous allez l'oublier, dit Sophie. Je vous y aiderai.

Marie se jeta dans ses bras. Supportant le poids de cette tête fiévreuse sur son épaule, Sophie songeait à la vie intime de sa belle-sœur, qu'elle avait crue toute simple et qu'elle découvrait pleine d'obsessions, de craintes, de remords, de désirs, de rêves... Elles restèrent longtemps appuyées l'une à l'autre, échangeant leurs pensées sans prononcer un mot.

Les bruits de la maison, qui s'étaient arrêtés pendant la sieste, reprirent un à un. Des portes claquaient, des voix joyeuses s'interpellaient dans le corridor, dans le jardin, dans la cour. Nicolas vint chercher Sophie et Marie de la part de deux invités qui voulaient prendre congé.

— Qui sont ces invités ? demanda Sophie.

— Bachmakoff et Sédoff, répondit Nicolas. Les autres resteront souper.

Sophie décocha un coup d'œil à la jeune fille et dit calmement :

— Marie est lasse. J'irai seule.

Lorsqu'elle arriva sur le perron, des serviteurs amenaient les chevaux. Bachmakoff baisa la main de Sophie et lui débita des compliments dans un français si étrange, qu'elle n'en saisit pas une syllabe.

Sédoff ne lui dit rien, s'inclina devant elle et, en se redressant, la considéra longuement, comme pour la mettre au défi de réparer le mal qu'il avait fait. Après leur départ, elle descendit les marches et se retourna : Marie, à sa fenêtre, suivait du regard les deux cavaliers qui s'éloignaient dans l'allée.

Déjà, dans la salle à manger, les domestiques préparaient la table pour le thé, avec toutes sortes de liqueurs légères, de fruits confits, et de petits pains poudrés de cumin et de graines de pavot. Les dames protestèrent qu'elles n'avaient plus faim, mais se laissèrent fléchir par l'insistance de Sophie. Les messieurs burent encore, encouragés par Michel Borissovitch, qui justifiait chaque rasade par une formule appropriée. En versant le deuxième verre, il disait : « Mari et femme font la paire » ; en versant le troisième : « Dieu aime la Trinité » ; en versant le quatrième : « Une maison a quatre angles » ; en versant le cinquième : « Il y a cinq doigts à la main »... et ainsi de suite. Nicolas fit rire Daria Philippovna en lui racontant à voix basse comment, au cours de la battue, il avait failli tuer le comte Toumanoff, qui cherchait quelque chose, à quatre pattes, dans les fourrés. Elle semblait prendre un tel plaisir à ces propos, qu'il eût passé toute la soirée à l'entretenir ! La collation terminée, on retourna dans le salon. Ce fut à ce moment que Marie reparut, pâle et souriante. Daria Philippovna s'empressa auprès d'elle. Comment se sentait-elle après ces émotions ? Avait-elle pu se reposer un peu ? Vassia se tenait derrière sa mère et montrait un vif intérêt pour tout ce qu'elle disait, comme si, n'osant parler lui-même, il l'eût chargée d'être son interprète. Nicolas prit Sophie à part pour lui avouer combien il était touché de l'affection que Mme Volkoff témoignait à sa sœur. La question qui le tourmentait vint sur ses lèvres :

— Comment la trouves-tu ?

— Qui ?

— Daria Philippovna ! N'est-ce pas que c'est une femme remarquable ?

— A quel point de vue ? demanda Sophie.
Désarmé, il balbutia :
— Je ne sais pas... enfin, elle est distinguée, charmante, douce, maternelle...
— Distinguée — non, dit Sophie ; charmante — cela dépend des goûts ; douce — j'ai de la peine à le croire ; maternelle — à coup sûr !
Incapable de déterminer la proportion de moquerie et de sincérité qui entrait dans cette réponse, il murmura :
— J'avais pensé que tu pourrais t'en faire une amie.
La surprise qui parut dans les yeux de Sophie acheva de le décourager.
— Pourquoi veux-tu que je me fasse une amie de cette femme ? dit-elle. Nous n'avons rien de commun. Elle ne m'intéresse pas et je doute que je l'intéresse.
Nicolas comprit qu'il eût été imprudent d'insister. Mais il s'étonnait qu'une personne aussi proche de lui que Sophie eût une opinion aussi différente de la sienne sur les mérites de Daria Philippovna. Le valet de pied interrompit leur conversation en annonçant que le souper était servi.
Michel Borissovitch donna le bras à Mme Toumanoff pour passer à table. Il était agacé parce que, seuls de toute l'assistance, le comte et la comtesse ne lui avaient pas encore fait compliment de sa bru. Allaient-ils repartir sans lui avoir dit, comme les autres, qu'elle était éblouissante de grâce, que son accent français, quand elle parlait le russe, était un enchantement, qu'elle s'habillait à ravir, et mille choses aimables dans ce genre ? S'ils en usaient de la sorte, il ne les réinviterait jamais. Pour lui, les qualités de Sophie sautaient aux yeux. Il promenait ses regards sur tous les convives et ne voyait qu'elle. Le souper, mi-froid, mi-chaud, était arrosé de plusieurs vins. Ce fut au moment du petit gibier, que la comtesse Toumanoff, se penchant vers Michel Borissovitch, susurra :
— Un vrai délice !

Il crut d'abord qu'elle parlait de la caille, dont elle venait de grignoter et de sucer les pattes jusqu'à l'os, mais elle précisa :

— Votre belle-fille est un vrai délice de Paris !

Il se gonfla de contentement. Plus tard, en sortant de table, le comte Toumanoff lui dit, à son tour : « Un vrai délice de Paris, votre belle-fille ! » Sans doute, le mari et la femme s'étaient-ils concertés sur la formule.

Comme l'heure avançait, Michel Borissovitch offrit à ses hôtes de coucher sous son toit. Mais ils affirmèrent que la nuit était belle et qu'ils allaient partir. Sophie en éprouva un secret soulagement. Cette longue journée en société l'avait épuisée. Tout le monde sortit sur le perron.

Les calèches étaient attelées. Six paysans, que Michel Borissovitch appelait pompeusement des piqueurs, se tenaient assis sur des chevaux de trait. Une torche de résine à la main, ils devaient accompagner les voyageurs jusqu'à la chaussée. Parmi ces clartés dansantes, s'agitaient follement les ombres des invités et des serviteurs. Les femmes s'embrassaient. Les enfants dormaient debout, les poches bourrées de bonbons et de fruits. Des chiens, venus des communs, s'approchaient timidement des maîtres et mendiaient une caresse en frétillant de la queue. Après un dernier échange de congratulations, chaque famille se hissa dans sa voiture.

— Que Dieu vous protège ! cria Michel Borissovitch.

Tout le train se mit en mouvement. Quand la calèche des Volkoff passa devant Nicolas, il vit, à la lueur d'un flambeau, Daria Philippovna qui lui souriait avec des yeux de diamant et agitait une main pâle, avant de disparaître dans la nuit.

# 7

L'hiver vint, avec ses rafales blanches, ses routes effacées, son silence lugubre et son froid brillant. La vie de la famille se concentra dans l'ancienne demeure aux doubles fenêtres calfeutrées et aux poêles de faïence craquant de chaleur. Il semblait à Sophie qu'elle s'était embarquée pour un long voyage sur un bateau chargé de provisions. Coupés du reste du monde, isolés dans un désert de neige, les habitants de Kachtanovka subsistaient sur leurs réserves de nourriture et de sentiments. La maison taillait sa route régulièrement, à travers les journées monotones. Un paquet arriva de France. Il ne contenait, pour toute littérature, que *Jean Sbogar*, de Charles Nodier, l'*Essai sur l'Indifférence en matière de Religion*, de Lamennais, et quelques vieux journaux, d'où il ressortait que les libéraux avaient eu un succès aux élections de septembre, que Louis XVIII était très fatigué et que les chapeaux de femmes grandissaient et s'ornaient de marabouts, de rubans, de coques de crêpe, tandis que les hommes adoptaient la redingote noisette et les gilets en poil de chien.

Quand le temps le permettait, Nicolas allait au club, ou chez les Volkoff, pour rencontrer Vassia. Souvent aussi, c'était Vassia qui lui rendait visite.

Leur camaraderie se renforçait dans l'oisiveté. Ils communiaient dans le culte des théories constitutionnelles françaises et de la poésie romantique allemande. Chaque fois qu'elle les entendait discuter, Sophie était frappée de leur obstination à rabâcher des idées sur lesquelles l'un et l'autre étaient depuis longtemps d'accord. Connaissant mieux Vassia, elle ne l'appréciait pas davantage. Tout en admettant qu'il avait de la culture, de la probité et de bonnes manières, elle lui trouvait quelque chose de mièvre dans le visage, de doucereux dans la voix, qui la rendait injuste à son égard. En tant que femme, elle comprenait Marie, qui fuyait dès qu'elle le voyait paraître.

Ces derniers temps, la jeune fille s'était beaucoup rapprochée de sa belle-sœur. Bien qu'il ne fût plus jamais question de Vladimir Karpovitch Sédoff entre elles, Marie était manifestement soulagée de n'être plus seule à porter son secret. Elle aimait partir en traîneau avec Sophie pour quelque village du domaine : Krapinovo, Tcherniakovo, Chatkovo, Doubinovka, ils se ressemblaient tous. Recroquevillés dans leurs isbas comme dans des tanières, les moujiks menaient une existence de bêtes hivernantes. Avares de leur chaleur et de leurs gestes, ils sortaient rarement, n'aéraient pas leurs maisons et travaillaient en famille à tailler des écuelles de bois, à tresser des chaussures ou des paniers, et à préparer des filets pour la pêche. A Chatkovo, le jeune Nikita avait encore fait des progrès en écriture. Sophie souffrait de le voir si mal logé, si mal nourri, si mal vêtu, entre un père qui était une brute et une belle-mère dont le visage rayonnait d'imbécillité. L'adolescent avait une balafre en travers du front.

— C'est le staroste qui l'a frappé, dit le père. Et c'est bien fait ! Des gamins comme lui, ça se dresse à coups de bâtons ! Est-ce qu'il avait besoin de l'écrire, cette lettre ? Personne n'en a parlé et tout le monde le sait, dans le village ! Le vieux est furieux. Ça se comprend. A la prochaine occasion, il tapera encore sur Nikita. Et je dirai, moi, le père, qu'il a raison. Au besoin, si son bras est trop faible, je lui prêterai le mien ! Parce que, voyez-vous, barynia, nous avons beau être pauvres, nous sommes pour la patrie, pour l'ordre et pour la vertu...

Il avait bu. Sa langue s'empâtait. Un filet de salive coulait des deux côtés de sa barbe rousse. Il tituba et se retint, plein de dignité, au bord de la table. Nikita le considérait avec un mélange de crainte et de dégoût. Dans les isbas voisines, Sophie trouva la même misère sous d'autres visages. La plupart des paysans se plaignaient de n'avoir pas assez de provisions pour l'hiver. L'année avait été mauvaise. Les orages et les gelées précoces avaient gâché les récoltes. Il aurait fallu deux fois plus de choux et de sarrasin pour assurer la subsistance du village. Elle promit que leur maître ne les laisserait pas souffrir de la faim.

Le lendemain, tandis que Michel Borissovitch et Nicolas, assis face à face dans le bureau, discutaient des affaires du domaine, un tintement de clochettes se rapprocha. Ils allèrent à la fenêtre : c'étaient Sophie et Marie, qui rentraient d'une promenade en traîneau. Elles étaient emmitouflées de fourrures, poudrées de neige. Quelqu'un les accompagnait, que Nicolas et son père furent incapables de reconnaître. Ils reprirent leur conversation, mais Michel Borissovitch était distrait. A tout moment, son regard se tournait vers la porte. Enfin, des pas légers retentirent et Sophie parut. Le froid de la course avait coloré ses joues, avivé l'éclat de ses yeux. Marchant droit sur son beau-père, elle dit :

— J'ai été obligee de prendre une initiative que vous approuverez, je l'espère...

— Assurément, dit-il en l'enveloppant d'un regard affectueux. Mais d'où venez-vous ?

— De Chatkovo. J'en ramène ce garçon, Nikita...

Les traits de Michel Borissovitch se durcirent. Ses prunelles se rapetissèrent sous la broussaille grise de ses sourcils.

— Il ne peut plus rester au village, reprit Sophie. Le staroste lui en veut et ne laisse pas passer une occasion de le brimer, de le battre. J'ai pensé qu'il nous serait facile de l'employer à la maison, comme domestique.

Démonté par cette suggestion, Michel Borissovitch sentit qu'une fois de plus sa bru lui forçait la main. La décision avait été prise par elle avec la certitude qu'il n'oserait pas la contredire. Comme il tardait à s'indigner, ce fut Nicolas qui protesta :

— Ce n'est pas possible, Sophie ! S'il suffit qu'un gamin se plaigne d'être maltraité au village pour que tu l'installes à la maison, nous serons bientôt envahis par tous les jeunes fainéants du domaine ! De toute façon, tu aurais pu nous consulter, mon père et moi...

Michel Borissovitch fut choqué par le ton impératif dont usait Nicolas pour parler à Sophie. Si quelqu'un, ici, pouvait élever la voix, c'était lui seul, en tant que chef de famille et seigneur de Kachtanovka. Mais il se maîtrisait par galanterie, tandis que son fils, un gandin de vingt-cinq ans, posait à l'époux dominateur. Tout ce qui rappelait à Michel Borissovitch que Nicolas avait des droits sur la jeune femme le mettait mal à l'aise.

— Je vais reconduire Nikita chez ses parents, aujourd'hui même ! conclut Nicolas.

La colère qui bouillonnait en Michel Borissovitch trouva une issue et se déversa sur son fils.

— De quoi te mêles-tu ? hurla-t-il.

— Mais, père, nous n'avons que faire de ce garçon ! dit Nicolas.

— Un de plus, un de moins, qu'est-ce que cela change ? Tu ne vas pas refuser ce plaisir à ta femme ?

Cette sortie laissa Nicolas ébahi. Michel Borissovitch prit cet étonnement muet pour de l'insolence. Que disait-il de si extravagant pour que son fils le considérât avec des yeux ronds ?

— Tu as le génie d'enfler démesurément les petites histoires ! poursuivit-il avec humeur. On ne peut compter sur toi pour les affaires importantes, mais, quand il s'agit de vétilles, tu es là, tu brilles, tu fais l'homme fort !...

Le désir de blesser son adversaire l'emportait plus loin qu'il ne l'aurait voulu. Sophie se demanda la raison de cette querelle : « Tout ce que dit, tout ce que fait son fils l'exaspère ! Est-ce parce que Nicolas est jeune et que lui ne l'est plus ? »

— Dominez-vous, père, je vous en prie ! s'écria-t-elle. Nicolas ne mérite en rien les reproches que vous lui adressez !

— Je vous félicite de votre indulgence, rétorqua Michel Borissovitch d'un ton sarcastique. Mais si vous tolérez que votre mari vous manque d'égards dans l'intimité, vous ne pouvez m'empêcher d'interdire qu'il se conduise ainsi en ma présence.

— Il ne m'a pas manqué d'égards !

— Ah ! vous trouvez ? Charmante inconscience ! Nous autres Russes avons un tel respect de la femme, que nous mettons un point d'honneur à la défendre dans toutes les circonstances de la vie ! En est-il autrement en France ?

— Laissez vos comparaisons entre la France et la Russie ! Je n'ai pas besoin de votre soutien ! Si Nicolas a des torts envers moi, c'est à moi de lui en faire la remarque !

Michel Borissovitch était dans une grande excitation. Cette colère féminine le comblait, parce qu'elle s'adressait à lui seul. Dans le désordre de la fureur, Sophie lui donnait une part d'elle-même, comme elle l'eût fait dans le désordre de l'amour. Il avait allumé le feu et se chauffait à la flamme.

— Vous aurais-je froissée en essayant de prendre fait et cause pour vous ? dit-il avec une fausse naïveté.

Elle haussa les épaules. Perdant le sens de la conversation, Michel Borissovitch devint attentif à mille riens, tels qu'un reflet dans les cheveux de Sophie, les broderies de son corsage, la forme délicate de ses ongles. Une voix d'homme le fit sursauter. C'était son fils. Tiens, il se réveillait, celui-là !

— Cette discussion est grotesque ! criait-il. De quoi ai-je l'air, entre vous deux ? Que ce gamin reste ou s'en aille, je m'en moque ! Faites ce que vous voulez !...

Il sortit et claqua la porte.

— Un mouton enragé ! dit Michel Borissovitch.

Ses yeux brillaient de plaisir. Sophie se précipita derrière Nicolas et le rejoignit dans la chambre. Il était assis au bord du lit, les coudes aux genoux, la tête pendante.

— Mon père me déteste, dit-il.

— Mais non ! dit Sophie. Il a un caractère exécrable. Il s'emporte pour un rien. Et, comme c'est toi qui est le plus proche de lui dans la maison, comme c'est toi, au fond, qu'il aime le mieux, c'est à toi qu'il s'en prend dès que quelque chose le contrarie !

Elle n'était pas convaincue de ce qu'elle disait, mais Nicolas paraissait si accablé qu'elle voulait d'abord l'empêcher de souffrir dans son amour-propre.

— Si j'avais su ce qui allait arriver, reprit-elle, j'aurais laissé Nikita là où il était ! Veux-tu que nous le ramenions ensemble au village ?

Il ricana :

— Ah ! non ! Père en ferait une maladie ! Ce garçon a toutes les qualités pour lui, puisque tu t'y intéresses !

— Tu es ridicule !

— Je ne te le fais pas dire ! Tu as complètement retourné mon père ! Il suffit que tu lèves le petit doigt pour qu'il s'extasie, que tu ouvres la bouche pour qu'il t'approuve, que tu partes en promenade pour qu'il s'ennuie en attendant ton retour !...

— Tu oublies qu'il ne se passe pas deux jours sans que nous ayons une pique !

— Ce genre de piques-là, il les recherche pour son bonheur !

— En somme, tu lui reproches d'avoir de la sympathie pour moi aujourd'hui, comme tu lui reprochais autrefois de m'être hostile ? dit-elle gaiement. Ah ! que vous êtes compliqués, messieurs les Russes !

— Ne ris pas. Sophie, je t'assure que, parfois, je me demande ce que je fais ici. Nous sommes mariés et nous n'avons pas de vie intime. Cette maison n'est pas la nôtre. Sur chaque chose, nous devons prendre l'avis de mon père. Finalement, ce n'est pas entre toi et moi, mais entre toi et lui, que tout se décide ! Souvent, je regrette Saint-Péterbourg. Si je pouvais retrouver ma place au ministère...

— Tu n'y étais pas heureux non plus, Nicolas !

— Parce que nous n'avions pas assez d'argent pour vivre comme je l'aurais voulu ! Mais, à la longue, ma situation se serait améliorée. Tous les espoirs m'étaient permis, là-bas !

— Ils te le sont ici également !

Il soupira ; son corps parut se vider :

— Je me sens inutile... J'ai l'impression d'être redevenu un petit garçon...

— As-tu jamais cessé de l'être ? dit-elle en s'asseyant près de lui et en lui passant la main dans les cheveux.

Elle avait déjà remarqué que l'excès de tristesse, comme l'excès de joie, le rajeunissait. « Tant que je ne lui aurai pas donné un fils, il sera ainsi », pensa-t-elle. Cette idée, chaque fois qu'elle s'y arrêtait, ranimait sa douleur. Malgré le temps passé, elle ne se résignait pas à être privée de l'enfant qu'elle avait espéré, porté, mis au monde. A supposer qu'elle en eût un autre, ne mourrait-il pas, lui aussi, au bout de quelques jours ? Le médecin l'avait rassurée sur ce point, mais elle n'osait pas le croire. Plus elle regardait Nicolas, plus elle jugeait que ses soucis d'homme étaient légers auprès de ceux qu'elle endurait elle-même.

— Tu es découragé, dit-elle, et, pourtant, il y a tant à faire dans cette misérable campagne qui nous entoure ! J'ai besoin que tu m'aides ! Je ne peux rien sans toi !

Elle le flattait à dessein. Il releva la tête. Une lueur d'intérêt parut dans ses yeux. Elle lui parla des paysans qui craignaient la disette :

— Je leur ai promis de les ravitailler, en cas de nécessité.

— Si tu le demandes gentiment à mon père, il ne pourra pas te le refuser ! dit Nicolas avec un rire acrimonieux.

Elle feignit de ne l'avoir pas entendu.

— Dans l'ensemble, dit-elle, les cultures sont mal distribuées. N'y a-t-il pas de grandes étendues en friche, au nord de Chatkovo, sur la colline ?

— Si.

— Pourquoi n'y planterait-on pas des pommes de terre, au printemps ? C'est un légume très nourrissant. Les moujiks pourraient en constituer des provisions pour l'hiver.

Nicolas fit la grimace : sa femme avait vraiment des idées bizarres dans tous les domaines. Il lui expliqua que la culture des pommes de terre se développait mal en Russie. Le gouvernement encourageait bien les propriétaires à se lancer dans l'aventure. Mais la plupart se méfiaient encore. A Pskov, de tous les membres du club que fréquentait Nicolas, deux seulement avaient écrit à Saint-Pétersbourg pour avoir des tubercules.

— Eh bien ! faisons comme eux, dit Sophie. L'expérience vaut la peine d'être tentée. Nous ne planterons qu'un lopin pour commencer !

— Il faudra encore demander la permission à mon père ! dit Nicolas.

— Bien sûr !

— C'est insupportable !

Sophie se fâcha :

— Tout te paraît insupportable, Nicolas ! Ton père, la campagne, les paysans, moi-même peut-être !...

Il s'apprêtait à répondre par une moquerie, lorsqu'un rapprochement se fit dans son esprit et tout s'éclaira : ce tubercule d'origine étrangère n'était-il pas le symbole des idées libérales, qui, nées dans les pays les plus civilisés de l'Europe, s'épanouiraient un jour sur la terre russe ? L'amour de la démocratie marchait de pair avec le progrès matériel. Il était impossible d'être pour les Droits de l'Homme et contre la pomme de terre. Cette fois encore, c'était de Sophie que venait la révélation. Ah ! l'entêtement de cette femme ! Son goût de l'innovation, du combat, de l'exténuante perfection en toute chose ! Quand Vassia saurait qu'ils avaient résolu de cultiver des pommes de terre, il serait dans l'enthousiasme ! Nicolas serra Sophie dans ses bras et la couvrit de baisers en criant :

— Tu es extraordinaire ! Tu es unique ! Je t'adore !

Ils se préparèrent gaiement pour le souper.

Le début du repas fut morne, car Nicolas et son père se considéraient chacun comme offensé par l'autre et ne s'adressaient pas la parole. Ce fut seulement au dessert que l'atmosphère se dégela, grâce aux efforts de Marie et de M. Lesur. Sophie profita de la détente pour mettre la conversation sur les pommes de terre. Michel Borissovitch, qui regrettait un peu son algarade, ne fit aucune difficulté pour approuver le projet.

En sortant de table, Sophie se rendit à l'office pour prendre des nouvelles de son protégé. Vassilissa, qui était, en quelque sorte, l'intendante de la maison, avait pu trouver des vêtements propres pour le gamin. Le valet de pied lui avait déjà taillé les cheveux en suivant le contour d'un bol. Et Antipe lui avait appris comment saluer les invités à leur descente de voiture. Il fut décidé qu'au début Nikita porterait l'eau, débiterait les copeaux pour allumer les poêles, fourbirait les couteaux de cuisine et nettoierait les marmites. Il semblait inquiet et heureux. Absorbé par la masse des domestiques, il s'effaça aux yeux de Sophie et elle l'oublia pendant quelques jours.

Puis, un matin, en regagnant sa chambre après

le déjeuner, elle trouva un cahier sur sa coiffeuse. Son premier mouvement fut de colère. Comment ce gamin avait-il osé s'introduire chez elle ? Voilà où menait trop de bonté envers les subalternes ! Ensuite, elle se dit qu'il ignorait les usages, qu'un gentil sentiment l'avait poussé à cette démarche, et elle le fit appeler.

— Qui t'a permis de venir ici en mon absence ? lui demanda-t-elle avec une sévérité maternelle.

— Personne, barynia.

— Sais-tu que c'est très mal, que c'est interdit ?

— Non, barynia.

— Si quelqu'un t'avait surpris, tu aurais été fouetté, et qu'aurais-je pu dire, cette fois, pour te défendre ?

Elle prenait plaisir à le gronder, à l'effrayer.

— Cela m'aurait été égal, dit-il faiblement. Je devais vous apporter mon cahier. Coûte que coûte...

— Est-il donc si important que je lise ce que tu as écrit là ?

Il baissa la tête, n'offrant plus aux regards de Sophie qu'une boule de cheveux, taillés court. Elle entendait sa respiration entrecoupée. « Comme son cœur doit battre ! » Elle ouvrit le cahier et déchiffra les dernières lignes :

« Je suis dans la grande maison, mais je ne vois presque plus ma bienfaitrice. Les domestiques sont très bons avec moi. A leur table, je peux redemander du pain et de la gelée de pois autant que je veux. Je couche avec les autres hommes dans la salle commune, sur des paillasses. Ce sont les cochers et les portiers qui ronflent le plus fort. Je ne comprends pas pourquoi il faut tant de gens pour servir cinq ou six personnes. La plupart des domestiques ne font rien. Au village, des fainéants comme ça auraient déjà reçu leur compte de verges. J'aime l'hiver. Quand je regarde la neige, tout devient propre dans ma tête. Si j'étais riche et libre, je courrais en troïka dans les plaines blanches et j'en rapporterais la chanson du vent. Je l'écrirais sur du papier. Je la vendrais. On me la payerait cher. Et je serais encore plus riche et encore plus libre... »

Sophie sourit, referma le cahier et pensa : « On devrait l'envoyer dans une école. S'il étudiait sérieusement, on pourrait l'affranchir, par la suite. Je le vois très bien faisant une carrière dans l'administration... »

Mais en reposant ses yeux sur Nikita, qui se tenait devant elle, pieds nus et le regard humble, elle comprit qu'il y avait loin de son rêve français à la réalité russe. Le découragement la saisit. Elle essayait de déplacer une lourde pierre, un rocher enfoncé dans le sol depuis mille ans. Tout ce qu'elle pouvait faire pour cet enfant, c'était de lui donner son affection, sa protection, ses conseils. Il avait relevé le front et la contemplait comme si elle eût été une icône. Elle eut conscience de l'étrange tableau qu'ils formaient l'un et l'autre.

— Reprends ton cahier, dit-elle brusquement.

— Je ne dois plus écrire ? demanda-t-il.

Et ses yeux, d'un bleu-violet, s'élargirent. Elle crut qu'il allait pleurer. Bercer un enfant, un grand garçon en larmes ! Cette idée la traversa avec la rapidité d'une flèche. Elle se troubla.

— Mais si, dit-elle. Continue. C'est très bien. Seulement, il ne faut plus m'apporter tes papiers, il faut attendre que je te les demande. Va vite, maintenant. Va...

Elle souffrit bizarrement jusqu'à ce qu'il eût passé la porte à reculons.

★

Vers la fin du mois de février, Nicolas reçut une lettre de Kostia Ladomiroff, lui annonçant, en termes faussement émus, que la France entière avait pris le deuil, parce que le duc de Berry venait d'être tué, en sortant de l'Opéra, par un ouvrier sellier, nommé Louvel. Immédiatement, Sophie écrivit à ses amis de Paris, les Poitevin, pour leur demander des renseignements complémentaires. Ils lui répondirent évasivement, sans doute par prudence. Ses parents, en revanche, lui envoyèrent un exemplaire du journal *les Débats* qui relatait l'événement dans un style pathétique. Nicolas convoqua Vassia pour discuter la nouvelle. Ils conclurent que ce meurtre politique, succédant à celui de Kotzebue par Sand, inciterait bientôt tous les souverains du monde à compter avec la volonté populaire. Peu après, en effet, des rumeurs parvinrent jusqu'à Pskov, dénonçant l'agitation des jeunesses allemande, italienne, espagnole. L'Europe semblait prise de fièvre. Mais, en Russie, rien ne changeait.

Comme chaque année, le retour des alouettes marqua l'arrivée du printemps. L'air tiédissait, les premiers bourgeons se gonflaient sur les branches noires, des plaques de neige glissaient des toits, les traîneaux s'embourbaient, Michel Borissovitch ordonnait d'enlever les doubles châssis des fenêtres, et, au terme du grand carême, le cuisinier, flanqué de ses aides, s'affairait devant ses fourneaux pour préparer les œufs coloriés, la *paskha* et le *koulitch,* nécessaires à la célébration de Pâques.

A l'occasion de la grande fête chrétienne, toute la famille se rendit à Chatkovo, pour entendre, un cierge à la main, la messe de minuit. Le lendemain, Michel Borissovitch, entouré de son fils, de sa fille et de sa bru, reçut les congratulations des domestiques et leur offrit un carré d'étoffe à chacun. Puis, selon l'usage, Nicolas partit en calèche pour faire quelques visites de politesse, tandis que Sophie et Marie, postées devant un étalage de victuailles et de liqueurs, accueillaient leurs proches voisins de campagne. Sophie se demanda si Vladimir Karpovitch Sédoff aurait le front de se présenter. Il arriva vers cinq heures de l'après-midi, à l'instant où le salon était plein de monde. Suivant la tradition, ni Sophie ni Marie ne pouvaient lui refuser le triple baiser de paix. Il s'approcha de la jeune fille et prononça les paroles de la salutation pascale :

— Christ est ressuscité !

— En vérité, il est ressuscité ! chuchota Marie.

Et, pâle comme une morte, elle se laissa embrasser à trois reprises. Ce fut à peine si Sédoff lui effleura les joues du bout des lèvres. Mais, quand il s'écarta, elle faillit perdre l'équilibre. Sophie, à son tour, dut subir le compliment et l'accolade, sous les regards de l'assistance. Quand Sédoff eut quitté le salon, elle s'avisa que sa belle-sœur avait disparu elle-même. Dix minutes plus tard, le galop d'un cheval s'éloigna dans l'allée. Marie rentra. Elle avait l'air d'une somnambule.

— Vous avez passé un moment seule avec lui ? demanda Sophie.

— Non, dit Marie. J'étais montée dans ma chambre. Je ne l'ai même pas vu partir...

Sophie comprit que la jeune fille mentait et s'en attrista.

Nicolas revint tard dans la soirée, enchanté de ses nombreuses visites. Il avait embrassé tous les messieurs et toutes les dames de sa connaissance, avalé des friandises et des eaux-de-vie dans toutes les maisons, et débordait de tendresse chrétienne envers le genre humain. Son excitation était telle, qu'à onze heures il refusait encore de se coucher. Sophie dut l'entraîner dans leur chambre. Au lit, il continua de lui raconter les incidents de sa journée. Par circonspection, il parlait de tout le monde sauf de Daria Philippovna. Or, c'était auprès d'elle qu'il avait passé les meilleurs instants. Il la revoyait, assise près du samovar, avec ses yeux souriants, son front blanc, ses joues roses, et disait :

— Chez les Sadovnikoff, il y avait une telle foule qu'on se marchait littéralement sur les pieds !

Sophie se rapprocha de lui, se blottit dans sa chaleur, dans son souffle. Il allongea la main pour baisser la mèche de la lampe à huile.

— Je t'aime ! dit-il sur le ton joyeux d'une découverte.

Elle lui offrit ses lèvres et ne fut plus attentive qu'au bonheur qui se préparait.

★

Le lendemain, Sophie constata qu'elle avait pris froid, sans doute en raccompagnant des visiteurs sur le perron. Pendant quarante-huit heures, elle voulut ignorer son malaise, puis, la fièvre persistant, elle se résigna, sur les conseils de sa belle-sœur, à se mettre au lit. Ce jour-là, justement, les paysans de Chatkovo devaient faire leur première plantation de pommes de terre. Les tubercules, en provenance de Saint-Pétersbourg, avaient été entreposés chez le staroste, les terres avaient été labourées à temps, et le ciel, nettoyé par le vent, promettait de rester clair jusqu'au coucher du soleil. Michel Borissovitch et Nicolas étaient partis, dès l'aube, pour surveiller le travail. Sophie souffrait de ne pouvoir assister avec eux aux débuts d'une entreprise qu'elle avait inspirée. La tête renversée sur l'oreiller, l'esprit courant sur les routes, elle écoutait distraitement Marie qui lui lisait à haute voix *Le Lépreux de la cité d'Aoste*, de Xavier de Maistre. Soudain, des pas précipités retentirent dans le couloir. Quelqu'un frappa à la porte :

— Barynia ! Barynia !

C'était la voix de Nikita. Sans ouvrir, elle lui demanda ce qu'il voulait.

— Barynia ! reprit-il, ça va très mal à Chatkovo ! Pélagie est venue de là-bas en charrette. Les paysans refusent de planter. Ils disent que c'est de l'herbe du diable. Notre petit père Michel Borissovitch veut les faire passer par les verges !

Sophie demeura une seconde désemparée, mesurant la gravité du danger et la faiblesse de ses moyens. Elle avait bien entendu dire, par Nicolas, que les paysans manifestaient quelque réticence envers la culture des pommes de terre, mais elle n'aurait jamais supposé qu'ils iraient jusqu'à la rébellion.

— Fais atteler ! cria-t-elle à Nikita. Nous partons !

Marie tenta vainement de la dissuader :

— Dans votre état ?... Vous êtes brûlante !... Vous frissonnez !...

Dix minutes plus tard, elles roulaient toutes deux, en calèche, vers Chatkovo.

Le village, quand elles y pénétrèrent, était comme vidé par une épidémie. La voiture s'engagea entre deux rangées d'isbas aux portes closes, aux fenêtres aveugles, contourna l'église, qui, elle aussi, paraissait abandonnée, et prit un chemin cahoteux à travers champs. Il semblait à Sophie que les chevaux se traînaient, la croupe paresseuse, les sabots lourds de boue. Elle supplia le cocher d'aller plus vite. Il répondit :

— Il ne faut jamais se hâter vers le malheur, barynia !

Derrière la corne d'un bois de bouleaux, apparut enfin une grande surface de terre labourée. Une soixantaine de moujiks étaient assemblés là, jeunes et vieux, tête nue, les pieds enracinés dans la glèbe. En face d'eux, se tenaient Michel Borissovitch et Nicolas ; un peu en retrait, le père Joseph, que son état obligeait à prendre parti pour le seigneur, mais qui, certainement, n'approuvait pas la culture des pommes de terre. En apercevant sa femme et sa sœur, Nicolas se précipita vers elles et les adjura de repartir. Sophie eut beau lui affirmer qu'elle se sentait mieux, il refusa de l'entendre :

— Ta place n'est pas ici ! D'une minute à l'autre, il peut y avoir un incident ! Ce sont des brutes, des brutes ignares !...

— Que disent-ils ? demanda Sophie.

— Toujours la même chose ! Cette plante ne vient pas d'un pays orthodoxe ! Dans les caves de l'Etat où on entrepose les pommes de terre, on entend des bruits mystérieux, des piétinements, des rires, des chansons...

— Le père Joseph ne leur a pas parlé ?

— Si, bien sûr ! Il a élevé sa croix, il a cité les Ecritures... Peine perdue ! Les moujiks l'ont écouté, se sont signés, mais n'ont pas fait un pas vers les champs ! Alors, en désespoir de cause, père a envoyé Antipe à Pskov, pour chercher la troupe.

— La troupe ? s'écria Sophie.

— Oui, dit Nicolas, on passera cinq ou six de ces gaillards par les verges. Les autres comprendront.

— C'est abominable !

— Il n'y a pas d'autre solution.

— Nous devrions partir ! balbutia Marie en s'accrochant au bras de sa belle-sœur.

— Pas avant que cette affaire ne soit réglée ! dit Sophie. Je ne peux pas croire... Je ne peux pas croire...

Elle répétait ces mots et écarquillait les yeux sur la foule des moujiks, qui attendaient leur châtiment. Tous lui étaient familiers et, cependant, elle ne reconnaissait pas leur visage. Une pensée obtuse avait figé leurs traits, vitrifié leurs prunelles, engourdi leur corps. Plus loin, derrière une haie de buissons, se cachaient leurs épouses, leurs filles, qui se lamentaient comme des pleureuses. Exaspéré par ce concert de gémissements, Michel Borissovitch hurla :

— Allez-vous vous taire ? Ou je vous fais fouetter avec les hommes !...

Un silence tomba sur les femmes épouvantées.

— Quant à vous, reprit Michel Borissovitch en s'avançant vers les paysans, je vous conseille de réfléchir encore. J'ai l'habitude de tenir mes promesses. Les soldats seront là très vite. Ou vous planterez les pommes de terre, ou je vous jure qu'il ne vous restera pas un pouce de peau intacte sur le dos !

Ce devait être la dixième fois qu'il proférait cette menace. Les moujiks chuchotèrent entre eux, poussèrent le staroste par les épaules et il s'agenouilla. Sa barbiche décolorée s'effilochait dans le vent. Ses yeux étaient pleins d'une eau trouble. Il ouvrit les bras et bêla :

— Notre petit père, notre bienfaiteur, fais ce que tu veux de nous sur la terre, frappe-nous, tue-nous !... Seulement, ne nous oblige pas à perdre notre droit au paradis en plantant cette saleté !...

— Mais, bougres d'imbéciles, rugit Michel Borissovitch, vous avez entendu ce que vous a dit le père Joseph ! C'est un saint homme ! Il sait de quoi il parle !...

— Le père Joseph connaît la clarté de Dieu, dit le staroste, il ne connaît pas la noirceur du diable !

— Si, repartit le père Joseph d'une voix tonnante, je connais tout : le bien comme le mal, le haut comme le bas. Et je vous dis : soyez sans crainte, puisque je bénirai d'abord la terre où vous planterez !

Noir, massif, barbu, bedonnant, il brandissait une croix d'argent pour intimider ses ouailles. Sa large manche glissa, découvrant un poignet velu.

— Allons ! Tous ensemble ! Au travail ! reprit-il.

Le staroste se renferma dans le silence, personne ne bougea.

— On n'a pas le droit de faire le bonheur des êtres malgré eux ! murmura Sophie. Si ces paysans ne veulent pas cultiver les pommes de terre, laissons-les à leurs habitudes ! Tout vaut mieux que la violence... la violence contre des gens désarmés, contre des faibles, contre des ignorants !...

Elle était lasse, rompue, elle frissonnait de fièvre.

— Mais voyons, Sophie, ce n'est pas possible ! dit Nicolas. Si nous leur cédons aujourd'hui, nous perdrons toute autorité sur eux dans l'avenir. Après les moujiks de Chatkovo, ce seront les moujiks d'un autre village, puis d'un autre encore, qui discuteront nos ordres. Finalement, ils se croiront tout permis...

— Comment peux-tu craindre qu'ils te désobéissent, alors que tu es pour l'abolition du servage ?

— Je suis pour l'abolition du servage, mais contre le désordre. Même dans un Etat démocratique, il faut une certaine direction. Sinon, c'est l'anarchie, la confusion des esprits, la ruine...

Sophie supportait mal cette dialectique devant un troupeau d'hommes promis au supplice. Elle ne savait comment réfuter les arguments de Nicolas et, cependant, elle sentait tout ce qu'il y avait d'inhumain dans ce pouvoir de correction donné au maître sur les esclaves, même quand le maître avait raison et que les esclaves avaient tort. Michel Borissovitch s'approcha d'elle et grommela en français :

— Que dites-vous de cela ? Ah ! ils sont beaux, vos moujiks ! Voilà, ma chère, à quelle racaille vous vous dévouez !

— Ils sont tels qu'on les a faits ! dit Sophie. Je voudrais leur parler.

— Ils ne vous écouteront pas davantage que moi !

— Laissez-moi essayer, tout de même !

— Non ! Vous avez eu tort de vous lever, vous avez eu tort de venir. Je me suis souvent rendu à vos charmantes prières. Mais, cette fois-ci, l'affaire est trop importante. Je maintiendrai ma décision jusqu'au bout. Vous ne leur parlerez pas et ils auront leur raclée !

Il salua Sophie et retourna vers les paysans, que le prêtre continuait de haranguer sans entrain.

— Mon père a vraiment une santé à toute épreuve ! dit Nicolas avec admiration. Depuis cinq heures que nous sommes ici, il n'a pas donné le moindre signe de fatigue !

— Ainsi, tu l'approuves, Nicolas ? demanda Sophie.

— Sans réserve ! dit-il.

— Moi aussi, dit Marie.

Sophie, les jambes coupées, s'assit sur une souche d'arbre. Elle était plus désorientée que le jour de son arrivée en Russie. « Tout cela est de ma faute ! songeait-elle avec horreur. Mes bonnes intentions se retournent contre moi. Si je n'avais pas voulu imposer l'idée de cette culture, les moujiks vivraient encore en paix. Le changement serait-il ennemi du bonheur dans tout autre pays que la France ? » Au milieu de ses réflexions, elle vit un cavalier qui longeait la lisière de la forêt. Il sautait lourdement sur sa selle, les pieds écartés, les coudes en ailerons. Elle reconnut Antipe. Il revenait de Pskov.

— Les soldats arrivent ! cria-t-il.

Il y avait une étrange gaieté dans sa voix. A peine descendu de cheval, il courut rendre compte de sa mission à Michel Borissovitch. Puis il rejoignit Sophie et Nicolas, en répétant comme une bonne nouvelle :

— Les soldats arrivent ! Les soldats arrivent !

— Ne sais-tu pas qu'ils viennent battre tes semblables ? dit Sophie d'un ton sec.

— Si, barynia.

— Alors, de quoi te réjouis-tu ?

Antipe haletait et riait, la face ruisselante de sueur :

— Il est toujours agréable de voir cogner sur les autres, quand on pense qu'on aurait pu être à leur place !... Ce n'est pas moi qui suis heureux, c'est mon dos !...

Ses petits yeux pétillaient de malice. Il alla vite se placer près du père Joseph, pour être dans l'odeur de Dieu pendant le spectacle.

— Eh ! vous tous ! clama Michel Borissovitch. Vous avez entendu ce qu'il a dit : les soldats arrivent ! Ne les faites pas attendre ! Allez couper des verges dans le bois !

Sophie ne réagissait plus devant l'absurdité de la situation. Tout ce qui se faisait, tout ce qui se disait ici, était contre le sens commun. Après s'être concertés, les moujiks se dirigèrent docilement vers le bois. N'allaient-ils pas s'enfuir à travers les fourrés ? Non, ils revinrent, l'un après l'autre, chacun portant quatre branchettes effeuillées, qu'ils déposèrent aux pieds de Michel Borissovitch comme une offrande. Leur figure exprimait une morne résignation. Certains ayant coupé des baguettes trop minces, Michel Borissovitch leur ordonna d'en couper d'autres, plus solides. Ils obéirent sans murmurer. Le tas s'élevait rapidement.

Quand les verges furent prêtes, les paysans se regroupèrent au même endroit, et Michel Borissovitch fit ouvrir par Antipe un panier à provisions. Nicolas, Sophie et Marie refusèrent de partager son repas. Il s'assit sur une pierre et, devant ses moujiks atterrés, dévora un saucisson à belles dents et but de l'eau-de-vie au goulot d'une bouteille. Son visage rayonnait d'une détermination cruelle. Sa bouche luisait, grasse, entre ses favoris dépeignés. Il s'essuya les mains sur son pantalon, voulut entamer un jambon de Westphalie, mais le reposa dans le panier en entendant un bruit de galopade.

— Les voilà ! hurla Antipe.

Nicolas reconnut l'uniforme d'un régiment de cavalerie cantonné à Pskov. L'effectif était d'un demi-escadron. A la tête du détachement, chevauchait le capitaine Chamansky, petit homme noiraud, que Nicolas avait souvent rencontré au club. Ayant commandé pied à terre, Chamansky s'avança vers Michel Borissovitch, le salua militairement et dit :

— A vos ordres ! Où sont les coupables ?

— Ils sont tous coupables ! répondit Michel Borissovitch.

— Par qui commençons-nous ?

— Par le staroste.

— Combien de coups ?

— Allez toujours ! Je vous arrêterai !

Sur un mot du capitaine Chamansky, les cavaliers prirent chacun une baguette et l'essayèrent en cinglant légèrement leurs bottes. Puis il s'alignèrent sur deux rangs et se préparèrent à frapper la première victime qui passerait entre eux. Sous leurs shakos à plumets, ils avaient, eux aussi, des visages de paysans. Quatre hommes saisirent le staroste, lui arrachèrent sa chemise et lui lièrent les mains derrière le dos.

— Ce n'est pas possible ! Arrêtez ! Arrêtez ! cria Sophie.

Nicolas la tenait serrée à pleins bras.

Le staroste avait un torse maigre, avec une touffe de poils gris au creux de la poitrine. Sa tête branlait. Ses genoux pliaient. Les soldats devaient le tenir sous les aisselles pour l'empêcher de tomber, la face contre terre.

— Marche ! cria le capitaine Chamansky.

Traîné vers la double rangée de ses bourreaux, le staroste voyait déjà se dresser les baguettes. Soudain, il gémit :

— Père Joseph ! Père Joseph, tu as bien dit que tu bénirais la terre avant la plantation ?

— Je l'ai dit et je le répète, au nom du Père, du Fils et du Saint-Esprit ! répondit le prêtre.

— Dans ce cas... Je pense... Laissez-moi encore parler aux autres... Frères orthodoxes !... Votre Haute Noblesse !... Rien que deux mots !...

On le ramena parmi les moujiks. Ils se refermèrent en cercle autour de lui. Une longue discussion commença. Le groupe ondulait sur place, comme un troupeau de moutons. Perdant patience, Michel Borissovitch vociféra :

— Cela suffit !

Le staroste reparut, toujours maintenu par les quatre soldats, dont les mains hâlées tranchaient sur la chair blême de ses bras et de ses épaules. Son pantalon trop large glissait un peu plus à chaque pas. Pour ne pas le perdre, il écartait les jambes.

— Qu'as-tu à dire, maintenant ? demanda le prêtre.

— On a réfléchi, bafouilla le staroste. On voudrait être sûrs... Voilà : est-ce que la terre une fois bénie, ce que nous mettrons dedans n'aura plus de pouvoir impur ?

— C'est évident ! dit le père Joseph.

— Est-ce que la plante que nous récolterons et que nous mangerons sera une plante orthodoxe ?

Là, le père Joseph marqua une hésitation. Visiblement, il lui répugnait de donner l'agrément de l'Eglise à un tubercule d'origine suspecte.

— Eh bien ! répondez-lui ! dit Michel Borissovitch avec irritation.

— Ce sera, en vérité, une plante orthodoxe ! soupira le prêtre.

— Alors, dit le staroste, nous consentons, nous nous soumettons et nous demandons pardon à notre maître. Faites paraître la bonté de Dieu ! Oubliez notre insolence !

Tous les moujiks se prosternèrent. Les femmes sortirent des buissons en pleurant de joie. Au milieu de l'allégresse générale, les soldats attendaient un ordre pour lâcher les baguettes.

— Dieu soit loué ! dit Nicolas.

Il desserra son étreinte autour de Sophie. Elle émergeait d'un cauchemar. Le sang frappait aux parois de sa tête. A travers une buée déformante, elle vit l'officier qui ramenait ses hommes vers les chevaux, et le père Joseph qui, troussant sa soutane d'une main, levant la croix de l'autre, s'avançait vers le champ pour le bénir.

— N'avais-je pas raison ? dit la voix de Michel Borissovitch.

Elle le chercha des yeux, ne rencontra qu'une brume impénétrable et se demanda, sans frayeur, ce qui lui arrivait. Son corps descendait lentement dans un trou, touchait un lit de feuilles. Au-dessus d'elle, s'échangeaient des exclamations assourdies :

— Ah ! mon Dieu !

— Ce n'est rien ! Elle n'aurait pas dû venir avec cette fièvre !...

— Vite, à la maison !... A la maison !...

Ces derniers mots lui parurent très doux : « A la maison !... A la maison !... » C'était Nicolas qui parlait. Elle se sentit agréablement malade, heureuse d'être aimée et impatiente de se retrouver dans un lit chaud.

# 8

Le pli avait été ouvert à la poste et recollé si maladroitement, que la brisure du cachet était encore visible. Sophie ne s'en indigna guère, sachant que la correspondance avec l'étranger était très surveillée. Heureusement, sa mère ne lui écrivait rien qui pût déplaire aux autorités russes. Il y avait même une phrase sur la criminelle agitation des esprits républicains dans le monde qui avait dû réjouir les censeurs. Pour le reste, la comtesse de Lambrefoux rapportait à sa fille quelques anecdotes sans intérêt sur des personnalités parisiennes et se contentait de lui demander si elle s'était bien remise de son refroidissement, si elle n'avait pas un « nouvel espoir » et si elle ne pensait pas faire prochainement un voyage en France, avec son mari. Retourner en France ! Ne fût-ce que pour quelques jours ! Sophie y songeait parfois comme à une entreprise trop compliquée et trop coûteuse pour être réalisable. Sa famille, sa patrie s'éloignaient d'elle chaque année davantage. Certes, la campagne des environs de Paris était plus charmante, plus verdoyante, plus variée que celle des environs de Pskov, le ciel, au-dessus de la Seine et de la Loire, avait une transparence qu'il était vain de chercher ailleurs, les beaux esprits français n'avaient pas leur égal en Russie, et pourtant, c'était sur cette terre étrangère qu'elle avait trouvé sa raison d'être. En France, elle n'était nécessaire à personne. Ici, la conscience de son utilité la grisait. Il lui semblait qu'elle était entourée d'une nuée d'enfants insupportables qui, tous, avaient besoin d'elle : Nicolas, son beau-père, Marie, Nikita, les paysans du domaine... Sur le fond de ses pensées, se dessinaient des théories de moujiks chevelus, barbus, vêtus de chemises en loques, chaussés de sandales de tille, clignant des yeux et tendant vers le soleil des visages rudes comme l'écorce des arbres. Ils l'attiraient par leur simplicité, leur résignation, leur misère. Elle voulait les aider et, en même temps, elle attendait d'eux elle ne savait quelle révélation.

Bien qu'elle ne fût pas en train pour écrire à ses parents, elle s'assit à son secrétaire et trempa sa plume dans l'encrier. Pouvait-elle relater sa vie paisible à Kachtanovka sans inciter sa mère, et surtout son père, à croire qu'elle s'y ennuyait ? Il fallait être sur place pour comprendre le charme de ces premières journées d'été, chaudes, sèches, parfumées d'une odeur de foin. Les gens de Chatkovo s'étaient ressaisis et cultivaient leurs pommes de terre avec confiance. A la maison régnait la bonne humeur. Cependant, Nicolas était très agité, à cause des événements politiques qui bouleversaient l'Europe. Dès le mois de juillet, à l'exemple des Espagnols soulevés contre Ferdinand VII, les Italiens s'étaient révoltés contre Ferdinand IV. Des bruits couraient au sujet d'une prochaine insurrection des Grecs contre les Turcs. Nicolas et Vassia avaient des conciliabules fréquents et se montraient les lettres pleines d'allusions, qu'ils recevaient de la capitale. Malgré leurs efforts, ils n'avaient pu gagner à leur cause que trois jeunes gens parmi tous ceux qu'ils avaient sondés. Encore ces nouvelles recrues n'étaient-elles pas assez sûres pour mériter une chevalière d'argent. Sophie se dit qu'à la place de son mari elle eût été découragée. Mais il puisait dans les livres les prétextes d'exaltation qu'elle-même demandait à la vie. Il rebâtissait le monde à sa façon, sur les citations de quelques écrivains. Le cahier où il recopiait ses maximes préférées était là, sur la tablette. Elle le feuilleta : « Quand l'innocence des citoyens n'est pas assurée, la liberté ne l'est pas non plus. » (Montesquieu.) « Pour défendre la liberté, on doit savoir immoler sa vie. » (Benjamin Constant.) « L'homme est né libre ! » (Chateaubriand.) Elle sourit. Comme il se donnait du mal ! Revenant à ses parents, elle se pencha sur la page blanche et aligna les mots qu'ils attendaient d'elle : « Je suis entourée d'une telle affection que, n'était mon regret de vous avoir quittés, je serais pleinement heureuse ! »

Deux pages d'une écriture large calmèrent ses scrupules. Elle cachetait le pli, au moment où elle entendit un cheval s'arrêter devant le perron : Nicolas rentrait de Pskov. Elle descendit à sa rencontre et s'étonna de ne pas le voir dans le vestibule. Passant dans le salon, elle l'appela à plusieurs reprises. La porte du bureau s'ouvrit. Nicolas était auprès de son père.

— Viens vite ! dit-il. Justement nous avons à te parler !

Il avait un air de jubilation mystérieuse et referma le battant sur Sophie avec précaution, comme si le moindre bruit eût suffi à les perdre tous. Michel Borissovitch paraissait, lui aussi, étrangement satisfait. Il fit signe à sa bru de s'asseoir près de lui sur le canapé et dit :

— J'ai une grande nouvelle à vous apprendre : je vais marier ma fille.

— Ah ? murmura Sophie, interloquée. Elle ne m'en a rien dit !

— C'est qu'elle ne le sait pas encore !

L'inquiétude pénétra Sophie. Elle demanda :

— De qui s'agit-il ?

— Tu ne le devines pas ? dit Nicolas gaiement.

Les craintes de Sophie se précisèrent : le cynique, l'insolent Sédoff s'était enfin décidé ! Elle plaignit Marie et soupira :

— Non... je ne vois pas du tout...

— Vassia ! Vassia Volkoff ! dit Nicolas.

Sophie était si loin de penser à lui, qu'elle resta sans voix.

— Je l'ai vu tout à l'heure, reprit Nicolas. Le pauvre garçon est très amoureux. Il s'est ouvert à moi de ses intentions et m'a prié d'être son avocat. Il n'attend qu'un signe pour présenter sa demande officielle à père...

Sophie entrevit le désespoir de sa belle-sœur et se révolta :

— Ce n'est pas possible !

— Pourquoi ? demanda Nicolas.

— Ton Vassia n'est guère intéressant !

— Je ne suis pas de ton avis.

— Mais si, Nicolas !... Il est mou, raffiné, velléitaire !... Il ne peut plaire à personne !...

Nicolas se rebiffa :

— Tu oublies qu'il est mon meilleur ami !

— Parce que c'est le seul garçon cultivé de la région. A Saint-Pétersbourg, tu ne l'aurais même pas remarqué !

— Et lui, à Saint-Pétersbourg, aurait-il remarqué Marie ? demanda Michel Borissovitch durement.

— J'en suis sûre, père !

— Allons donc ! Elle est bien gentille, mais elle n'a pas d'attrait pour un homme ! Ni les grâces du corps ni celles de l'esprit ne lui ont été dispensées.

— Vous ne parlez pas sérieusement ! s'écria Sophie.

Michel Borissovitch hocha la tête :

— Mais si ! Mais si !... Elle est ennuyeuse à regarder, ennuyeuse à entendre...

Il eut conscience d'exagérer ses critiques, mais il était incapable de se dominer. Depuis que Sophie était entrée dans cette maison, il en voulait à Marie de n'être pas plus brillante. Avec son air morne et ses mouvements anguleux, elle déparait le sexe dont sa belle-sœur était le merveilleux ornement. Le seul fait qu'elles fussent construites de la même façon et qu'elles portassent toutes deux des robes était intolérable. Il y avait là comme une erreur de la nature.

— Vassia Volkoff est un parti inespéré pour nous, reprit-il. Avec lui, elle sera très heureuse...

— Qu'en savez-vous ?

— Un père devine ce genre de choses. Elle ne quittera pas la région. Sans doute, s'installera-t-elle avec son mari à Slavianka...

— ... Auprès de Daria Philippovna ! poursuivit Sophie aigrement. Je n'aimerais pas avoir cette femme pour belle-mère !

— Je vous accorde, dit Michel Borissovitch avec un grand rire, qu'elle est un morceau plutôt encombrant.

Heurté dans ses sympathies, Nicolas proféra, d'un ton sec :

— Il n'est pas question de Daria Philippovna, que je sache, mais de ma sœur ! Je crois, comme père, que ce mariage doit se faire. Et le plus vite possible ! Dans l'intérêt même de Marie !...

Michel Borissovitch allait dire : « Elle me donnera un petit-fils », mais retint cette phrase au bord de ses lèvres. Une seconde de plus et il eût froissé irrémédiablement Sophie. D'ailleurs, maintenant qu'elle vivait auprès de lui, à Kachtanovka, il ne souhaitait plus qu'elle eût un enfant. L'idée qu'elle pût devenir enceinte lui faisait même horreur. Plût à Dieu qu'il n'eût jamais à la voir déformée par la grossesse, portant avec une lourde ostentation le fruit de ses amours avec Nicolas ! Quand il imaginait la jeune femme au lit avec son fils, une colère le prenait contre ce gamin qui avait tous les droits sur elle.

— Je suis sûre que Marie refusera, dit Sophie.

— Il ne manquerait plus que cela ! dit Nicolas. Comment pourrait-elle s'opposer à la volonté de père ?

— Père ne la forcera pas, s'il constate que ce projet la rend malheureuse.

Michel Borissovitch tressaillit, regarda Sophie,

s'étonna de la découvrir intacte, bien coiffée, le corsage boutonné, et dit :

— Que Sophie aille trouver Marie et lui parle.

— Vous comptez sur moi pour la persuader ? demanda Sophie.

— Oui. Vous serez plus habile que nous. Je vous fais confiance.

— Mais je n'approuve pas du tout ce mariage !

— Vous ferez semblant ! dit Michel Borissovitch.

Ses yeux exprimaient une autre prière. Sophie ne sut pas démêler le sens de son regard, en éprouva une vague crainte et sortit de la pièce avec l'impression d'avoir un plus grand pouvoir sur son beau-père que sur son mari.

La jeune fille brodait dans le jardin, sous la tonnelle. Dès les premiers mots de Sophie, elle pâlit, porta les deux mains à sa bouche et poussa un cri étouffé :

— Je ne veux pas !... Pour rien au monde !... Plutôt mourir !...

— Rassurez-vous ! dit Sophie. Père ne vous mariera pas contre votre gré. Mais réfléchissez bien : n'est-ce pas le souvenir de M. Sédoff qui vous rend hostile à l'idée d'épouser Vassia ? Dans ce cas, vous auriez tort.

— Je ne pense plus jamais à M. Sédoff ! dit Marie d'un ton mordant. Et vous êtes bien maladroite de me rappeler son existence ! Vassia me déplaît, vous le savez ! Vous m'avez d'ailleurs donné raison sur ce point ! Pourquoi chercher autre chose ?

Elle avait eu cette même expression haineuse, traquée, lorsque sa belle-sœur l'avait surprise dans les bras de Sédoff, pendant la battue aux loups. Puis, soudain, elle fondit en sanglots :

— Pour l'amour du ciel, Sophie, protégez-moi !... Sauvez-moi !... Vous seule me comprenez dans cette maison !... Mon père et Nicolas sont des égoïstes !... Ils me piétineraient !... Mais vous... vous !...

Sophie retourna dans le bureau, où son beau-père et son mari attendaient le résultat de la démarche.

En apprenant que Marie repoussait la demande de Vassia, Nicolas entra dans une violente colère :
— C'est une sotte !... Une sotte et une rouée !... Elle ne sait que faire pour nous contrarier tous !...
Son emportement était si ridicule, que Sophie lui dit :
— Calme-toi, Nicolas ! Ce n'est pas toi qui viens d'être éconduit !
— C'est mon meilleur ami, mon frère ! rétorqua Nicolas avec emphase. Je ne puis accepter cela ! Je vais parler moi-même à Marie ! On verra si elle s'obstine encore !
— On ne verra rien du tout ! dit Michel Borissovitch en tapant du poing sur la table. Je te défends de te mêler de cette histoire ! Sophie a fait le nécessaire ! Cela suffit !
— Mais, père, bredouilla Nicolas, je ne vous comprends plus. Tout à l'heure, vous disiez...
— Il n'y a que les imbéciles qui ne varient pas dans leurs avis. Si ta sœur préfère rester vieille fille, cela la regarde !
— Elle ne restera pas vieille fille, dit Sophie. Mais elle épousera, plus tard, quelqu'un de son choix.
— De *notre* choix ! rectifia Michel Borissovitch. Réflexion faite, moi aussi ce Vassia me déplaît. Une marionnette élégante. Que tu t'entendes bien avec lui n'est pas pour me surprendre ! Mais, pour une fille qui a de bonnes dents, c'est une noisette un peu trop facile à casser !
Il savourait chaque mot en le prononçant. Ah ! qu'il lui était agréable de prendre le parti de sa belle-fille contre son fils ! Au comble de l'excitation, il eût inventé de nouveaux prétextes pour embarrasser et déconsidérer Nicolas. Mais il savait d'instinct quelle prudence il faut observer dans le soutien qu'on apporte à une jeune femme en désaccord avec son époux. Qu'elle change d'humeur, pour un motif ou pour un autre, et votre dévouement à sa cause vous sera compté pour un manque d'égards.
— Ecoute donc ce que te dit Sophie, reprit-il avec

pondération. Elle a cent fois raison. Tu trouveras bien un moyen de présenter ce refus aux Volkoff sans les blesser...

— Charmante mission ! grommela Nicolas. Je vais perdre un ami !

— Préférerais-tu perdre ta sœur ? dit Michel Borissovitch en se dressant de toute sa taille derrière son bureau.

Et il quêta, du coin de l'œil, l'effet qu'il avait produit sur Sophie.

★

Malgré les recommandations de son père, Nicolas eut, le soir même, une longue conversation avec sa sœur pour essayer de la convaincre. Elle demeura fermée à tous les arguments, à toutes les menaces, à toutes les prières, et il battit en retraite, persuadé qu'elle n'était pas dans son état normal. Pendant trois jours encore, il différa de se rendre à Slavianka. Enfin, poussé par Sophie, il partit à cheval, avec le sentiment qu'on l'avait chargé d'achever un mourant. Les demoiselles Volkoff l'accueillirent dans le parc et le conduisirent à la chambre de leur frère. Vassia était en train de lire, allongé sur un canapé. Levant les yeux, il vit la mine sombre de Nicolas, comprit tout et murmura :

— J'en étais sûr !

Malade de pitié, Nicolas s'embrouilla dans les excuses :

— Elle a été très touchée... Elle m'a prié de te dire qu'elle t'aimait comme un frère... Elle espère beaucoup que tu ne lui tiendras pas rigueur de... de ce malentendu...

Il entendit un soupir derrière la porte et des pas légers qui s'éloignaient dans le corridor : une sœur de Vassia sans doute, ou une domestique.

Vassia, les mains croisées sous la nuque, la figure

impassible, regardait le plafond et laissait ses yeux s'emplir de larmes. Devant cette souffrance muette, Nicolas détestait sa sœur pour sa cruauté. Il eût voulu qu'elle fût avec lui dans la chambre, afin de constater le mal qu'elle avait fait. C'était trop facile de frapper de loin, sans voir la victime !

— Vassia ! Mon frère ! s'écria-t-il. Je suis désolé !...

Il s'assit au bord du canapé, gauchement, et posa une main sur l'épaule du jeune homme. Ils restèrent silencieux. La fenêtre ouvrait sur une haie de buissons. Il y avait beaucoup de livres aux murs et sur le plancher. Entre deux corps de bibliothèque pendaient des fusils de chasses, des cannes à pêche, un yatagan.

— Ecoute, reprit Nicolas, je comprends que tu en veuilles à ma sœur, mais notre amitié, à toi et à moi, est au-dessus de toutes ces histoires. Nous continuerons à nous voir comme avant...

— Non, dit Vassia avec douceur.

— Pourquoi ?

— Je vais partir.

— A cause... à cause d'elle ? dit Nicolas.

Il s'étonnait que sa sœur, dont il avait connu les caprices, les poupées et les maladies d'enfant pût bouleverser l'existence d'un homme.

— Oui, dit Vassia. En demeurant ici, je souffrirais trop...

— Je serai constamment près de toi ! balbutia Nicolas. Tu finiras par oublier !

— Je ne veux pas oublier, dit Vassia.

Son air tragique plut à Nicolas. « Quelle noblesse ! pensa-t-il. Et ma sœur dédaigne un être pareil ! »

— Il y a longtemps que ma mère a fait des démarches pour me placer au ministère de la Justice, reprit Vassia. Maintenant, je ne vois plus d'obstacle à cette carrière. La route est toute tracée !...

Il fit le geste d'abandonner sa main au fil de l'eau. A son doigt, brillait la chevalière en argent des amis de la liberté. Nicolas en ressentit un regain de peine.

— C'est de la folie ! gémit-il. Aucune femme ne

mérite qu'on sacrifie pour elle une grande amitié ! Tu ne partiras pas !

— Si.

Un espoir traversa Nicolas : peut-être Daria Philippovna l'aiderait-elle à convaincre Vassia de rester ?

— De toute façon, tu ne peux prendre une résolution pareille sans consulter ta mère ! dit-il.

— Qu'elle m'approuve ou non, je m'en irai.

— Ne pourrions-nous lui parler maintenant ?

— Elle est à Pskov pour la journée.

— Alors, je repasserai demain.

— Je te prie de ne pas revenir, dit Vassia en le regardant dans les yeux avec mélancolie. Ta présence remue en moi trop de souvenirs. Adieu ! Adieu pour toujours !

Il se mit debout et tendit ses deux mains. Nicolas les serra avec force, chuchota : « Adieu, mon ami ! » et sortit de la chambre.

Sur le chemin du retour, il s'abandonna aux pensées les plus tristes. Daria Philippovna aimait tellement son fils qu'elle prendrait certainement le refus de Marie pour une grave offense. Après le départ de Vassia, Nicolas n'aurait plus de prétexte pour se rendre à Slavianka. S'il avait l'outrecuidance de s'y présenter, on ne le recevrait pas ! Ah ! sa sœur avait fait un terrible gâchis ! Par sa faute, il était privé de l'amitié d'un homme et de l'affection d'une femme qu'il estimait également. En conscience, il était même obligé de convenir que c'était l'impossibilité de revoir Daria Philippovna qui le navrait le plus. Soudain, l'excès même de sa désolation le guérit. Pour se soulager, il refusa de croire à la rupture. Vassia changerait d'avis après une nuit de réflexion : dans quelques jours, ils se retrouveraient à Pskov ou à Slavianka ; tout reprendrait comme par le passé...

Il chevauchait à travers un sous-bois. A son approche, les oiseaux se taisaient. Puis, tout à coup, comme incapables de se contenir, un loriot sifflait, une grive poussait son cri vif... En arrivant à Kachtanovka, Nicolas était presque rasséréné.

Trois jours plus tard, un domestique des Volkoff lui apporta une lettre de Vassia. Persuadé qu'il s'agissait d'une invitation, il ouvrit le pli avec bonheur. Son ami lui annonçait qu'il partait, le matin même, pour Saint-Pétersbourg. Nicolas courba la tête. Son espoir s'écroulait avec la silencieuse lenteur des édifices qui tombent dans les rêves. La certitude que ni Sophie, ni Marie, ni personne dans la maison ne pouvait le comprendre, augmentait son désarroi.

# 9

Souvent, pour raviver en lui le souvenir des temps heureux, Nicolas poussait à cheval jusqu'aux abords de Slavianka. Du haut d'une colline, il regardait la maison aux volets orange, verts, rouges, la palissade, le vieux jardin touffu, la petite fumée montant du toit comme un panache. Les jours de chance, il lui arrivait d'apercevoir la tache claire d'une robe dans une allée. La distance était trop grande pour qu'il discernât s'il s'agissait de la mère ou de l'une des filles. Mais il ne voulait pas se rapprocher, par crainte d'être découvert. D'après ce qu'on lui avait rapporté au club, Daria Philippovna se considérait comme brouillée avec la famille Ozareff. Il était surprenant que toute la région fût au courant de la disgrâce sentimentale de Vassia, alors que ni les intéressés ni leurs proches n'en avaient parlé à personne. Décidément, il n'y avait pas de secret bien gardé en province !

Ayant observé les allées et venues des silhouettes autour de la maison, Nicolas rentrait chez lui en se promettant de ne plus recommencer ce décevant pèlerinage. Pourtant, après deux ou trois jours de discipline, il retournait là-bas comme à un rendez-vous. Les premières chutes de neige le renfermèrent dans sa solitude. Malgré ses livres, il s'ennuyait à Kachtanovka. Sophie, le devinant désemparé, l'entourait de douceur et recherchait ses confidences. Mais depuis l'incompréhensible histoire de Vassia et de Marie, il ne sentait plus la même intimité de pensée entre sa femme et lui. D'ailleurs, elle l'avait ulcéré par la façon dont elle avait parlé jadis de son ami et surtout de Daria Philippovna.

Un soir du mois de décembre, la famille commençait juste à souper, quand un tintement de clochettes retentit au loin. Une visite ? Les convives se regardèrent étonnés, et, d'un même mouvement, se jetèrent vers les fenêtres. Les flocons de neige tombaient si serrés qu'il était impossible de rien distinguer derrière ces hachures blanches. Cependant, du fond de la bourrasque, surgit bientôt une ombre aux trois têtes échevelées.

— Une troïka ! s'écria Marie. Qui est-ce ?

— Qui est-ce ? répéta Sophie.

Nicolas courut dans le vestibule, suivi de sa sœur, de sa femme, de M. Lesur et de Michel Borissovitch qui, aussi intrigué que les autres, allait plus lentement et disait :

— Eh bien ! Quoi ? Ne dirait-on pas qu'il n'est jamais venu personne dans cette maison ?

Sur le perron, un froid glacial saisit le visage de Nicolas. Les yeux piqués de neige, il vit un traîneau qui s'arrêtait en grinçant devant les marches. Les chevaux secouèrent la tête et éparpillèrent à tous les échos les mille notes de leur carillon. Hors de la caisse peinte en bleu surgit un colosse, enveloppé d'une houppelande et coiffé d'une toque de fourrure. Il était blanc de givre du côté où soufflait le vent. Sa face gelée se fendit dans un rire :

— Nicolas ! Nicolenka ! Mon coquelicot !...

C'était Kostia Ladomiroff. Affolé de joie, Nicolas le poussa dans l'entrée, l'aida à retirer sa pelisse, son gilet, ses bottes de feutre et le bourra de coups de poing et de questions. Riant et se défendant, Kostia lui apprit qu'il se rendait à Borovitchi pour le partage d'une terre et qu'il avait fait un grand détour afin de saluer son ami dans sa retraite. A mesure qu'on le dépouillait de ses vêtements de dessus, il apparaissait plus maigre, avec des jambes en compas et une tête d'oiseau. La neige fondait en flaque autour de ses pieds. Sophie et Nicolas insistèrent pour le garder quelques jours à la maison, mais il était déjà en retard dans son voyage. Il repartirait le lendemain. Présenté à Michel Borissovitch, à Marie et à M. Lesur, il eut un mot aimable pour chacun et convint, sans fausse honte, que la course en traîneau lui avait ouvert l'appétit. Du coup, Michel Borissovitch fit donner toutes les variétés de confits et de marinades. Il fallut aussi que le voyageur goûtât, pour son étonnement, les pommes de terre du domaine. Kostia les trouva succulentes. Sa fourchette exécutait une danse précise entre son assiette et sa bouche, sans qu'il s'arrêtât, un instant, de bavarder. Ce qu'il racontait sur la vie mondaine de Saint-Pétersbourg amusait Nicolas. Mais il ne perdait pas de vue la politique. Plus tard, seul à seul avec Kostia, il aborderait les questions sérieuses. Ne disait-on pas qu'il y avait eu dernièrement une révolte dans le régiment Sémionovsky, l'unité préférée de l'empereur ?

Vers le milieu du repas, une inspiration visita Michel Borissovitch et il dit :

— Si nous finissions en musique ?

Le valet de pied se précipita dehors et revint avec trois serviteurs : un palefrenier, un piqueur et Nikita. Ayant salué le maître, ils s'adossèrent au mur et pincèrent les cordes de leurs balalaïkas rudimentaires. Une musique saccadée et joyeuse se répandit dans la salle à manger. Le palefrenier entonna une rengaine. Sa bouche s'ouvrait, se tordait, libérant une voix caverneuse. Quand il se tut, Nikita posa sa balalaïka dans un coin, bondit au centre de la pièce et se mit à danser. Une main sur la hanche, s'asseyant presque à croupetons, il projetait en avant une jambe après l'autre, avec une aisance d'acrobate. Ses lèvres riaient, ses yeux brillaient, une mèche de cheveux dorés oscillait sur son front. En le voyant sautiller devant les convives, Sophie pensait à ces bateleurs du Moyen Age, qui allaient distraire les seigneurs dans leurs châteaux. Brusquement, Michel Borissovitch se leva, contourna la table, repoussa Nikita et commença une sorte de promenade rythmée. Pliant à peine les genoux, mais marquant la cadence à grands coups de talons, il se trémoussait, claquait des doigts et criait : « Hop tsa ! Hop tsa ! Hop tsa !... » Nicolas et Kostia battaient des mains en mesure pour l'encourager. En arrivant à la hauteur de sa fille, il lui adressa un regard de commandement. Elle se troubla, rougit, puis, comme incapable de résister à l'appel de la musique, tira un mouchoir de sa ceinture, et, le tenant à deux mains au-dessus de sa tête se dirigea vers son père d'une démarche glissante.

— Marie Mikhaïlovna, je bois à votre santé ! hurla Kostia et il vida d'un trait un grand verre d'eau-de-vie.

Michel Borissovitch laissa passer Marie devant lui et se lança à sa poursuite. Il l'accostait, tantôt à droite, tantôt à gauche, arrondissait les bras pour se présenter, clignait des yeux pour la séduire. Elle, cependant, à demi tournée vers son partenaire, le fuyait sans hâte, comme si elle eût voulu à la fois l'aguicher et déjouer ses avances. Ce spectacle était tellement inattendu, que Sophie se demandait si c'étaient bien le despotique Michel Borissovitch et la timide Marie qui évoluaient devant elle. Décidément, les Russes avaient des sautes d'humeur, un manque de suite dans les idées, qui contrariaient toutes les prévisions. Les mêmes domestiques, qui étaient à peine des êtres humains pour leur maître, semblaient, ce soir, faire partie de la famille Ozareff. Rangés le long du mur, ils riaient et applaudissaient en regardant se démener celui qui, d'un froncement de sourcils, pouvait les envoyer en Sibérie. Nicolas se pencha vers Sophie et murmura :

— Tu ne trouves pas cela un peu absurde ?

— Mais non, répondit-elle, c'est charmant !

Il sourit comme pour s'excuser. Sa main droite tapotait le bord de la table. Ses yeux verts et profonds disaient : « Nous sommes ainsi, essaye de nous comprendre ! »

Entre-temps, Nikita avait repris sa balalaïka. Les musiciens jouèrent plus fort et plus vite. Michel Borissovitch, rouge, les favoris ébouriffés, la veste déboutonnée, s'essoufflait. Nicolas s'arracha de sa chaise et, à son tour, entra dans le mouvement. Kostia le suivit. Ne restèrent à table que les deux représentants de la France : Sophie et M. Lesur.

— Tu ne viens pas, Sophie ? demanda Nicolas.

Elle refusa en souriant. Maintenant, les trois hommes tournaient autour de Marie, qui les provoquait, l'un après l'autre, en faisant mine de leur lancer son mouchoir. Sophie observa son mari avec une admiration inquiète. La danse le rajeunissait. Comme elle l'aimait dans sa folie ! Il exécutait des pas si compliqués que, finalement, Marie et Kostia éclatèrent de rire et allèrent se rasseoir. Michel Borissovitch, lui, continuait ses dandinements, ses ronds de jambe et ses claquements de doigts. Il haleta :

— Déjà fatigués ?... Dommage !... Moi, je commençais... à peine... à me mettre... en train !... Hop tsa !... Hop tsa !...

Craignant que son père ne s'effondrât, la respiration coupée, Nicolas le ramena de force à sa place. Les musiciens se retirèrent. Michel Borissovitch s'épongea le visage avec un mouchoir, puis ordonna au valet de pied de l'éventer. Le domestique déplia une serviette et la secoua au-dessus du crâne de son maître. Les cheveux de Michel Borissovitch frissonnèrent, comme l'herbe au souffle de la tempête. Il regardait son entourage avec un contentement orgueilleux.

— Ah ! qu'il fait bon rire et s'agiter ! dit Kostia. La voilà bien, la saine gaieté russe ! On n'en trouve plus trace dans la capitale !

A onze heures du soir, Michel Borissovitch souhaita une bonne nuit à tout le monde et alla se coucher. Marie et M. Lesur regagnèrent, peu après, leurs chambres. Nicolas fit servir des liqueurs dans le salon, et s'assit, avec sa femme et son ami, près du haut poêle de faïence, dont la chaleur baissait. Les deux hommes étaient redevenus très calmes. La politique reprenait ses droits. Sophie s'étonna que Nicolas pût discuter comme une grande personne après s'être amusé comme un enfant. Tout à coup, il n'avait plus en tête que l'affaire du régiment Sémionovsky. Kostia reconnut que l'événement était d'importance. D'après ses renseignements, les soldats du Sémionovsky, outrés par la brutalité de leur nouveau chef, le colonel Schwarz, s'étaient mutinés, le 16 octobre, mais sans se livrer à aucun acte de violence. Puis, effrayés par leur propre audace, ils s'étaient docilement laissés enfermer dans la forteresse. Il n'y avait pas trace de complot dans cette émeute. Nul officier ne s'était joint au mouvement. Mais le tsar, qui se trouvait à ce moment-là au congrès de la Sainte-Alliance, à Troppau, avait ressenti ces désordres comme une injure à la monarchie. Pour que son régiment favori, commandé par des officiers appartenant aux plus grandes familles, eût osé désobéir au colonel Schwarz, il fallait que la pourriture des idées républicaines eût profondément gagné les casernes. Un exemple s'imposait. Après une semaine de réflexion, Alexandre Ier avait ordonné que l'effectif entier du Sémionovsky, officiers et soldats, fût versé dans la ligne, d'où un nombre d'hommes correspondant serait tiré afin de reconstituer le régiment. Pour compléter cette large mesure de dégradation, il était spécifié que les mutins les plus compromis, jusqu'à cent par compagnie, seraient traduits devant un conseil de guerre : cela sous-entendait une condamnation à des peines variant entre cinquante coups de knout et six mille coups de baguettes, cette dernière torture équivalant à la mort dans d'atroces souffrances. Nicolas et Sophie étaient atterrés.

— Croyez-vous que ces sentences seront mises à exécution ? demanda-t-elle.

— D'après les dernières informations, l'empereur s'accorderait le luxe de les adoucir un peu, dit Kostia. On n'utiliserait que le knout.

— Je ne m'explique pas une réaction aussi violente de la part du souverain, dit Nicolas.

— Cela te prouve à quel point il est inquiet ! dit Kostia. L'ancien élève de La Harpe vit dans la terreur des doctrines prêchées par les Encyclopédistes. Dès qu'un groupe d'individus redresse la tête, Alexandre découvre dans cet acte d'indépendance la manifestation de l'esprit du mal. La tâche d'un monarque chrétien lui paraît être de veiller à ce que le pouvoir absolu, émanation de la volonté divine, ne soit nulle part menacé. Les révolutions d'Italie et d'Espagne le mettent hors de lui. Araktchéïeff pour l'intérieur, Metternich pour l'extérieur, le poussent dans leurs vues. Il rêve de devenir le policier de l'Europe. D'ici à ce que nos régiments soient obligés d'aller rétablir l'ordre partout où un peuple se soulève contre son gouvernement, il n'y a pas loin ! Inutile de te dire que cette politique absurde vaut de nombreuses adhésions à notre cause !

— Oui ! oui ! soupira Nicolas. Je suppose que je ne reconnaîtrais plus notre petite « Alliance pour la Vertu et pour la Vérité » si j'assistais à l'une de vos réunions.

— Tu la reconnaîtrais d'autant moins qu'elle a pratiquement cessé d'exister ! dit Kostia.

Nicolas bondit sur ses jambes :

— Que veux-tu dire ? Vous ne vous êtes pas dissous ?

— Si, dit Kostia. Ou plutôt, nous avons été absorbés par une association plus importante : l' « Union du Bien public ».

— Ah ! je respire ! dit Nicolas.

Il se rassit près du poêle et ajouta :

— J'espère que je suis encore des vôtres !

— Sois tranquille, dit Kostia. Tout le monde te

connaît à l' « Union du Bien public ». Même ceux qui ne t'ont jamais vu.

— Et quelle est la tendance de cette nouvelle association ? demanda Sophie.

— Toutes les tendances y sont représentées, répondit Kostia, je veux dire : toutes les tendances libérales. Nicolas Tourguénieff et Nikita Mouravieff, qui jouent un rôle prépondérant dans l'organisation du Nord, sont des républicains modérés. Pestel, qui dirige pratiquement l'organisation du Sud, est partisan des mesures violentes. Si cette divergence persiste, nous nous séparerons de lui et mènerons notre action sans le consulter...

Sophie l'interrompit avec douceur :

— Avec-vous une idée du caractère de cette action ?

— Pas exactement ! reconnut Kostia. Nous déciderons ce qu'il y aura lieu de faire selon l'occasion qui se présentera.

— Je crains que vous ne l'attendiez longtemps, dit-elle. Je commence à connaître le peuple russe. Il se soulèvera peut-être contre un seigneur qui prétend lui imposer la culture des pommes de terre, jamais contre le tsar qui est l'émanation de Dieu. Vous ne ferez pas prendre les armes à la masse de vos concitoyens pour des questions de gouvernement !

— Nous n'y songeons même pas ! dit Kostia. La révolution sera l'œuvre d'une élite. Le peuple bénéficiera des résultats sans avoir combattu pour les obtenir, sans même, en fait, les avoir désirés !

— N'est-il pas très grave de faire le bonheur des gens de cette façon autoritaire et distante ? En France, ceux qui luttent contre la monarchie ont conscience d'être soutenus par une fraction importante de l'opinion publique. Chez vous, les esprits cultivés se passionnent pour les notions de liberté, de souveraineté nationale et de justice indépendante, mais, dans leur marche rapide vers le progrès, ils ne sont pas suivis par le gros de la nation, qui connaît peu en ces matières. Demandez donc à Nicolas qui, à Pskov, s'intéresse à ces questions ? Trois ou quatre personnes au plus ! Il en résulte un fait d'une extrême gravité. C'est qu'il existe en Russie deux peuples, l'un placé à la hauteur de la civilisation, l'autre à peine dégagé de la barbarie. Les aspirations de ces deux peuples sont inconciliables. Ce qui paraît nécessaire à l'un, serait nuisible à l'autre ; ce que le premier désire ardemment, le second le repousse comme étranger à sa foi et à ses traditions ! Il ne faudrait surtout pas que vous donniez à la Russie un remède français, ou anglais, ou américain ! Le pays succomberait à cette médication violente !

Les remarques de sa femme agaçaient d'autant plus Nicolas qu'il sentait qu'elle avait raison. Avec son intelligence mordante, à la française, elle dérangeait la conversation passionnée et confuse qu'il aurait pu avoir, d'homme à homme, avec son ami.

— Laisse donc ! dit-il. Nous savons tout cela ! Malgré ses précédents européens, notre révolution sera originale, unique dans l'histoire du monde, je te le jure !

— J'en suis convaincu, moi aussi, dit Kostia. D'ailleurs, le temps de la vérité approche. On le sent à divers symptômes. A Saint-Pétersbourg, les gens les plus calmes s'agitent ! De jeunes fonctionnaires faméliques rédigent des projets de constitution, en cachette ! Des poèmes subversifs passent de main en main ! Le pauvre Pouchkine paye, en ce moment, d'un exil dans le Sud, le crime d'avoir écrit sa magnifique *Ode à la Liberté* et quelques autres petites choses assez drôles. Notre ami Stépan Pokrovsky a été soupçonné, lui, d'être l'auteur d'une épigramme contre Araktchéïeff. Les policiers l'ont relâché après interrogatoire, faute de preuves. Même devant nous, il nie que les vers soient de lui, mais je suis sûr qu'il ment ! Roznikoff, en revanche, ne s'est pas beaucoup compromis : il est toujours aide de camp du général

Miloradovitch. Plus vantard, plus ambitieux et plus sot que jamais, le bel Hippolyte !...

Nicolas écoutait ce discours d'un air assoiffé. Derrière Kostia, c'était tout Saint-Pétersbourg qu'il imaginait, bruissant de mille voix, ponctué de mille lumières. Etait-il possible qu'il eût vécu, lui aussi, jadis, dans la capitale, et qu'il dût se contenter maintenant d'une ennuyeuse société de province ?

— A propos, dit Kostia, nous avons accueilli dernièrement un garçon qui prétend te connaître : Vassia Volkoff.

Nicolas eut un grand battement de cœur et bredouilla :

— En effet... Je le voyais souvent...

— Il est gentil et insignifiant, dit Kostia.

Nicolas glissa un regard vers Sophie. Elle eut le bon goût de ne point manifester le plaisir que lui procurait, sans doute, cette appréciation désobligeante.

— Ne crois pas cela, dit Nicolas avec effort. Vassia est un exalté. Vous pourrez l'employer aux tâches les plus dangereuses.

— Tant mieux ! Tant mieux ! grogna Kostia en vidant un verre d'eau-de-vie de prune. Cette boisson est excellente ! Quel calme, ici, quel silence ! Dire qu'autrefois j'ai pu te déconseiller de partir ! Maintenant, je comprends que vous vous soyez retirés à la campagne ! Saint-Pétersbourg est odieux ! La brume, la pluie, la neige, les uniformes, les intrigues, la peur... Pouah !... A Kachtanovka, vous êtes maîtres de votre destin ! Vous vivez comme bon vous semble ! Un vrai paradis !

Nicolas, par orgueil, n'osa protester et Sophie entreprit de raconter comment s'écoulaient leurs journées : repas en famille, parties d'échecs, promenades dans les bois, lectures, conversations édifiantes avec les paysans, soins du domaine... C'était un tableau idyllique. Peut-être, en effet, voyait-elle ainsi la vie qu'elle menait à Kachtanovka avec son mari. Il l'envia pour sa faculté d'embellir la réalité quotidienne.

— Même si nous avions les moyens de retourner à Saint-Pétersbourg, dit-elle, j'aimerais mieux continuer à mener ici une existence simple et utile qu'aller m'étourdir de nouveau dans les salons !

Nicolas crut entendre une clef jouant dans une serrure : enfermé, bouclé ! Et cet imbécile de Kostia qui approuvait en hochant son grand bec :

— Bravo ! Voilà qui est parlé, Madame !

Heureusement, il revint par la suite à des propos plus distrayants :

— Je suis une gazette vivante. Citez-moi n'importe quelle personne en vue de Saint-Pétersbourg, et je vous rapporterai un trait amusant sur son compte. Mais d'abord, versez-moi à boire !

— *Salem aleïkoum !* dit Nicolas.

A ce souvenir, il éprouva une amertume au fond de la gorge.

— Racontez-nous ce qui se joue au théâtre ! dit Sophie.

— Quelle est la nouvelle coqueluche des amateurs de ballets ? dit Nicolas.

Et il pensa : « Nous lui posons des questions de provinciaux. » Mais, pour rien au monde, il n'eût renoncé à interroger son ami. Il fallait profiter de ce citadin, le presser, en tirer tout le suc possible avant de le remettre sur sa route. Les minutes passaient et Kostia parlait toujours, assis dans la lueur jaune de la lampe, un petit verre à la main. Sophie l'écoutait avec une attention charmante. Le poêle de faïence s'était éteint. La fraîcheur de la nuit pénétrait dans la pièce. La bourrasque de neige s'était calmée. Un chien aboyait à la lune. Le veilleur de nuit contournait la maison en faisant grincer sa crécelle. A deux heures du matin, Kostia dit :

— Il faut tout de même que j'aille me coucher !

Nicolas et Sophie l'accompagnèrent jusqu'à la chambre qui avait été préparée à son intention.

Le lendemain, toute la famille le mit dans son traîneau. Nicolas l'embrassa une dernière fois. Les chevaux s'ébranlèrent dans la neige et prirent de la vitesse, crinières au vent, clochettes tintantes. Longtemps, la main de Kostia s'agita au-dessus de la caisse bleue. Puis l'attelage disparut, happé par un tournant. Nicolas s'appuya de l'épaule à une colonne du péristyle.

— Quand le reverrai-je ! dit-il à voix basse.

Sophie lui prit le bras et ils rentrèrent dans la maison.

# 10

Le 6 janvier 1821, toute la famille se rendit au bord de la rivière, pour assister à la bénédiction des eaux. Les habitants de trois villages s'étaient assemblés sur le talus de neige. Hommes et femmes, lourdement emmitouflés, ressemblaient à des corneilles gonflant leur plumage. Les cloches de la petite église de Chatkovo sonnaient au loin dans un air gris de cendre. Entre les berges, sur la glace balayée, se dressait une sorte de kiosque, fait de quatre piquets soutenant une toiture en branches de sapin. Là-dessous, les paysans avaient ouvert une grande brèche dans la carapace gelée. Dominant le flot noir, le père Joseph, en chasuble d'argent, récitait des prières. La vapeur qui sortait de sa barbe à chaque mot était à peine moins abondante que la fumée de l'encensoir balancé par le diacre. Un chœur de paysans chantait des hymnes très beaux, dont Sophie ne comprenait pas bien les paroles. Enfin, ce fut l'immersion de la croix. Au moment où elle disparut, tous les fidèles se signèrent. La procession, portant haut ses bannières et ses icônes, retourna à l'église en suivant un sentier neigeux. Maintenant, selon la coutume, les moujiks les plus intrépides allaient se plonger dans l'eau. Il était reconnu qu'un bain de ce genre ne pouvait faire de mal à un orthodoxe. Malgré cette certitude, les amateurs n'étaient pas nombreux. Marie proposa de rentrer à la maison. Mais Michel Borissovitch ne voulait pas manquer le spectacle. Levant les deux bras, il cria :

— Cinq roubles à celui qui restera le plus longtemps dans l'eau !

Des exclamations de joie lui répondirent :

— Comment pouvez-vous encourager cela, père ? demanda Sophie avec sévérité.

— Ne suis-je pas le gardien de la tradition ? dit-il en riant. Mes serfs ne comprendraient pas que je me désintéresse des prousses chrétiennes !

Nicolas approuva ce raisonnement et engagea Marie et Sophie à remonter avec lui dans le traîneau, où elles auraient plus chaud et d'où elles verraient mieux. Michel Borissovitch se hissa sur le siège du cocher, pour dominer son monde, et dit :

— Couvrez-vous bien ! Il fait un froid à vous emporter les oreilles !

Déjà, quelques moujiks se déshabillaient. Sophie en avisa trois, dont deux jeunes, râblés et courts sur pattes, qui se ressemblaient comme des frères, et un vieux, barbu, efflanqué, décharné, tout en nerfs et en veines. Un autre vieux, porteur d'un gros ventre, les rejoignit. Tous, à cause de la présence des maîtres, s'étaient noués un linge autour des reins.

— Prépare-toi, Nicolas, dit Michel Borissovitch. Tu compteras les secondes !

Sophie écarquilla les yeux et serra instinctivement la main de Marie sous la couverture. Une cinquième silhouette nue se faufilait hors du groupe des paysans chaudement vêtus. C'était Nikita, grand et mince, les hanches plates, les épaules encore imparfaitement développées, un pagne en toile de sac battant sur son derrière et sur ses cuisses. Il sautillait dans la neige et se frottait la poitrine à pleines mains pour activer la circulation de son sang. La peau de son corps était rose. Affolée par tant d'imprudence, Sophie voulut lui crier de se rhabiller et de rentrer à la maison, mais se retint, par crainte que sa recommandation ne fût mal interprétée. Qui, parmi les personnes présentes, aurait pu comprendre la sollicitude maternelle qu'elle éprouvait envers ce garçon de dix-huit ans ? Elle évita le regard de sa belle-sœur qui, lui semblait-il, la considérait avec ironie.

— Partez ! hurla Michel Borissovitch.

Les cinq hommes, marchant comme sur des pointes d'aiguilles, s'approchèrent du kiosque, s'assirent au bord de la brèche, et, ensemble, se laissèrent glisser dans l'eau. Nicolas commença à compter à haute voix :

— Un, deux, trois, quatre...

Au centre du champ de glace, il y avait maintenant cinq têtes coupées au ras du cou et présentées comme des fruits sur une nappe. Ces têtes se tournaient dans tous les sens, soufflaient, reniflaient et geignaient. Le vieux barbu était le seul qui eût le cœur à plaisanter :

— Elle est bouillante ! Ne pourrait-on la rafraîchir un peu ?

Les gens de son village l'acclamaient :

— Tiens bon, Maximytch ! C'est le cuir tanné qui est le plus robuste !

Les partisans des autres baigneurs s'égosillaient de leur côté :

— Remue-toi, Nikita !... Heï, Stépan, pense que tu es dans le lit avec Douniacha, ça te réchauffera !... Est-ce que vous avez pied, au moins ?...

— Oui... On a pied ! répondit Maximytch. C'est doux comme du duvet !... J'y resterais des heures!... Brr !...

— Cette année encore, ce sera Maximytch qui gagnera ! Regarde comme il a l'œil vif pour son âge !

— Non, ce sera Stépan ! Hardi, Stépan ! Serre les dents, Stépan !

— Agaphon ! Agaphon ! Il est frais et sain comme un concombre !

Nicolas, imperturbable, poursuivait son compte :

— Soixante-deux, soixante-trois...

Les premiers à donner des signes de malaise furent les deux frères qui avaient paru si robustes à Sophie. Leur père, penché au bord de la glace, dit d'une voix traînante :

— Sortez donc de l'eau, imbéciles ! Vos lèvres sautent sur vos dents !

Des moujiks les tirèrent à la force des bras hors de la brèche, les enveloppèrent dans une couverture et leur tendirent une bouteille d'eau-de-vie. Aussitôt après, ce fut le gros Agaphon qui demanda grâce. Six personnes furent nécessaires pour l'amener sur la rive. Son corps, soufflé et blême, était marbré de taches violettes. Il remuait la langue sans pouvoir prononcer un mot.

— Le Christ soit avec toi ! gémit son épouse. Dans quel état me reviens-tu ? Qu'est-ce que je vais faire d'un cadavre ? Pardonne-moi, Seigneur, toi qui as si bien ressuscité Lazare, mais il faut que je le batte !

Et elle se mit à gifler son mari, encouragée par les femmes de l'assistance. Une fois ranimé, il la gifla à son tour. Un large éclat de rire salua cet échange de coups. Cependant, il ne restait plus dans l'eau que le vieux Maximytch et Nikita. Ils se défiaient du regard et claquaient des dents, face à face. Ne tenant plus, Sophie cria en français :

— Arrêtez ce concours ridicule ! Ils en mourront !

— Personne n'est jamais mort d'une baignade le jour de la bénédiction des eaux, répondit Michel Borrissovitch.

Et il hurla :

— Je double l'enjeu : dix roubles !

— Merci, barine ! bégaya Maximytch en faisant un petit salut. La bonne parole réchauffe le cœur du croyant !

Des glaçons s'étaient formés dans sa barbe. Un rictus douloureux retroussait sa lèvre supérieure.

— Alors, tu abandonnes, morveux ? dit-il à Nikita.

Le garçon secoua la tête en silence. Il semblait à peine vivant, les traits tendus, les prunelles saillantes.

— Tu as tort, poursuivit Maximytch. Si tu te voyais !...

— Deux cent quatre-vingt-douze, deux cent quatre-vingt-treize ! dit Nicolas.

— Deux cent quatre-vingt-quatorze ! dit Maximytch.

Soudain, son visage s'allongea, l'épouvante arrondit ses yeux. Il râla :

— Dieu tout-puissant ! Au secours !

Nikita aida les sauveteurs à sortir Maximytch de l'eau. Puis, tandis qu'ils emportaient le vieillard pour le frictionner et le rhabiller, il se hissa lui-même sur la glace. Son corps était rouge, comme ébouillanté jusqu'à la racine du cou. Il tenait difficilement sur ses jambes.

— Sacré Nikita ! criaient les moujiks. Il a gagné ! La jeunesse parle, la vieillesse baisse la tête !...

L'un lui jetait une couverture sur le dos ; un autre lui frottait la nuque avec un torchon de tille ; d'autres encore le soutenaient, l'abreuvaient d'eau-de-vie, le poussaient vers le traîneau du barine.

— Laissez-moi ! Je peux marcher seul ! dit-il.

Sophie le vit s'avancer en titubant, un sourire insensé aux lèvres. Le soulagement qu'elle éprouvait ressemblait à de la faiblesse. Michel Borissovitch tira dix roubles de sa poche et fit sauter les pièces dans le creux de sa main gantée. Mais Nikita ne regardait pas l'argent. Les yeux fixés sur Sophie, avec une expression de fierté, il s'adressait à elle seule, il lui offrait sa victoire. Bientôt, il fut si près, qu'elle put discerner les gouttes d'eau gelée à la pointe de ses cils. La couverture fermait mal sur sa poitrine imberbe. Entre ses seins brillait une petite croix de baptême. Ses jambes nues s'enfonçaient dans des bottes de feutre. Il haletait, riait, la mâchoire inférieure tremblante.

— Tu es un gaillard ! dit Michel Borissovitch en lui remettant l'argent. Que vas-tu faire de ces dix roubles ?

— Acheter des livres, du papier ! dit-il sans hésitation.

— Diable ! Tu veux donc devenir un savant ?

— Oui, barine, dit-il, avec votre permission...

Et il jeta un coup d'œil à Sophie, pour voir s'il avait bien répondu.

*

Pendant une semaine, Sophie ne rencontra plus Nikita dans les couloirs de la maison. Inquiète, elle interrogea Vassilissa et apprit qu'il était tombé malade après son exploit. Elle alla le voir dans la salle commune. Les paillasses des domestiques mâles, au nombre d'une vingtaine, étaient empilées dans un coin, durant le jour. Deux poêles, montant jusqu'au plafond, chauffaient la pièce et y exhalaient une odeur de transpiration et de bottes. Nikita gisait seul, recroquevillé en chien de fusil, sur un grabat. A côté de lui, il y avait une cruche d'eau, couverte par une tranche de pain noir, et sa vieille balalaïka. Sophie se pencha sur le garçon et toucha son front, qui était brûlant. Il n'ouvrit même pas les yeux.

— Oh ! il va déjà mieux, dit Vassilissa, qui était entrée derrière Sophie. Je lui donne des tisanes de ma composition. Et, chaque soir, Antipe lui frotte le dos avec une brosse. Dans une semaine, il sera debout.

Les paupières de Nikita frémirent. Une lumière d'un bleu-violet filtra entre ses cils. Il sourit à une apparition céleste.

— Barynia ! Barynia ! chuchota-t-il. Vous êtes venue !...

— Eh ! oui, dit Vassilissa. Tu vois le tracas que tu causes aux maîtres ! Est-ce que c'est bien, ça ?

Tout en le grondant, elle tirait sur lui sa méchante couverture de laine grise. Sophie eût aimé le faire elle-même. Les mouvements de cette femme étaient si brusques ! Comme Vassilissa disposait la tête de Nikita sur un ballot de chiffons, un cahier glissa de la paillasse par terre. Sophie le ramassa vivement. Vassilissa remarqua son geste.

— Tu lui diras que je l'ai pris ! murmura Sophie.

Et elle sortit de la salle. Sur le pas de la porte, elle se cogna à M. Lesur, qui semblait la guetter, un sourire ambigu aux lèvres.

– Monsieur votre beau-père vous cherche, dit-il.

— Pourquoi ?

— Il désirerait faire une partie d'échecs, et vous savez bien que, maintenant, il ne veut plus d'autre adversaire que vous !

Elle n'avait nulle envie de jouer aux échecs. Le cahier de Nikita l'intéressait trop !

— Dites-lui que, pour le moment, je suis occupée, répliqua-t-elle.

— Ne pourriez-vous le lui dire vous-même ? Il me recevra mal si je lui fais cette commission !

— Vos craintes sont absurdes ! dit Sophie en haussant les épaules.

Chaque fois que M. Lesur lui adressait la parole, elle éprouvait une répulsion voisine du malaise. Le fait qu'il fût son compatriote la rendait doublement sévère à l'égard de ce petit personnage chauve et obséquieux. Un long couloir, fait de rondins, reliait le bâtiment des communs à celui des maîtres. Trottinant dans le passage, à côté de Sophie, M. Lesur poursuivait ses lamentations :

— Vous ne le connaissez pas sous son vrai jour, chère Madame ! Il a tellement changé envers moi ! Autrefois, j'avais sa confiance, presque son amitié. Maintenant, il ne sait que faire pour m'éloigner de lui et pour me convaincre de mon inutilité dans sa maison.

Il leva sur Sophie un regard mouillé de prière et dit encore :

— Vous avez pris de l'empire sur lui ! Il écoute si bien, et à juste titre, vos suggestions ! Ne pourriez-vous l'amener à reconsidérer son attitude ?

— Je n'ai pas sur mon beau-père l'ascendant que vous supposez ! répondit Sophie.

— Oh ! que si ! s'écria M. Lesur. Je compte sur vous, n'est-ce pas ? D'avance, je vous remercie !...

Ils étaient arrivés dans le vestibule. Sophie monta dans sa chambre. M. Lesur, arrêté au pied de l'escalier, la regarda disparaître avec un sentiment de haine. Dire qu'il s'était réjoui, jadis, à l'idée qu'elle apporterait un peu d'air de Paris dans cette demeure étouffante ! Dire qu'il avait cru trouver en elle une alliée contre tout ce qui le heurtait dans les manières russes ! Dire qu'il avait rêvé d'un complot entre elle et lui, afin de franciser et de dominer la famille Ozareff ! Il ne lui avait pas fallu longtemps pour mesurer son erreur. Sophie l'avait tellement déçu par ses façons, qu'il lui déniait maintenant la qualité de Française. Elle ne représentait pas à ses yeux la patrie qu'il avait quittée quelque trente ans auparavant, mais un pays étrange, défiguré par le passage des sans-culottes et de Bonaparte. Les opinions libérales de la jeune femme le blessaient. Il s'indignait qu'elle prît de l'intérêt aux mœurs des moujiks. Enfin, il ne lui pardonnait pas d'avoir accaparé l'attention de Michel Borissovitch. Pour ceux qui l'avaient connu intransigeant, brutal, injuste, l'admiration que cet homme vouait à sa belle-fille était pénible comme un signe de déchéance. « Qu'elle s'en aille ! Qu'elle s'en aille avec son mari ! », se disait M. Lesur. Ayant enfin recouvré son calme, il rentra dans le salon où Michel Borissovitch somnolait, assis dans un fauteuil, près de la fenêtre brouillée de givre. En entendant un pas, il rouvrit les yeux et demanda :

— Alors ?

— J'ai trouvé Mme Sophie au chevet du pauvre Nikita ! dit M. Lesur. Elle fait preuve à l'égard de cet enfant d'un dévouement rare. Dès qu'elle en aura fini avec lui, elle se rendra auprès de vous. Aimeriez-vous que, d'ici là, nous fassions une partie ?...

Michel Borissovitch ne daigna pas répondre. Son

regard revint à la fenêtre blanche. Ah ! combien à cette indifférence, M. Lesur préférait les sarcasmes, les avanies, les colères d'autrefois ! Raillé, rudoyé, il avait du moins l'impression de vivre. Souvent même, il goûtait un trouble plaisir à souffrir mille hontes sans avoir le droit de rendre les coups. Tout cela était fini, par la faute de cette femme !

— Voulez-vous que je vous lise quelques pages à haute voix ? reprit-il.

— Je veux que vous me laissiez, dit Michel Borissovitch avec ennui.

M. Lesur se retira précipitamment.

Les jours suivants, il continua de surveiller Sophie et de rapporter à Michel Borissovitch ses observations. Celui-ci, tout en feignant de ne prêter aucun intérêt à ces racontars d'office, les écoutait chaque fois jusqu'au bout. Il apprit ainsi que Sophie avait fait transporter Nikita dans une petite chambre voisine de la salle commune, que Vassilissa avait reçu l'ordre de mettre des draps sur le lit du malade, que le Dr Prikoussoff avait été convoqué. Cette dernière information lui fut d'ailleurs confirmée par Sophie. Il n'en fit pas moins la grimace. L'initiative de sa bru le plaçait dans une situation gênante. Quand le Dr Prikoussoff lui eût annoncé que le garçon était hors de danger, il se sentit ridicule d'avoir à remercier le médecin pour des soins donnés à un serf. Cela créait un précédent fâcheux dans la région. Il le dit à Sophie. Elle en convint avec tant de grâce qu'il en fut désarmé. Pour expliquer sa conduite, elle montra à Michel Borissovitch les cahiers de Nikita. M. Lesur s'était posté derrière la porte du bureau pour entendre la scène. Il prévoyait un éclat. Mais la conversation fut calme. Michel Borrisovitch se déclara surpris des dispositions du gamin. Le soir, au souper, la jeune femme parut rayonnante. Son air d'aisance, et presque de majesté, exaspéra M. Lesur. Il lui restait un seul espoir : qu'elle se laissât griser par le succès, passât la mesure et perdît tout en voulant tout gagner. Peu avant Pâques, il la pria de lui accorder un entretien. Il se prétendit très frappé, lui-même, par les progrès de Nikita. Pourquoi ne demandait-elle pas à Michel Borissovitch d'affranchir cet intéressant jeune homme et de l'envoyer continuer ses études à Saint-Pétersbourg ? La suggestion étonna Sophie. Elle n'avait pas pensé que la chose fût possible.

— Mais si ! dit M. Lesur. J'ai même la conviction que votre beau-père sera heureux de vous donner satisfaction sur ce point !

— Je vous remercie, dit Sophie. C'est, en effet, une excellente idée !

M. Lesur eut de la peine à cacher sa jubilation : Sophie n'avait pas éventé le piège ! En soutenant ce projet inacceptable, elle irriterait Michel Borissovitch et lui ouvrirait les yeux sur ce qu'elle était réellement : une intrigante, une perturbatrice, une républicaine ! Comment faire pour ne pas manquer la dispute, qui, fatalement, opposerait l'une à l'autre ces deux puissances ?

Les fêtes de Pâques passèrent avec leur messe de minuit, leurs friandises traditionnelles et leurs visites entre voisins. Cette fois, Vladimir Karpovitch Sédoff ne vint pas à Kachtanovka, et Marie, après l'avoir attendu toute la journée, monta dans sa chambre pour pleurer. Le lendemain, quand Michel Borissovitch eut achevé sa sieste, Sophie alla le rejoindre dans son bureau. Reposé, détendu, il la reçut avec toute l'amabilité souhaitable. Mais à peine lui eût-elle parlé de libérer Nikita, qu'il devint de glace.

— Chassez ce rêve de votre tête, chère Sophie, dit-il en se carrant dans son fauteuil.

— Pourquoi, père ? demanda-t-elle. Vous avez tant de paysans ! Qu'y aura-t-il de changé pour vous si celui-ci quitte le domaine ?

— C'est une question de principe.

— Il est curieux d'entendre parler de principe en matière de servage !

Le regard de Michel Borissovitch s'aiguisa. Dès que sa bru s'intéressait de trop près à un être, il se sentait mordu de jalousie. Tout ce qu'elle accordait à un autre, elle le prenait à lui. Sans lâcher des yeux la jeune femme, il répliqua d'un ton mesuré :

— Que vous approuviez ou non l'institution du servage, elle existe. Je ne puis aller à l'encontre des usages de mon pays. Si l'empereur, dans sa haute sagesse, décide d'émanciper les moujiks, je serai le premier à lui obéir. Mais je n'aurai pas l'outrecuidance de me poser en exemple de générosité, tant que le gouvernement souhaitera garder les choses en état.

— Il y a pourtant des propriétaires fonciers qui ne pensent pas comme vous ! dit Sophie.

— Oui, dit Michel Borissovitch, j'en connais qui, de temps en temps, accordent un passeport à l'un de leurs paysans, avec la licence de travailler en ville. Les trois quarts de ce que gagne le bonhomme reviennent au barine. Si, malgré tout, le serf devenu citadin s'enrichit un peu, son maître lui fixe un chiffre très élevé pour le prix de la liberté entière. Est-ce à cet étrange commerce que vous me conviez ?

— Vous savez bien que non. Je vous demande d'affranchir Nikita sans contrepartie.

Michel Borissovitch évoqua l'adolescent blond et svelte, sortant de l'eau, le jour de l'Epiphanie. Certainement, il y avait un fond trouble au penchant que Sophie éprouvait pour ce petit moujik.

— Nikita est né serf, il restera serf aussi longtemps que je vivrai! dit-il.

L'air outragé de Sophie lui procura un extraordinaire plaisir. Ayant porté le premier coup, il allait raffiner la torture. Sa belle-fille était une victime de choix, à la fois dure et sensible. Il l'aimait trop pour ne pas souhaiter lui faire du mal.

— Eh ! oui, reprit-il d'un ton cauteleux, je vous l'ai déjà dit, ma chère, je suis le contraire d'un novateur ! D'autres enfoncent les portes, allument les incendies ! Moi, je marche avec mon siècle ! Je me soumets aux coutumes de mes contemporains ! A ce propos, je vais vous faire un aveu qui vous surprendra : il m'est extrêmement agréable de constater que vous avez distingué Nikita au point de lui réserver une bonne place dans la maison.

Sophie décela une manœuvre et se mit sur ses gardes. Comme elle se taisait, Michel Borissovitch poursuivit plus bas :

— Vous me comprenez, n'est-ce pas ?

— Non.

— Je veux dire que les traitements de faveur, les passe-droits, les complaisances de toutes sortes, sont des conséquences naturelles du servage. La moitié de la satisfaction qu'un seigneur trouve à régner sur des milliers d'individus lui vient de ce pouvoir qui lui est donné d'en choisir un et de le combler par caprice. En choyant ce charmant Nikita, tandis que ses semblables sont encore dans la misère, vous suivez la grande tradition des propriétaires d'esclaves. A l'inégalité voulue par nos lois, vous ajoutez l'inégalité voulue par vous-même. Ce n'est pas moi qui vous en blâmerai !

Il souriait avec une ironie si arrogante, qu'elle eut l'impression de se trouver devant un ennemi. Mais un ennemi qui ne pouvait se passer d'elle et dont elle ne pouvait se passer. Nier l'importance qu'il avait prise dans sa vie eût été aussi vain que de vouloir effacer une montagne de l'horizon. Cette masse, cette ombre, cette voix pesaient de loin sur toutes ses journées. Il attendait qu'elle lui répondît pour prolonger la discussion. Mais elle ne lui donnerait pas ce plaisir. Lentement, elle se leva, tourna le dos à son beau-père et sortit.

Dans le couloir, elle se heurta à M. Lesur, qui passait, un livre sous le bras. Elle ne fut pas dupe de sa mine affairée. Sans doute avait-il écouté à la porte, selon son habitude. Elle le toisa d'un regard méprisant et continua son chemin. Touché par une joie fulgurante, M. Lesur mit une main sur son cœur et remercia Dieu de la tournure que prenaient les événements.

★

Les semaines suivantes, M. Lesur redoubla de vigilance. Après la discussion qui avait dressé Michel Borissovitch contre sa belle-fille, les deux adversaires demeuraient dans l'expectative. Rien n'avait changé pour eux, en apparence, mais, dans cette atmosphère tendue, la moindre étincelle pouvait provoquer un orage. Résolu à ne pas gaspiller ses chances, M. Lesur s'éveillait chaque matin avec l'espoir qu'un incident nouveau lui permettrait de déconsidérer Sophie aux yeux de son beau-père, et se rendormait chaque soir en déplorant que la situation n'eût évolué ni en bien ni en mal.

A la fin du mois de juin, son impatience arriva au paroxysme et il eut un accès de fièvre bilieuse. Personne ne le plaignit dans la maison. Ce fut Vassilissa qui le soigna, avec des tisanes amères. A peine guéri, il voulut reprendre sa place dans la famille. Le 15 juillet, fête de la Saint-Vladimir, il descendit de sa chambre pour le souper. Mais il avait trop présumé de ses forces. Assis dans le salon, face à Michel Borissovitch, il sentait que ses oreilles bourdonnaient, que ses yeux se fermaient de fatigue. Marie fredonnait une chanson triste en regardant le jardin par la fenêtre ouverte. Sur le point de s'engourdir, M. Lesur se ranima en voyant entrer Nicolas et Sophie. La jeune femme semblait bouleversée. Comme elle venait de recevoir une lettre de sa mère, Michel Borissovitch demanda :

— Avez-vous de bonnes nouvelles de vos parents ?

— Très bonnes, dit-elle évasivement.

— Dieu soit loué ! Je vous ai vu si soucieuse, que j'ai été pris de crainte, tout à coup !...

— C'est que, dit Nicolas, nous venons d'apprendre un événement extraordinaire, un événement qui, quelles que soient vos opinions, ne peut vous laisser indifférent.

Il marqua une pause et dit :

— Napoléon est mort.

Un silence lourd s'établit dans le salon. Il parut à Sophie que le souffle de l'Histoire éventait tous ces visages familiers. Devant l'énormité du fait, il n'y avait personne, dans l'assistance, qui ne fût rappelé au sentiment de sa petitesse. Même M. Lesur avait pris un air grave. Enfin, Michel Borissovitch demanda :

— Est-ce de votre mère que vous tenez cette information ?

— Oui, dit Sophie.

— Quand est-il mort ?

— Le 5 mai, à Sainte-Hélène.

— Mais cela fait plus de deux mois !

— L'affaire a été tenue secrète le plus longtemps possible. Ce sont, paraît-il, les gazettes anglaises qui ont, les premières, divulgué la nouvelle...

— Et quel est l'état des esprits, en France ?

— Ce n'est pas par mes parents que je le saurais ! dit Sophie en souriant. Pour eux, l'univers est enfin débarrassé d'une hydre sanguinaire !

— Bien des gens pensent comme eux ! dit M. Lesur.

— Il est évident, renchérit Michel Borissovitch, que personne, dans le cours des siècles, ne porte la responsabilité d'un aussi grand nombre de morts que ce tyran découronné ! Ce qui a dû le tourmenter le plus, à Sainte-Hélène, c'est de n'avoir pas des milliers de jeunes gens à faire massacrer pour assouvir son besoin de gloire !

M. Lesur tressaillit de joie. L'occasion qu'il avait souhaitée se dessinait enfin. Pour la première fois, Michel Borissovitch était d'accord avec lui contre Sophie.

— Vous vous faites une piètre idée de Napoléon, si vous vous imaginez qu'il n'a mené la France au combat que pour satisfaire son ambition personnelle ! dit la jeune femme.

— Je crois, comme Sophie, dit Nicolas, qu'il avait sincèrement en vue la suprématie et la prospérité de son pays.

Michel Borissovitch croisa violemment les bras sur sa poitrine :

— Est-ce mon fils, un ancien officier de la garde

du tsar, un héros de la guerre nationale, qui ose parler ainsi ? Trop de camarades sont tombés autour de toi pour que tu aies le droit d'excuser l'homme sans qui la plupart d'entre eux seraient encore vivants !

— J'essaye d'être équitable, dit Nicolas. Quels que soient les défauts de Napoléon, c'était un grand capitaine.

— Un grand capitaine qui a fini prisonnier dans une île ! dit M. Lesur avec un ricanement.

Jamais encore, il ne s'était trouvé à pareille fête. Rentré en grâce auprès de Michel Borissovitch, il se donnait la volupté de multiplier les coups contre Sophie et Nicolas, avec la certitude d'une impunité absolue.

— Ce n'est pas la façon dont un homme d'Etat termine sa vie qui est importante, mais ce qu'il laisse derrière lui, son œuvre, sa légende, dit Nicolas.

— Eh bien ! s'écria M. Lesur, vous abondez dans mon sens et je vous en remercie ! Que reste-t-il de votre Bonaparte ? Au terme d'une carrière de boucher, il n'a réussi qu'une chose : faire détester la France par toute l'Europe !

— Faire détester ou faire craindre ? demanda Sophie.

— L'un ne vaut pas mieux que l'autre, rétorqua M. Lesur avec vivacité. Autrefois, la France était fameuse par les lumières de ses beaux esprits ; après la Révolution, elle est devenue fameuse par la violence de ses bourreaux et de ses soldats ! La soif sanguinaire que les sans-culottes étanchaient grâce à la guillotine, leurs successeurs du Consulat et de l'Empire l'ont étanchée en se jetant sur les peuples voisins pour les égorger !

— Voilà, pour le moins, une singulière façon d'interpréter l'Histoire ! dit Sophie.

Aussitôt, M. Lesur se tourna vers Michel Borissovitch comme pour mendier l'approbation d'un supérieur.

— Est-ce l'empereur Alexandre qui a provoqué Napoléon en 1805, en 1812, en 1815 ? demanda-t-il.

Sollicité d'une manière si directe, Michel Borissovitch ne put que répondre :

— Non, évidemment !

— Ah ! s'exclama M. Lesur radieux, vous voyez ! Jamais la Russie n'aurait attaqué la France, si la France n'avait cherché à envahir la Russie ! C'est d'ailleurs vous-même, Monsieur, qui me l'avez fait remarquer à plusieurs reprises !

— Oui, oui, dit Michel Borissovitch de mauvaise grâce.

— Je vais plus loin, reprit M. Lesur. Les soldats de Bonaparte se sont conduits comme des sauvages en Russie, alors que les soldats de l'empereur Alexandre se sont conduits comme des libérateurs en France !

Cela non plus, Michel Borissovitch ne pouvait le nier.

— Vous parlez de choses que vous ignorez ! dit Nicolas.

M. Lesur se dressa sur ses ergots et proféra d'une voix de coq :

— Ah ! vraiment ? Paris a-t-il été incendié et pillé comme Moscou ?

Ne recevant pas de réponse, il jouit de son avantage, longuement, silencieusement. Michel Borissovitch l'observait à la dérobée et s'exaspérait de partager les opinions d'un homme si méprisable. Être du même avis que M. Lesur lui paraissait le comble du ridicule.

— D'ailleurs, continua M. Lesur, je suis surpris, chère Madame, que vous puissiez concilier vos idées républicaines avec le respect d'un personnage qui, toute sa vie durant, s'est comporté en véritable despote ! Est-il possible d'être à la fois pour la liberté et pour la contrainte, pour l'égalité et pour la hiérarchie, pour la paix et pour la guerre, pour la Révolution et pour l'Empire ? J'avoue que j'aimerais vous comprendre...

Le sang de Michel Borissovitch lui monta à la tête. De quel droit ce précepteur, ce laquais, s'en prenait-il à Sophie ?

— Vous me comprendriez si vous aviez vécu en France à l'époque où Napoléon en était le maître ! dit-elle fièrement. Même ceux qui le détestaient, comme moi, lui reconnaissaient une manière de génie. On pouvait l'accuser de tout, sauf de trahison envers son pays. Je suis persuadée que nombre de ses ennemis, en apprenant sa mort, auront l'impression qu'une des plus nobles figures du monde a disparu. Mais, pour éprouver cela, il faut avoir le sens de la grandeur...

Elle cloua M. Lesur du regard et conclut :

— Je ne suis pas certaine que ce soit là votre qualité maîtresse !

M. Lesur blêmit et ses narines se pincèrent. Michel Borissovitch avait envie d'applaudir. Sans laisser au précepteur le temps de rassembler ses esprits, il grogna :

— Cela suffit ! Napoléon a suscité trop de discordes de son vivant pour que je lui permette d'en susciter d'autres après sa mort !

Il n'eut pas plus tôt fini de parler, qu'une idée, d'une cocasserie méchante, s'épanouit dans sa tête. Retenant le sourire qui, déjà, lui chatouillait l'intérieur des lèvres, il reprit avec sérieux :

— Je crois que vous avez raison, M. Lesur : la vocation de la France n'est pas la guerre, mais la propagation de la culture, qu'il s'agisse des lettres, des sciences, ou des arts. Vous êtes d'ailleurs un excellent exemple de ce principe, car vous êtes en Russie pour enseigner la jeunesse...

— C'est on ne peut plus vrai ! dit M. Lesur en rougissant de contentement.

— L'ennui, dit Michel Borissovitch, c'est que, maintenant, vous n'enseignez plus personne !

— Mes élèves sont trop grands ! murmura M. Lesur avec un regard d'affection vers Nicolas et Marie.

— Il faut en prendre d'autres !

L'inquiétude effaça le sourire de M. Lesur :

— Où les trouverais-je ?

— Les amateurs ne manquent pas ! J'en ai déjà un à vous proposer.

— Qui ?

— Nikita !

Ayant lancé ce nom, Michel Borissovitch observa que l'étonnement de son entourage était tel qu'il l'avait voulu. M. Lesur tremblait des bajoues.

— Vous ne parlez pas sérieusement, Monsieur ! balbutia-t-il.

— Mais si, dit Michel Borissovitch. Mon offre vous déplairait-elle ?

— Ce Nikita est un paysan...

— Un paysan serf, oui. Est-ce là ce qui vous arrête ?

— J'ai été engagé par vous pour instruire vos enfants et non vos moujiks !

— Singulière réponse pour un homme dont la mission est d'apporter la lumière à tous les esprits avides d'apprendre ! Que nous autres, Russes barbares, propriétaires fonciers à lourdes bottes, raisonnions ainsi, je le comprendrais ! Mais vous, vous un compatriote de Voltaire, de Montesquieu, de Condorcet !... Ce garçon est, paraît-il d'une intelligence remarquable. Vous baragouinez suffisamment le russe pour lui donner des leçons de calcul, d'histoire, de géographie. Quant au français...

— Je ne lui donnerai aucune leçon ! s'écria M. Lesur. Vous n'avez pas le droit de m'y obliger ! Vous passez la mesure !...

Plein d'une grosse colère de parade, Michel Borissovitch jugea le moment venu d'éclater.

— C'est vous qui passez la mesure ! hurla-t-il. Si vous refusez l'emploi que je vous propose, vous n'avez qu'à partir ! Je n'ai pas besoin dans ma maison d'un précepteur qui ne fait rien !

Comme giflé par une main pesante, M. Lesur vacilla sur ses jambes et perdit la respiration. Soudain, il glapit :

— Je m'en irai ! Je m'en irai ! Monstres que vous êtes tous !

Et il se jeta hors du salon. Marie décocha un regard de reproche à son père et courut après M. Lesur. Nicolas hésita une seconde et sortit à son tour. Sophie l'entendit qui disait, derrière la porte :

— Je vous en prie, M. Lesur, calmez-vous!... Il s'agit d'un malentendu !...

Puis les voix baissèrent. Sans doute, les deux anciens élèves de M. Lesur le suivaient-ils dans sa chambre. Sophie se tourna vers son beau-père, qui se tenait debout, les mains dans le dos, le ventre en avant. Il y avait un contraste entre la lourdeur de ce vieux visage et la malice du sourire qui jouait sur ses lèvres.

— Etes-vous satisfait de vous ? dit-elle d'une voix altérée par l'indignation.

— Cet homme vous avait manqué de respect, dit Michel Borissovitch. Il méritait que je le remette à sa place.

— Vous auriez pu le faire sans le renvoyer !

Le sourire de Michel Borissovitch s'accentua :

— Je ne l'ai pas renvoyé : c'est lui qui a décidé de partir.

— Allons donc ! En le sommant de donner des leçons à Nikita, vous saviez parfaitement qu'il aimerait mieux perdre sa situation que de vous obéir !

— Oui, mais je sais aussi qu'il n'exécutera pas sa menace. C'est un tel valet ! Vingt fois déjà il a juré de nous quitter sur une offense, et vingt fois les choses se sont arrangées ! Voulez-vous parier que, dans dix minutes, Nicolas et Marie accourront pour m'annoncer que M. Lesur, ému par leurs prières, accepte de rester parmi nous ?

— Je le méprise assez, dit Sophie, pour admettre qu'il reviendra peut-être sur sa décision, malgré l'humiliation que vous lui avez infligée. Mais, ce que je ne comprends pas, c'est que vous trouviez du plaisir à ce jeu malsain. Comment un homme de votre sang, de votre intelligence, peut-il s'amuser à torturer quelqu'un de plus faible que lui ?

Il y avait dans les reproches de Sophie tant de considération pour celui à qui elle les adressait, que Michel Borissovitch l'écoutait avec reconnaissance.

— Je ne m'amuse pas à torturer les faibles ! dit-il. Cela vient tout seul. On me heurte et je riposte. Trop fort, peut-être ! Mais quoi ? Je suis fait ainsi, j'ai du sang, du nerf, du ressort... Est-ce ma faute si ceux qui m'entourent ne sont pas de taille à lutter ? Je donne une chiquenaude, et les voilà tombant les quatre fers en l'air ! Vous me considérez comme un monstre ?

— Vous seriez tellement content si je vous répondais oui !

— Pas du tout !

— Oh ! si ! Je vous connais, père ! Vous aimez qu'on vous craigne !

— Et vous ne me craignez pas !

— Non.

— Vous êtes la seule.

— C'est possible. Dès notre première rencontre, il y a six ans, je vous avais jugé. Au lieu de m'accueillir comme votre fille, vous avez tenté de me mettre au pas, de me ridiculiser, suivant la méthode qui vous réussit avec M. Lesur.

— J'étais furieux de votre mariage ! dit-il. Et puis, je voulais voir si vous étiez d'une bonne trempe. Il faut toujours que j'essaye de plier les êtres que j'aime pour mesurer leur résistance...

Il eut un grand rire qui lui brida les yeux :

— Votre résistance, à vous, est très forte, chère Sophie. Je l'ai appris à mes dépens ! Au fond, nous nous ressemblons...

Sophie marqua sa surprise par un léger haut-le-corps.

— Evidemment, cette idée vous choque, reprit-il, parce que vous voyez en moi un vieillard autoritaire, égoïste... Mais réfléchissez bien. Oubliez ma physionomie, mon âge... Nous sommes, vous et moi, de la même race. Nous allons de l'avant. Les autres suivent...

— De quels autres parlez-vous ? demanda-t-elle.

Il fit un geste vague en direction de la porte. Touchée dans son amour-propre, Sophie balbutia :

— Nicolas a beaucoup de caractère !

— Vous trouvez ? dit Michel Borissovitch en levant ses gros sourcils gris au milieu de son front.

— Oui. Simplement, le respect qu'il éprouve pour vous le paralyse.

— Comment se fait-il que vous ne soyez pas vous-même paralysée ?

— Je ne suis pas votre fille. Je n'ai pas vécu toute mon enfance auprès de vous...

— Et vous m'êtes plus proche que si vous étiez de mon sang, dit-il d'une voix sourde.

Elle resta une seconde étourdie. Un trouble inconnu s'emparaît d'elle. La porte s'ouvrit violemment et Marie parut sur le seuil. Elle avait un visage défait par la pitié.

— Père, s'écria-t-elle, M. Lesur est en train de pleurer !

Michel Borissovitch prit le temps de revenir sur terre, poussa un soupir et grommela ironiquement :

— Pas possible ?

— Oui, c'est affreux ! Nicolas essaye de le consoler ! Peut-être accepterait-il, tout de même, de rester chez nous si vous n'exigez plus qu'il donne des leçons à Nikita ?

Michel Borissovitch posa sur Sophie un regard de connivence. Elle sourit et baissa les paupières. Un élan de bonheur le traversa.

— Mais oui, mais oui, dit-il. Je ne l'exigerai plus ! Au diable les leçons ! Qu'il reste !...

— Merci, père ! dit la jeune fille.

Michel Borissovitch fronça les sourcils :

— Va donc le prévenir. Nous passerons à table dans un quart d'heure. Et qu'il ne s'avise pas de paraître avec une tête de circonstance ou je le renvoie dans sa chambre !

Cette menace sonna d'une façon amortie, tel le grondement d'un tonnerre qui s'éloigne.

Marie s'envola et Michel Borissovitch revint à Sophie avec un visage épanoui. Sans doute espérait-il reprendre leur entretien. Mais elle balança doucement la tête, comme pour lui refuser quelque chose, bien qu'il ne lui eût rien demandé. Puis, à son tour, elle se dirigea vers la porte. Il lui coupa la route :

— Où allez-vous ?

— Rejoindre Nicolas, dit-elle.

Il y avait dans ses yeux une telle sérénité, une telle lumière, que Michel Borissovitch ne sut que répliquer et s'inclina dans un salut.

# DEUXIÈME PARTIE

## 1

La pipe entre les dents, le front entouré d'un nuage de fumée, Bachmakoff écrivait des chiffres à la craie sur le drap vert de la table de jeu. Nicolas feignait de suivre l'addition avec indifférence, mais en vérité, il était anxieux de connaître le résultat. Il n'avait que deux cent cinquante roubles sur lui et la partie de whist avait été acharnée. Son partenaire, le jeune Michel Goussliaroff, était passé à côté des meilleures occasions ; lui-même n'avait eu en main que des cartes basses. Le club lui fit subitement horreur, avec ses vieux sièges de cuir, son odeur de tabac refroidi et tous ces visages d'hommes qui flottaient dans la pénombre. Bachmakoff posa le total et le souligna d'un trait. Le morceau de craie se rompit : quatre cent quatre-vingt-seize roubles, soit deux cent quarante-huit pour chacun des deux perdants. Nicolas se donna le luxe de ne pas vérifier, jeta la somme sur la table, salua l'assemblée et sortit. L'argent gaspillé, le temps envolé, lui procuraient une impression de gâchis. Chaque fois qu'il se rendait à Pskov, c'était pour y trouver une déception. Et, cependant, il s'ennuyait tellement à Kachtanovka, qu'il ne pouvait se retenir d'aller en ville.

Dans la cour, il hésita sur le parti à prendre : rentrer directement à la maison ou se promener du côté de la foire. On était au mois d'août 1823. Le soleil flambait haut dans le ciel. Laissant son cheval à l'écurie du club, Nicolas fit quelques pas dans la rue. Une rangée de boutiques basses, aux devantures poussiéreuses, ouvrait sur un trottoir de mauvaises planches. Les enseignes de fer découpé et colorié pendaient au-dessus de la chaussée. Parfois, un marchand, barbu jusqu'au nombril, botté jusqu'au genou, se montrait sur le seuil de sa porte et conviait les passants à entrer chez lui. Nicolas connaissait par cœur tous les étalages. Des paysannes, habillées de couleurs vives, traversaient son regard sans qu'il en eût conscience. Un voisin de campagne le saluait et il soulevait son chapeau machinalement. Soudain, il avisa une calèche élégante, arrêtée devant le comptoir de tissus Pérépliouïeff et fils. Ces deux chevaux alezan aux crinières nattées, ce cocher à la barbe bifide, cette caisse peinte en damier noir et jaune... L'équipage de Daria Philippovna ! Sans doute était-elle en train de faire des emplettes. D'une seconde à l'autre, elle pouvait ressortir du magasin. La première idée de Nicolas fut de s'éloigner. Mais il demeura sur place, comme captivé par le désir de provoquer une catastrophe. Etait-ce la mélancolie de cette longue journée d'été qui le rendait si téméraire ? Il y avait plus de deux ans qu'il évitait de rencontrer la mère de Vassia ! En vérité, il l'avait assez facilement oubliée. Il fit mine de s'intéresser aux rouleaux d'étoffe qui ornaient la devanture. Derrière la vitre, dans la pénombre, bougeait une silhouette féminine aux formes plantureuses. Il reconnut Daria Philippovna sous une capeline de paille, tressée de rubans multicolores. Elle lui parut un peu plus grasse que dans son souvenir. Ayant payé ses achats, elle marcha vers la porte. Un commis la suivait, les bras chargés de paquets, le menton appuyé au sommet de la pile. « Trop tard pour battre en retraite, se dit Nicolas. Cette fois, tout est perdu ! » Et il ôta son chapeau. Elle eut un tressaillement et son visage devint un masque de porcelaine, figé dans les blancs et les roses les plus purs.

— Daria Philippovna, balbutia-t-il, permettez-moi de vous présenter... de vous présenter...

Il ne savait plus au juste ce qu'il voulait lui présenter, et elle ne semblait pas presser de l'apprendre. A l'issue d'un combat intérieur, elle sourit du bout des lèvres :

— Il y a bien longtemps que nous ne nous sommes vus, Nicolas Mikhaïlovitch.

— Ce n'est pas l'envie qui m'en a manqué, estimée Daria Philippovna ! dit-il avec élan.

Le commis s'était pétrifié, au milieu du trottoir.

— Vous avez fait des achats ! reprit Nicolas.

— Oui, pour mes filles.

— Elles vont bien ?

— Très bien.

— Tant mieux, tant mieux...

Les bras du commis pliaient sous le poids des étoffes.

— Posez tout cela dans la voiture, lui dit Daria Philippovna.

Elle allait repartir. Nicolas ne put le supporter.

— Vous rentrez chez vous ? demanda-t-il.

— Mais oui.

— Oserai-je, chère Daria Philppovna, solliciter l'honneur de vous accompagner pendant une partie du chemin ?

Elle n'avait pas perdu l'exquise faculté de rougir. Ses joues s'empourprèrent, tandis que ses yeux bleuissaient à l'ombre de ses cils.

— Vous êtes à cheval ? dit-elle faiblement.

— Oui.

— Vous pourrez donc me rattraper sur la route...

Transporté de joie, il lui baisa la main, l'aida galamment à monter en voiture et se précipita vers l'écurie du club.

Après un temps de galop, il découvrit, au loin, dans la campagne, la tache claire d'un chapeau féminin, balancé par le mouvement des roues. La calèche avançait lentement. Ayant rejoint Daria Philippovna à l'orée d'un bois de bouleaux, Nicolas mit son cheval au pas. Les branches des premiers arbres versèrent sur eux une ombre clairsemée. Nicolas devait s'incliner sur sa selle pour apercevoir un coin de visage sous la cloche de paille blonde. Il ne savait par quel bout reprendre l'entretien. Enfin, le silence accumulé le poussa comme une vague :

— Vous ne pouvez imaginer, Daria Philippovna, combien j'ai souffert de cette fâcheuse affaire, dont ni vous ni moi n'étions responsables, et qui, cependant, nous a séparés !

— J'avoue, soupira-t-elle, que, sur le moment, j'ai été profondément blessée dans mon affection maternelle.

Il se hâta de dire :

— Je le sentais si bien, que je n'osais plus me montrer à vos yeux ! Il me semblait que vous englobiez toute notre famille dans une même rancune !

— Je ne suis jamais allée jusque-là, Nicolas Mikhaïlovitch ! dit-elle. Mais, évidemment, tout ce qui venait de Kachtanovka me rappelait la tristesse, le désarroi de mon fils. Il suffisait d'un rien pour raviver ma peine. N'en parlons plus. Le temps passe, les blessures se cicatrisent, la raison reprend le dessus...

— Avez-vous de bonnes nouvelles de Vassia ? demanda-t-il.

— Excellentes ! Il se plaît beaucoup à Saint-Pétersbourg. Ses chefs sont contents de lui. Malgré mes prières, il n'est pas revenu une seule fois à Slavianka. Sans doute est-ce le souvenir de votre sœur qui l'éloigne encore du pays !...

— Je suis désolé ! bredouilla Nicolas.

Elle lui adressa un regard de paix profonde :

— Ne vous désolez pas : tout est mieux ainsi.

D'ailleurs, je ne désespère pas de ramener mon fils parmi nous. Savez-vous que j'ai acheté la terre Elaguine ? J'y fais construire un pavillon dans le goût chinois. Ce sera pour Vassia, quand il viendra en vacances, un refuge de lecture et de méditation, à l'écart des bruits de la maisonnée. Ce qu'il a toujours souhaité, en somme ! Je dois passer voir où en sont les travaux. Voulez-vous m'accompagner ?

— Avec joie ! s'écria-t-il.

Ils tournèrent dans un sentier, longèrent un étang que Nicolas déclara idyllique et se dirigèrent vers un grand bruit de scies, de haches et de marteaux. Le chantier se trouvait dans une clairière. Il y avait quelque chose de surprenant dans ces moujiks bâtissant une pagode. Le toit, retroussé sur les bords et hérissé de clochetons, n'était pas chez lui parmi les bouleaux de Russie. Entre les grêles colonnes du perron, des ornements de bois découpé affligeaient le regard par l'extrême complexité de leurs formes. Nicolas n'osait dire qu'il jugeait cette construction fort laide et se contentait de hocher la tête en murmurant :

— C'est très original !... Chaque détail est traité à ravir !...

— Je me suis servie d'un dessin que mon fils avait fait à l'âge de quinze ans ! dit-elle.

Nicolas ne s'étonna plus du résultat.

— C'était la maison de ses rêves, reprit-elle. Quand elle sera peinte de couleurs vives, elle aura encore meilleur aspect !

Le chef de chantier s'approcha de Daria Philippovna, chapeau bas, afin de lui soumettre un problème d'architecture. Nicolas admira la bienveillance pleine de fermeté dont cette femme de quarante ans usait avec les ouvriers serfs. Ses suggestions les plus légères étaient des ordres comminatoires. Tout pliait devant sa douceur. Elle emmena Nicolas à l'intérieur du pavillon, pour lui montrer l'emplacement des rayons de livres, du sofa et de la table à écrire. Il eut de la peine à évoquer son ami en jeune mandarin, mais affirma, par politesse, que le cadre prédisposait au bonheur. Touchée par ce compliment, Daria Philippovna lui offrit de passer prendre le thé chez elle. Il accepta avec l'empressement d'un assoiffé.

A Slavianka, il trouva le parc qui n'avait pas changé et les trois filles qui avaient grandi. L'aînée, Hélène, qui allait sur ses vingt ans, s'était malheureusement empâtée ; la moyenne, Nathalie, dix-huit ans, avait de jolis yeux tristes ; quant à la cadette, Euphrasie, elle était, à seize ans, d'une fraîcheur, d'une coquetterie et d'une impertinence charmantes. Son rire égayait la maison. Elle ne baissait pas les paupières sous le regard de Nicolas.

On prit le thé à l'ombre des tilleuls. Nicolas trônait, seul homme entre quatre femmes. Cette situation était agréable. Il se dit que la mère et les trois filles devaient être sevrées de visites pour être tellement attentives à ses moindres gestes, à ses moindres propos. Il les devinait habitées par son reflet, le détaillant, le retournant, l'accommodant chacune à son rêve personnel. Leur curiosité était si flatteuse, qu'il en oubliait l'heure. Daria Philippovna poussa la bonté jusqu'à lui demander des nouvelles de Marie. Emu, il répondit que sa sœur était toujours la même, se complaisant dans la mélancolie et la solitude.

— De nos jours, il est terrible pour des jeunes filles de vivre à la campagne, soupira Daria Philippovna. Qui viendra les dénicher derrière les beaux arbres qui les cachent ? Je songe à conduire les miennes à Moscou, pour la saison d'hiver.

Les trois demoiselles Volkoff rougirent et courbèrent la tête. Visiblement, il y avait longtemps qu'on leur promettait ce voyage. Puis Daria Philippovna parla à Nicolas de sa femme, dont tout le monde savait, dans la région, l'intérêt qu'elle portait aux moujiks.

— Oui, dit Nicolas, elle veut faire leur bonheur malgré eux, mais je doute qu'elle y réussisse. Le paysan russe n'aime pas être dérangé dans ses habitudes. Qu'on lui apprenne à lire ou à se laver, il se méfie ! Si on lui accordait la liberté, il hésiterait à la prendre !

— C'est pourtant cet étrange cadeau que vous comptez lui offrir, un jour prochain, avec l'assentiment du tsar ! dit Daria Philippovna en souriant.

Il comprit qu'elle était au courant de tout par son fils et n'en fut pas autrement fâché. Même les jeunes filles devaient flairer de loin le complot. Le visage de Nicolas prit une expression de gravité politique.

— Il s'agit d'un vaste projet auquel nous sommes nombreux à nous dévouer, dit-il.

La petite Euphrasie le considérait avec une admiration qui ressemblait à de l'appétit. Daria Philippovna, en revanche, était sceptique. Améliorer la condition du moujik lui paraissait aussi dangereux qu'innover en matière de religion. Elle l'expliqua avec tant de grâce, que Nicolas ne put lui en vouloir de son erreur. Les idées conservatrices faisaient partie du charme de cette femme, comme les châles de cachemire, le sens de l'organisation domestique, les grands chapeaux de paille et le goût des confitures. Il prit congé d'elle en espérant qu'elle le réinviterait.

— Venez à n'importe quel moment ! dit-elle. Je serai toujours heureuse de vous recevoir !...

Pas un mot pour convier sa femme ! Quelle intuition ! Daria Philippovna n'eût pas été de son sexe, si elle n'avait senti la sourde animosité que lui vouait Sophie. Au fond, Nicolas préférait qu'il en fut ainsi. Contrairement à ce qu'il avait cru d'abord, une amitié entre elles deux l'eût embarrassé.

En remontant à cheval, sa décision était arrêtée : il ne parlerait à Sophie ni de sa perte au jeu ni de sa rencontre avec Daria Philippovna. A moins d'abdiquer toute personnalité, un homme devait avoir quelques secrets dans sa vie.

Daria Philippovna et ses filles le regardèrent s'éloigner et revinrent vers la table, marchant à quatre de front et se tenant par la taille. La première, Euphrasie laissa éclater son sentiment :

— Ah ! qu'il est bien ! Je le trouve encore plus beau et plus distingué qu'il y a deux ans !

Ce jugement d'une fillette, qui, hier encore, jouait à la poupée, attendrit Daria Philippovna.

— Pourtant, il n'a guère changé, dit-elle avec un sourire de sérénité maternelle.

— Si, dit Nathalie. Il s'est développé, il a mûri, il fait plus homme !

— Tu as remarqué cela ? murmura Daria Philippovna, subitement inquiète.

— Mais oui, maman ! répondit Nathalie. Cela saute aux yeux !

— Moi, dit Hélène, je ne comprends pas ce que vous lui trouvez d'extraordinaire !

Heurtée par ce propos, Daria Philippovna observa sa fille aînée et lui découvrit un air obtus. Avec sa taille lourde, sa peau cireuse et son regard terne, elle n'était certainement pas qualifiée pour donner son avis sur un homme. La réponse que sa mère eût voulu lui faire, ce fut sa sœur cadette qui la lança :

— Tu n'y connais rien ! Nicolas Mikhaïlovitch est tout simplement adorable ! Si quelqu'un comme lui me demandait ma main, je n'hésiterais pas une seconde !

— Moi non plus ! renchérit Nathalie.

Daria Philippovna éprouva un malaise. Elle était étonnée que Nicolas pût séduire ainsi des gamines de seize et dix-huit ans. Cette constatation la flattait, dans la mesure où elle y voyait une justification à son propre penchant, et l'agaçait, si elle pensait que, par l'âge, son invité était plus proche de ses filles que d'elle-même.

— Vous oubliez que Nicolas Mikhaïlovitch est un homme marié ! dit-elle.

— Hélas ! non, maman, nous ne l'oublions pas ! dit Euphrasie. Autrement, tu verrais...

— Qu'est-ce que je verrais ? demanda Daria Philippovna.

Et elle se rassit à sa place, devant une tasse vide et une assiette barbouillée de confiture.

— Je ferais tellement de grâces devant lui, qu'il s'allumerait comme un tas de broussailles ! s'écria Euphrasie en enlaçant le cou de sa mère et en la baisant sur les deux joues.

Daria Philippovna se dégagea avec humeur :

— Tu es stupide !

— Il a des yeux d'un vert ! gémit Euphrasie en se laissant tomber sur une chaise, les jambes ouvertes, les bras pendants, comme épuisée.

— Verts, avec des paillettes dorées dedans ! corrigea Nathalie. Mais moi, ce que j'aime le mieux, c'est son front !

Pendant quelques secondes, Daria Philippovna, perdue dans les nuages, entendit ses filles détailler la physionomie de Nicolas. Soudain, Euphrasie tapa du doigt sur la table et décréta :

— Il ne doit pas être heureux en ménage ! Cela se voit dans son regard ! N'est-ce pas, maman ?

— Mais non ! marmonna Daria Philippovna. Enfin... je n'en sais rien...

— Il parle à peine de sa femme !

— Ce n'est pas une raison pour croire qu'il la délaisse.

— Oh ! si ! Oh ! si ! D'ailleurs, un homme comme lui ne peut pas s'entendre avec une Française !

— En tout cas, elle est très jolie ! dit Hélène en avalant une grosse cuillerée de confiture.

« Ma fille aînée est décidément une sotte ! pensa Daria Philippovna. Ou bien elle fait exprès de prendre le contre-pied de toutes mes idées ! »

— Tu manges trop de sucreries, Hélène ! dit-elle sévèrement.

— Mais, maman, j'ai encore faim !

— Si tu continues, tu deviendras énorme !

Hélène fit la moue et laissa retomber la cuiller dans l'assiette avec bruit.

— Moi, reprit Euphrasie, je trouve que cette Sophie est trop menue, trop brune...

— Dire que, si Vassia avait épousé Marie, Nicolas

Mikhaïlovitch serait notre beau-frère ! dit Nathalie sur un ton de regret.

— Il ne m'aurait pas du tout intéressé comme beau-frère ! répliqua Euphrasie. C'est comme amoureux que je l'aurais voulu ! Ah ! s'il m'avait saisie dans ses bras, emportée sur la croupe de son cheval...

La conversation s'égarait dans les enfantillages.

— Cela suffit, Mesdemoiselles ! dit Daria Philippovna.

Les jeunes filles se turent. Le soir tombait. Daria Philippovna huma le parfum de la terre chaude, s'étira, réprima un bâillement et se leva de table pour faire quelques pas à travers le parc. Euphrasie et Nathalie, qui étaient ses préférées, lui donnèrent le bras. Hélène, en robe rose, traînait par-derrière, une tranche de gâteau à la main. Des paysannes balayaient les allées. La lune parut dans le ciel bleu.

— Ah ! maman ! quelle belle soirée ! soupira Euphrasie. Tout est si calme, si pur, que j'ai envie de pleurer ! Peux-tu comprendre cela ?

— Oui, mon enfant ! dit Daria Philippovna.

Son cœur voulait s'échapper de sa poitrine. Elle se sentait brusquement des désirs de recommencer sa vie avec toutes les illusions de la jeunesse.

## 2

Il y avait une heure qu'Alexis Nikitytch Péschouroff, maréchal de la noblesse du district d'Opotchka, était enfermé avec Michel Borissovitch dans le bureau. Cette entrevue prolongée intriguait Nicolas, qui tournait dans le jardin, les mains derrière le dos, la tête basse. Plus il réfléchissait à la visite de ce petit dignitaire provincial, plus il se persuadait qu'elle était inspirée par un motif politique. L'année précédente, l'empereur, exaspéré par les échos des révolutions espagnole et napolitaine, et par les difficultés intérieures que lui créait le soulèvement des Grecs contre les Turcs, avait décidé de porter un grand coup aux « libres penseurs » de Russie en ordonnant la dissolution de toutes les sociétés secrètes, y compris les loges maçonniques. Mais les deux Unions de conspirateurs du Nord et du Sud n'avaient pas encore été inquiétées. Sans doute, le maréchal de la noblesse, alerté par une dénonciation, interrogeait-il Michel Borissovitch sur les véritables opinions de son fils. Toutes les paroles imprudentes que Nicolas avait prononcées au club, chez des amis, dans la rue, lui revinrent en mémoire. Il se traita de fou et regretta que Sophie ne fût pas auprès de lui pour partager ses craintes. C'était dans les moments graves qu'il éprouvait le plus intensément le besoin de former avec elle un couple uni. Or, elle était partie en promenade avec Marie et M. Lesur. Ils herborisaient : la nouvelle marotte de la famille !

Nicolas repassa devant la fenêtre du bureau. La conversation se tenait à voix basse. Il ne put rien entendre et se dissimula derrière un buisson. Dix minutes plus tard, une porte s'ouvrit, se referma en claquant, et, sur le perron, apparurent Michel Borissovitch et un petit homme bossu, tordu, le maréchal de la noblesse. Il était vêtu d'un habit vert sur un gilet jaune. Ses jambes arquées dessinaient un losange entre ses genoux. Une calèche l'emporta, tandis qu'il soulevait un chapeau haut de forme au-dessus de son crâne chauve. Nicolas se rassura un peu. L'affaire ne devait pas être très importante, puisque Péschouroff n'avait même pas demandé à le voir personnellement. Il décida de ne poser aucune question à son père pour ne pas éveiller ses soupçons. D'autre part, Sophie rentra si tard de promenade, qu'il eut à peine le temps d'échanger quelques mots avec elle avant de passer à table.

Pendant le souper, Michel Borissovitch parla de tout, sauf de la conversation qu'il avait eue dans l'après-midi. Ce silence sur un événement inhabituel parut à Nicolas trop concerté pour n'être pas redoutable. D'une bouchée à l'autre, il attendait le déclenchement de l'attaque. Il avalait sa première boulette de viande à la crème, quand Michel Borissovitch dit :

— Alexis Nikitytch Péschouroff m'a fait l'honneur d'une visite. Tu aurais dû venir le saluer à son départ, Nicolas !

— Je ne voulais pas vous déranger, père, murmura Nicolas en se préparant au pire.

— Avoue plutôt que cela t'ennuyait de le rencontrer ! Tu ne devineras jamais ce qu'il m'a dit ! J'en ai encore la tête à l'envers !

Il marqua une pause pour requérir l'attention de sa famille et poursuivit :

— Quelqu'un l'a chargé de me pressentir sur l'idée d'un mariage avec Marie.

Au soulagement qu'éprouva Nicolas succéda vite une nouvelle inquiétude. Il regarda sa sœur. Elle avait pâli.

— Qui est ce prétendant ? demanda Sophie.

— Je ne devrais même pas le nommer, tellement sa démarche est absurde ! dit Michel Borissovitch. Il s'agit du neveu de Péschouroff : Vladimir Karpovitch Sédoff.

Marie tressaillit et ses yeux se troublèrent.

— Sa réputation est détestable, reprit Michel Borissovitch. Il est dans les dettes jusqu'au cou et ne sait plus à qui emprunter de l'argent. Alors, il a trouvé une manière élégante de se remplumer : épouser ma fille. Mais je ne suis pas dupe. Je ne veux pas être le banquier de mon gendre. Je l'ai dit à Péschouroff. Et, finalement, il m'a donné raison. Sédoff ne remettra plus les pieds ici !

Connaissant la passion de sa belle-sœur pour Sédoff, Sophie aurait voulu s'élancer au secours de la jeune fille et ne pouvait que la plaindre en silence.

— N'ai-je pas bien fait, Marie ? demanda Michel Borissovitch.

— Si, père, dit-elle d'une voix atone.

— D'après des renseignements qui m'ont été confirmés par Péschouroff lui-même, tu es la troisième jeune fille de la région dont cet individu sollicite la main en espérant refaire sa fortune. Tu n'aurais pas voulu d'un mari pareil, hein ?

— Non, père.

— Celui qui t'épousera, j'entends qu'il te choisisse pour toi-même, et non pour mon argent. Et puis, il n'a aucune moralité. Sa maison est un tripot. Je ne serais pas étonné qu'il eût quelque vice ou quelque maladie. Enfin, quoi, je n'ai même pas jugé utile de te consulter. Tu as le temps !... Hein ? Tu as le temps !...

Il semblait à Sophie que la jeune fille était une victime liée à sa chaise, les nerfs rompus, incapable de souffrir davantage et recevant les coups sans broncher. Son père s'acharnait sur une chair depuis longtemps morte. Inconscient de sa cruauté, il cligna de l'œil et dit à son fils :

— Je connais sur ce Sédoff des histoires très piquantes. Rappelle-moi de te les raconter quand nous serons entre hommes.

La bouche de Marie se contracta légèrement. Sophie détourna la conversation en parlant des spécimens de plantes que M. Lesur avait cueillis au cours de la promenade.

Au moment du coucher, elle alla retrouver la jeune fille dans sa chambre. Marie la reçut avec dureté.

— Je suis ravie que mon père ait fait cette réponse à M. Péschouroff ! s'écria-t-elle. Pour rien au monde, je n'accepterais d'épouser un homme bassement intéressé ! Je ne l'ai pas vu depuis des siècles, et, tout à coup, il me demande en mariage ! Mieux, il envoie un émissaire pour préparer le terrain ! C'est affreux !... C'est indigne !... Et vous auriez voulu que je fusse bouleversée ?...

— Je ne l'aurais pas voulu, Marie, je l'ai craint, dit Sophie avec ménagement.

— Vous voici donc rassurée !

— Pas tout à fait. Je vous trouve bien nerveuse.

— On le serait à moins ! Je déteste qu'on s'occupe de mes affaires, de ma vie, et, chaque fois qu'un fiancé se montre à l'horizon, toute la maison est en émoi ! D'abord Vassia, puis Vladimir Karpovitch Sédoff ! J'en ai assez ! Je veux qu'on me laisse!

Il y avait sur la figure de la jeune fille un air de fierté blessée qui incitait Sophie à l'indulgence.

— Eh bien ! bonne nuit, Marie, dit-elle. Ne m'en veuillez pas d'être venue. C'était par amitié.

Changée en statue, Marie ne fit pas un mouvement pour retenir sa belle-sœur. Sophie quitta la chambre avec la certitude que, derrière la porte, la jeune fille s'écroulait en larmes sur son lit.

★

Marie retrouva sa bonne humeur, mais les promenades d'herborisation ne l'amusaient plus. Elle se reprit de passion pour le cheval. Chaque matin, accompagnée d'un piqueur, elle courait la campagne roussie par l'automne, traversait des sous-bois, sautait des haies. Les premiers temps, elle limita ses chevauchées aux frontières du domaine. Puis, sans en rien dire à personne, elle poussa plus loin. Une idée fixe la conduisait : elle voulait voir la demeure de l'homme qui avait osé la demander en mariage, alors qu'il ne l'aimait pas. Elle savait que la propriété de Sédoff se situait vers le sud, en direction d'Ostrov. C'était une région qu'elle connaissait mal. Le piqueur se renseigna dans les villages. Enfin, deux paysans consentirent à guider les voyageurs. On s'arrêta sur un monticule couronné de broussailles. Saisie d'une violente émotion, Marie découvrit, en contrebas, une bicoque de mauvaise maçonnerie, avec quatre colonnes par-devant et un amas de constructions en planches par-derrière.

— C'est Otradnoïé, la propriété de Vladimir Karpovitch Sédoff, dit l'un des paysans.

— Partons ! murmura Marie.

Et elle fit rudement tourner son cheval.

En rentrant à Kachtanovka, elle trouva, dans la cour, près de l'écurie, Nikita assis sur un tabouret. Un boulier posé sur les genoux, il s'exerçait à compter le plus vite possible. Debout derrière lui, Sophie suivait l'exercice avec attention.

— Bonne promenade ? demanda-t-elle en apercevant Marie.

— Excellente ! dit celle-ci. Et vous ?

— Nous avons cueilli quelques herbes avec M. Lesur, et, vous voyez, maintenant j'admire Nikita qui est devenu un virtuose du boulier. Quand il sera mieux entraîné encore, Nicolas pourra l'employer comme comptable.

Marie embrassa du regard sa belle-sœur, penchée avec sollicitude sur le paysan aux cheveux trop blonds et aux yeux trop bleus, serra les lèvres pour ne pas crier que ce rapprochement était ridicule, releva un pan de son amazone, et se dirigea vers la maison. Sur le perron, elle se heurta à Nicolas, qui lui demanda d'un ton désinvolte :

— As-tu vu Sophie ?

— Oui, dit Marie. Elle est dans la cour, avec Nikita.

Nicolas n'eut pas l'air surpris. Il revenait de Pskov. Sans doute y avait-il rencontré des filles. Marie était persuadée que, chaque fois qu'il se rendait en ville, c'était pour tromper sa femme avec des créatures qui se font payer. Elle reniflait sur lui l'odeur de la trahison. Et Sophie ne s'apercevait de rien ! Ou, plutôt, elle s'en moquait ! Comme lui se moquait de savoir que son épouse s'intéressait de près à l'éducation d'un moujik de vingt ans ! Et père, là-dedans, père ensorcelé par sa belle-fille, au point de ne plus aimer ses enfants ! Et M. Lesur, sa boîte de botaniste sur le ventre, collectionnant des simples et rêvant, peut-être, de composer un bouillon d'herbes empoisonnées pour supprimer toute la famille ! Et les serviteurs, les servantes, tout ce peuple subalterne qui, lui aussi, avait une tête, des jambes, des bras, du poil, un sexe ! Filles et garçons devaient s'accoupler dans les fourrés, sur les meules de foin. Ensuite, des enfants naissaient de ces chairs de femmes polluées. C'était ignoble ! Marie suffoquait de dégoût, au centre d'un monde où seules les bêtes étaient respectables. Jusqu'au soir, elle vécut à une distance incalculable de ceux qui l'entouraient et croyaient la connaître.

Trois jours de suite, elle retourna à Otradnoïé avec le piqueur. De son poste d'observation, elle voyait bien la maison, la cour. La quatrième fois, tandis qu'elle s'abîmait dans cette contemplation, les broussailles s'ouvrirent derrière elle. Vladimir Karpovitch Sédoff parut. Il était à pied, maigre, souriant, chaussé de hautes bottes, une badine à la main. En silence, il s'inclina devant la jeune fille. Elle voulut cravacher son cheval, s'élancer, partir au galop, et resta sur place, pleine de bonheur et d'effroi.

★

Depuis qu'il avait renoué des relations amicales avec Daria Philippovna, Nicolas s'était souvent rendu à Slavianka, et chaque visite lui avait laissé un souvenir plus agréable. La mère et les trois filles rivalisaient de grâce devant lui. Auprès d'elles, il goûtait la double satisfaction d'être séduit et de séduire. Mais une conversation en tête-à-tête était impossible dans cette famille nombreuse. L'abondance de biens menait à la privation. Incidemment, Daria Philippovna parlait à Nicolas des travaux du pavillon chinois qui tiraient à leur fin. Par un doux après-midi d'octobre, il fit un crochet en revenant de Pskov, pour voir les progrès de la construction.

Dans la clairière se dressait une pagode fraîchement peinte. Le toit était rouge avec des nervures jaunes, les murs jaunes, le tour des fenêtres bleu. Les yeux blessés par cette explosion de couleur, Nicolas descendit de cheval et s'avança vers deux moujiks qui badigeonnaient les soubassements de la maisonnette.

— Eh bien ! les gars, dit-il, on donne les derniers coups de pinceau ?

— Oui, barine ! Après, il n'y aura plus qu'à faire venir le pope avec de l'eau bénite. Mais il aura beau tout asperger, comment voulez-vous que ces murs deviennent orthodoxes ? C'est bon pour des Chinois d'habiter dans des cages pareilles !

Nicolas éclata de rire, leva la tête et se tut, touché par la joie, en découvrant un visage féminin dans le cadre d'une croisée. Une seconde plus tard, il était dans la pièce principale devant Daria Philippovna, qui lui tendait les deux mains. Dans un coin, s'amoncelaient des chaises, des guéridons et des vases baroques. Un large sofa était poussé contre le mur.

— Quelle surprise ! dit Daria Philippovna.

— Je passais, balbutia Nicolas. J'ai voulu voir. Vous êtes déjà en train d'installer la maison ?...

— Je commence à peine...

Il chercha du regard les trois filles inséparables de leur mère et, finalement, demanda :

— Vous êtes seule ?

— Oui, chuchota-t-elle.

Nicolas fut saisi d'une crainte plaisante. Avec lenteur, Daria Philippovna s'assit sur le coin du sofa. Sa robe n'était qu'un semis de pâquerettes, de pavots et de bleuets sur fond rose. Hors de cette floraison champêtre, émergeaient deux forts bras nus et le haut d'une gorge opulente.

— Vous allez me donner des idées pour l'ameublement, dit-elle.

— Je ne suis guère qualifié !

— Oh ! si ! Je sens que vous avez un goût qui s'accorde avec le mien !

— Vous me flattez, chère Philippovna !

— Moins que vous ne le méritez, estimé Nicolas Mikhaïlovitch !

Nicolas était toujours debout devant elle, les yeux fixés sur la chair blonde et ferme de sa poitrine que bordait un petit volant. Tandis qu'il l'observait ainsi, des idées incohérentes lui traversaient la tête : il revoyait Paris, sa maîtresse Delphine enlevant son chapeau devant la glace, un camarade tué au combat, l'empereur à cheval assistant au défilé des troupes victorieuses, et, plus ces images paraissaient éloignées de la situation présente, plus il les sentait nécessaires à l'apaisement de ses scrupules. C'était comme si tout son passé de conquête se fût rappelé à lui pour justifier sa tentative. Enveloppé par un souffle d'épopée, il redevenait le Nicolas de jadis, irrésistible et irresponsable. D'ailleurs, il y avait des circonstances où un honnête homme ne pouvait reculer devant la faute. Feindre de ne pas remarquer le trouble de Daria Philippovna eût été une incorrection. Le remarquer et ne pas lui rendre hommage eût été plus impoli encore. Elle se leva et dit :

— Aidez-moi à placer ce guéridon devant la fenêtre !

Elle lui parlait de si près, qu'il respirait son haleine sans entendre ses mots.

— Vous voulez bien ? reprit-elle.

Cette prière le bouleversa. Le meuble était léger, mais ils se mirent à deux pour le transporter, comme s'il eût pesé cent livres. Pendant le trajet, leurs mains se touchèrent. Daria Philippovna ne retira pas la sienne. Lorsque le guéridon fut posé, elle révulsa les prunelles, ouvrit une bouche d'agonisante et soupira :

— Dieu tout-puissant, que se passe-t-il ?

Nicolas comprit que la parole était à lui. Il eût voulu perdre la raison et n'y parvenait pas. Au lieu de se consacrer entièrement à Daria Philippovna, il était obsédé par le souci de ne plus penser à Sophie. Il la chassait de sa tête. Elle y revenait toujours par quelque biais.

— Que se passe-t-il ? répéta Daria Philippovna d'une voix où perçait l'impatience.

Nicolas vit l'instant où cette femme le prendrait pour un maladroit. Son orgueil l'emporta dans un mouvement implacable. Il baisa Daria Philippovna sur la bouche. Elle poussa un cri apeuré et se jeta contre la poitrine de son suborneur. Il recommença avec plus de plaisir, car les lèvres de Daria Philippovna étaient douces.

— Fous, nous sommes fous ! gémit-elle. Les ouvriers peuvent nous voir !... Il n'y a pas de rideaux aux fenêtres !... Partez, Nicolas Mikhaïlovitch, mon ange !... Jurez-moi que vous m'aimez et partez !...

Nicolas fut à la fois déçu et soulagé par cette mise en demeure. Sa chair restait inassouvie, mais sa conscience s'apaisait. La plus élémentaire courtoisie l'obligeait à un sursaut de protestation.

— Je ne partirai, s'écria-t-il, que si vous me dites quand nous pourrons nous revoir !

— Ah ! mon Dieu ! vous êtes terrible, mon ange !... Vous connaissez ma vie... Il m'est difficile de m'évader... Venez ici samedi prochain... Si vous voyez un pot de géranium au bord de la fenêtre, c'est que je serai seule et prête à vous recevoir !... Sinon, représentez-vous lundi à la même heure.

Des pas retentirent derrière la porte. Les ouvriers travaillaient maintenant sur le perron. Une odeur de peinture s'insinua dans la pièce. Daria Philippovna se dressa sur la pointe des pieds, comme si elle eût été une petite femme, mais ce mouvement la fit aussi grande que Nicolas. Elle avait la même expression engageante que lorsqu'elle lui offrait des confitures. Il mit plus de fougue encore dans cette dernière étreinte.

— Que Dieu vous garde, mon ange ! dit-elle en se séparant de lui, la bouche meurtrie et des larmes de joie dans les yeux.

Cette pieuse incantation ne suffit pas à dissiper le malaise de Nicolas, pendant qu'il remontait à cheval. A mesure qu'il s'éloignait du pavillon chinois, son aventure lui paraissait plus stupide. Sans méconnaître les charmes de Daria Philippovna, il ne l'aimait pas assez, songeait-il, pour accepter les risques d'une véritable liaison. L'impression d'avoir trahi la confiance de Sophie le tourmentait. Et pourtant, il ne s'agissait encore que de simples baisers. Qu'adviendrait-il si les événements suivaient leur cours naturel ? En tout état de cause, Daria Philippovna ne serait pour lui qu'une distraction. Jamais il ne lui donnerait le meilleur de son âme. Il le jurait ! Du reste, il n'était pas sûr de se rendre samedi au pavillon chinois. Peut-être n'y retournerait-il que pour proposer à Daria Philippovna de redevenir des amis ? Elle était femme d'honneur, elle comprendrait. Il y aurait de la noblesse dans leur refus de consommer la faute tout en continuant à se voir.

Porté par ces rêveries, Nicolas se retrouva debout, sur un tapis de feuilles mortes, devant le perron à colonnettes blanches de la maison. Il regarda les lampes qui brillaient aux fenêtres du rez-de-chaussée, et toutes les pensées accessoires s'envolèrent de son esprit. Soudain, il ne fut plus préoccupé que de la façon dont il rencontrerait Sophie. Douée d'une faculté d'observation extraordinaire, ne décélerait-elle pas, du premier coup d'œil, qu'il avait embrassé une femme ?

La famille était réunie au salon. Sophie et Michel Borissovitch jouaient aux échecs en attendant l'heure du souper. Marie lisait un journal de modes. M. Lesur feuilletait son herbier. La voix de Nicolas sonna faux à ses propres oreilles, tandis qu'il s'excusait d'avoir été retenu au club. Mais nul ne s'aperçut de son embarras. Sophie lui tendit le front et il l'effleura d'une bouche respectueuse. Comme il l'aimait à cette minute ! Comme il souhaitait qu'elle fût toujours heureuse ! Il eut envie de se jeter à ses pieds, d'étreindre ses genoux, pour la remercier d'être à la fois si belle et si peu méfiante !

## 3

A huit heures et demie du matin, Marie n'était toujours pas descendue de sa chambre, et Michel Borissovitch, irrité par ce retard, ordonnait de ne plus attendre pour servir le petit déjeuner. Ayant avalé une tasse de thé, Sophie laissa son beau-père avec Nicolas et M. Lesur, et alla prévenir la jeune fille de hâter sa toilette. Le sommeil de Marie devait être profond, car elle ne répondit pas aux coups frappés à sa porte. Sophie poussa le battant. Personne dans la chambre. Le lit n'avait pas été défait de la veille. L'armoire béante, les tiroirs de la commode à demi ouverts, des vêtements jetés pêle-mêle sur les chaises témoignaient d'une fuite précipitée. Sur l'oreiller, était épinglée une lettre : « Pour Sophie. » Elle décacheta le pli et lut avec consternation :

« Je suis allée rejoindre l'homme que j'aime et dont personne ici ne reconnaît les qualités. Avec lui, je serai sans doute malheureuse, mais, du moins, ma vie aura un sens. Tâchez de l'expliquer à mon père, puisque vous avez le don de le convaincre. Et, surtout, n'essayez pas de me revoir. Je ne veux plus rien avoir de commun avec mon passé. Cela ne m'empêchera pas de garder de vous un affectueux souvenir. Adieu. — MARIE. »

La stupéfaction de la jeune femme fut de courte durée. L'événement était trop grave pour qu'elle perdît du temps à chercher comment il s'était produit. Il importait de retrouver Marie et de la ramener à Kachtanovka avant que quiconque, dans la maison, eût remarqué sa fugue. N'y eût-il qu'une chance sur cent de réussite, Sophie était décidée à l'action. Le visage calme, elle sortit de la chambre, ferma la porte à double tour, cacha la clef avec la lettre dans son corsage, et retourna dans la salle à manger pour annoncer que Marie était souffrante et qu'il fallait la laisser reposer. Son air à la fois mystérieux et pudique fit supposer aux hommes qu'il s'agissait d'un malaise féminin et ni Michel Borissovitch ni Nicolas n'osèrent demander d'autres explications. Ensuite, elle se rendit aux écuries et interrogea les palefreniers. L'un deux, pleurant et se signant, reconnut que la jeune barynia l'avait éveillé à quatre heures du matin pour faire seller son cheval. Un piqueur avoua qu'un jour elle lui avait ordonné de la conduire jusqu'à Otradnoïé, le domaine de Vladimir Karpovitch Sédoff.

— Eh bien ! tu m'y conduiras aussi ! dit Sophie. Et tout de suite !

Elle allait monter en calèche, quand Nicolas, croyant qu'elle partait pour une promenade, s'offrit à l'accompagner. Depuis quelques jours, il était avec elle d'une prévenance émouvante. Elle dut se forcer pour lui répondre que, ce matin, elle voulait rester seule. Il se résigna sans lui poser la moindre question. On eût dit qu'il avait quelque chose à se reprocher.

— Va, dit-il tristement, mais ne rentre pas trop tard !

Il demeura sur le perron à regarder s'éloigner la voiture, escortée par un piqueur.

Incapable de s'intéresser au paysage, Sophie concentrait son attention sur le combat qu'elle aurait à livrer contre Marie et Sédoff. Elle récapitulait ses arguments, tentait de deviner ceux de l'adversaire et refusait d'admettre la possibilité d'un échec. Pourtant, lorsque la calèche se rangea devant la maison d'Otradnoïé, elle eut l'impression d'avoir raisonné dans le vide et que rien ne se passerait comme elle l'avait prévu.

Une jolie fille, coiffée d'un fichu rouge, l'accueillit sur le perron. Sophie se remémora ce que les voisins racontaient au sujet des paysannes de Sédoff. Celle-ci, tout sourire, introduisit la visiteuse dans un salon et annonça qu'elle allait prévenir le maître. « Et s'il prétend que Marie n'est pas auprès de lui, se demanda Sophie, que vais-je faire ? » Elle arrêta la domestique :

— Je voudrais parler d'abord à Marie Mikhaïlovna Ozareff.

— Je ne sais pas qui c'est, murmura la fille.

— Une personne qui est arrivée ici, ce matin.

— On ne m'a rien dit de ça !

Evidemment, elle obéissait à une consigne. Sophie n'insista plus et la fille se retira en roulant des hanches. Un collier en perles de verre tintait autour de son cou. Restée seule, Sophie inspecta les lieux. Des meubles d'acajou donnaient à la pièce l'aspect d'une cabine de bateau, comme pour rappeler que Vladimir Karpovitch Sédoff était un officier de marine en retraite. Pas un fauteuil ne tenait droit sur ses pattes. Les rideaux de filet jaune étaient effrangés par le bas. Aux murs s'alignaient des estampes représentant une mer démontée, un naufrage, une bataille, des navires dans un port. Un modèle réduit de trois-mâts voguait, toutes voiles dehors, sous un globe de verre. Sophie admirait les détails de cet ouvrage, quand Vladimir Karpovitch Sédoff entra. Il avait un air dégagé qui ressemblait à de l'insolence.

— Je suppose que vous voulez voir Marie, dit-il. Elle se prépare, elle sera là dans un instant.

Et il invita Sophie à s'asseoir. Elle se maîtrisait mal, devant ce personnage trop sûr de ses moyens.

— Ce que vous avez fait est indigne, Monsieur ! dit-elle. Vous n'aviez pas le droit d'user de votre pouvoir sur Marie pour l'attirer chez vous, la brouiller avec son père et la perdre de réputation aux yeux de tout le voisinage !

— Vos reproches seraient mérités, Madame, répliqua Sédoff, si j'avais organisé cette escapade. Mais j'ai été le premier surpris de voir arriver votre belle-sœur, à l'aube, dans ma maison.

— Ne me dites pas qu'elle n'était jamais venue auparavant !

— Elle m'avait fait trois ou quatre visites amicales, mais sans me laisser entendre qu'elle comptait s'installer chez moi.

Les doigts de Sophie se crispèrent sur les accoudoirs de son fauteuil.

— Vous mentez ! dit-elle.

— Cela pourrait, en effet, paraître invraisemblable à quelqu'un qui connaîtrait peu Marie, mais vous n'êtes pas sans savoir qu'elle est capable d'un coup de tête. Devais-je la renvoyer dans sa famille, elle qui avait couru tant de risques par amour pour moi ? Car elle m'aime, Madame, vous semblez oublier ce détail !

— Et vous, Monsieur, l'aimez-vous ? demanda Sophie avec violence.

— Mais oui, dit-il. Sinon elle ne serait pas ici.

— Quelles sont vos intentions ?

— Je vais l'épouser.

— Après l'avoir déshonorée !

— Je suis homme de parole. Je respecterai Marie jusqu'au jour où elle sera devenue ma femme par-devant Dieu.

— Ce mariage ne pourrait avoir lieu, vous le savez, que contre la volonté de son père !

Sédoff eut un sourire sarcastique :

— Dans ce genre d'affaires, un refus n'est jamais définitif.

Sophie entrevit une chance de salut et s'écria :

— Laissez repartir Marie avec moi. J'essayerai de gagner mon beau-père à votre cause. Ainsi, du moins, éviterons-nous le scandale. Le mariage se passera normalement...

Il y eut un long silence. Puis Sédoff dit d'une voix posée :

— Je ne tomberai pas dans le piège, Madame ! Tant que Marie restera près de moi, j'aurai un atout contre Michel Borissovitch, je pourrai menacer, exiger...

— Quoi ?

Les yeux de Sédoff se plissèrent :

— Qu'il m'accorde la main de sa fille, avec tous les avantages que comporte une telle alliance.

— Vous avouez donc que vous voulez épouser ma belle-sœur pour son argent ? gronda Sophie.

— Je n'ai pas dit cela !

— Si ! Votre amour est fait de dettes à rembourser ! Ce n'est pas votre passion qui vous talonne, mais la crainte des prochaines échéances !

— Depuis quand l'intérêt et le sentiment sont-ils inconciliables ? Pour ma part, je ne fais pas mystère que les deux aspects du problème me semblent aussi séduisants !

— Et Marie se figure...

— Elle ne se figure rien. Elle sait !

Un pas se rapprochait. La porte s'ouvrit avec décision. Marie parut sur le seuil. Son amazone noire accusait la pâleur de ses traits. L'émotion altéra son visage, lorsqu'elle vit Sophie. Un instant, celle-ci put croire que la jeune fille allait tomber dans ses bras. Mais, déjà, Marie imprimait à sa bouche un dessin volontaire.

— C'est mon père qui vous envoie ? demanda-t-elle.

— Votre père ne sait même pas que vous vous êtes enfuie, dit Sophie. J'ai affirmé à tout le monde que vous étiez retenue à la chambre par un malaise. Si vous revenez avec moi, nous éviterons le pire, j'arrangerai tout... Faites-moi confiance...

— Où voulez-vous que j'aille ? dit Marie avec dignité. Ma maison est ici.

— Attendez d'être mariée pour parler de la sorte !
— Je suis déjà mariée dans mon cœur.
— Je vous croyais plus soucieuse des sacrements de l'Eglise !
— Dieu me voit et m'approuve !
— Et votre père ?
— Il m'a si gravement offensée en repoussant Vladimir Karpovitch, que je ne veux plus entendre parler de lui. Je n'ai besoin ni de son consentement, ni de son affection, ni de son argent pour être heureuse !
Sophie jeta un regard sur Sédoff. Il éclata de rire :
— Notre chère Marie est une idéaliste !
— Je ne doute pas que vous lui ôtiez rapidement ses illusions ! dit Sophie en se levant.
— Il le faudra bien, dit Sédoff. La pureté n'est pas nourrissante. Quelle que soit l'humeur de mon futur beau-père, il ne pourra indéfiniment renier sa fille. Après quelques jours de colère, il mettra un point d'honneur à nous aider. Surtout si, comme je l'espère, nous lui donnons de petits enfants...
Il semblait jouer à se rendre odieux. Sa figure portait les plis de la méchanceté et de la ruse.
— De beaux petits enfants, reprit-il en enlaçant la taille de Marie.
Elle s'enflamma de honte. Sa bouche se taisait, mais ses yeux dilatés criaient qu'elle avait peur de s'être trompée, que cet homme lui répugnait et la subjuguait à la fois, qu'elle n'avait plus de volonté, plus de fierté, plus d'espoir, qu'elle tombait dans un gouffre. Emue par cette détresse muette, Sophie balbutia :
— N'avez-vous pas compris, Marie ? Votre place n'est pas ici ! Je vous emmène ! Partons, partons vite ! C'est votre dernière chance !...
Marie s'appuya de plus près à l'épaule de Sédoff et baissa la tête. On lui ouvrait la porte de la prison et elle refusait de sortir.

— Entendez-vous ce que vous dit votre belle-sœur ? demanda Sédoff, du même ton qu'il eût parlé à une fillette retardée.

— Oui, Vladimir, dit-elle.

— Que lui répondez-vous ?

— Qu'elle s'en aille !

Sédoff eut un sourire modeste :

— Vous pourriez le lui suggérer plus aimablement. Elle vous a donné une grande preuve d'affection en accourant sur l'heure. Au reste, j'espère qu'elle est convaincue maintenant de la profondeur et de la fermeté de nos intentions.

— En effet, dit Sophie. Je ne regrette pas ma visite.

— Faites-nous donc le plaisir de revenir souvent, dit Sédoff. Vous seule pouvez apaiser la querelle, peut-être même réconcilier les parties. Songez que notre petite Marie ne sera pas heureuse, tant que sa famille s'obstinera à la rejeter.

— Mais si, Vladimir, marmonna Marie.

— Taisez-vous, mon enfant. Votre orgueil vous rendrait sotte, dit Sédoff.

Et il effleura, du bout des lèvres, les doigts inertes de Marie. Elle glissa à Sophie un regard de pauvre vanité, qui semblait dire : « Vous voyez, il me baise la main, comme à une femme ! »

Sophie se sentit impuissante à remuer cette montagne d'amour, d'entêtement, d'innocence et de servilité. L'altière Marie voulait être esclave. Il fallait l'abandonner aux étranges délices de la soumission. Un rire de fille éclata dans le corridor. Des pieds nus détalèrent. Sédoff fronça les sourcils.

— Au revoir, Marie, dit Sophie. Je parlerai à votre père. Son indignation l'aidera, je l'espère, à surmonter son chagrin.

— Mais oui, c'est cela, faites pour le mieux, dit Sédoff. Et n'oubliez pas que nous comptons sur vous le jour de notre mariage. Marie vous écrira pour vous indiquer la date.

Tenant Marie enlacée, il accompagna Sophie jusqu'au perron. Le cocher et le piqueur écarquillèrent les yeux en voyant leur jeune maîtresse dans les bras d'un homme. D'étonnement, ils oublièrent de la saluer.

★

Sophie avait mal calculé son temps. Quand elle arriva à Kachtanovka, l'heure du dîner était déjà passée. Michel Borissovitch, furieux, avait refusé de se mettre à table, et Nicolas, pris de soupçon, avait forcé la porte de sa sœur. Sophie les entraîna tous deux dans le bureau pour leur expliquer la disparition de la jeune fille. Pendant le récit, Michel Borissovitch garda un visage impénétrable. Ce fut seulement lorsque sa bru prononça le mot de mariage qu'il s'éveilla de l'hébétude. On eût dit qu'une vapeur de sang lui gonflait la figure. Ses yeux s'injectèrent, des marbrures mauves apparurent sur ses joues, il hurla :

— Jamais ! Jamais je ne donnerai mon consentement !

— Je crois qu'elle est résolue à s'en passer ! dit Sophie.

— Ah ! oui ? Eh bien ! si elle l'épouse quand même, elle n'aura pas un kopeck de moi ! Je ne suis pas de ceux qu'on fait chanter sous la menace ! Cette canaille de Sédoff l'apprendra à ses dépens ! Il se retrouvera avec une femme qu'il n'aime pas sur les bras et rien pour faire bouillir la marmite !

— Que ce mariage vous contrarie, père, je le comprends, dit Sophie. Mais, du moment que Marie aime cet homme...

— Elle ne l'aime pas ! Elle a couru vers lui comme une chienne en chasse !

— Parce qu'elle ne pouvait plus le rencontrer normalement après votre refus.

— J'aurai donc dû, d'après vous, me prêter à la sale manœuvre de ce croqueur de dot ?

— Vous auriez dû consulter votre fille avant de décider quoi que ce soit !

Michel Borissovitch dit avec une lenteur terrible :

— En Russie, jusqu'à nouvel ordre, ce ne sont pas les enfants mais les parents qui détiennent le privilège de la sagesse et de l'autorité !

— C'est vrai, dit Nicolas. Mais si Marie a commis une erreur, une folie, elle n'est pas une criminelle. Laissez-lui la chance de se repentir, de se racheter, de revenir parmi nous !

Michel Borissovitch balaya l'air, devant lui, du tranchant de la main :

— Non ! non ! Elle m'a désobéi, elle m'a déshonoré ! Mariée ou non, elle ne franchira plus le seuil de cette maison ! Si je la rencontre, je lui cracherai au visage ! Quant à son suborneur, qu'il ne s'avise pas de s'aventurer sur mes terres ! Dès ce soir, je vais donner l'ordre à mes gens de lui tirer dessus, à vue !...

Un silence glacé lui répondit. Michel Borissovitch regarda son fils, sa bru, et constata que tous deux réprouvaient son emportement. Alors, une lueur de méfiance passa dans ses prunelles. Baissant le ton, il dit :

— Qu'avez-vous à me dévisager de cette façon ? Seriez-vous avec elle contre moi, par hasard ? J'entends que vous rompiez toute relation avec cette drôlesse !

— Non, père, dit Sophie tranquillement. Si elle épouse Sédoff, j'irai à son mariage.

— Moi aussi, dit Nicolas.

Michel Borissovitch se dressa derrière son bureau et avança la tête dans un mouvement de tortue :

— Votre présence à cette cérémonie serait insultante pour moi ! Aux yeux de tout le monde cela signifierait que vous donnez raison à Marie !

— Est-ce donner raison à quelqu'un que prier pour lui à l'église ? dit Nicolas.

— Elle ne mérite pas qu'on prie pour elle ! rugit Michel Borissovitch.

— Vous ne parlez pas en chrétien ! Malgré toute votre rancune contre ma sœur, vous devriez souhaiter qu'elle soit heureuse !

— Non seulement je ne le souhaite pas, mais j'espère qu'elle payera très cher l'audace d'avoir passé outre à ma volonté !

— N'aviez-vous pas pensé la même chose de Nicolas quand il m'a épousée sans votre accord ? demanda Sophie d'une voix douce.

Michel Borissovitch s'arrêta net dans son élan et le passé aveugla ses yeux.

— Convenez que vous avez eu tort et que, malgré vos craintes, nous formons un ménage heureux, reprit Sophie. Le temps arrangera tout pour Marie comme pour nous, peut-être...

Immobile, Michel Borissovitch mesurait l'ampleur de sa solitude. La femme qui lui rabattait les idées était celle pour qui, justement, il avait le plus de tendresse et le plus de respect. Il eut peur de ne pouvoir, désormais, compter sur personne. Tous les siens le lâchaient. La fureur le ressaisit et il tapa du plat de la main sur la table.

— Vous n'auriez pas dû me rappeler cela, Sophie, dit-il. C'est exact ! Je n'ai que deux enfants et tous les deux se sont insurgés contre moi ! Tous les deux ont fait leur vie comme ils l'entendaient ! Pour tous les deux, je n'ai été qu'un vieux sot, facile à retourner, à berner !...

Emporté par les mots, il sentit qu'il dépassait le but : Sophie pouvait croire qu'il la mettait dans le même sac que l'affreux Sédoff. Ne sachant comment se corriger, il balbutia :

— Vous comprenez ce que je veux dire, Sophie ? Vous-même n'êtes pas en cause, mais enfin, avouez que la fille après le fils... c'est beaucoup !... c'est trop !...

— Oui, père.

— J'existe encore !...

— Certainement.

Il se tut, la poitrine oppressée. Son émotion était

si forte que, pour l'apaiser, il se dirigea vers l'icône et joignit les mains. Le soir tombait. Le vent d'automne soufflait autour de la maison et jetait des grappes de pluie aux carreaux. Nicolas se rappela soudain qu'on était samedi et que Daria Philippovna l'attendait, depuis trois heures de l'après-midi, au pavillon chinois. Bouleversé par la fuite de sa sœur, il avait oublié son rendez-vous. Maintenant, il était trop tard ! Elle avait dû repartir, pleine de tristesse et de rancune. « Quel ennui ! », se dit-il sans conviction. Au fond, ce contretemps l'arrangeait. Fidèle malgré lui, il goûtait le plaisir d'un triomphe moral à bon compte. Il se promit de ne plus revoir Daria Philippovna avant quelques semaines, peut-être quelques mois... Pour affermir sa décision, il regarda Sophie avec l'élan d'une conscience pure. Mais elle n'avait d'yeux que pour son beau-père. Agenouillé devant l'image sainte, Michel Borissovitch marmonnait, soupirait, se signait. Enfin, il revint à son bureau, s'assit lourdement et tendit dans la pénombre un visage las. Sophie supposa que la prière avait fait son œuvre et qu'il pardonnait à Marie sans l'avouer encore. Il prit un coupe-papier, l'examina de près et dit brusquement :

— Mes idées, à présent, sont tout à fait claires. Je n'ai plus de fille. Je ne veux même pas savoir ce que deviendra celle qui prétend à ce titre. Mais, bien entendu, je ne vous empêche pas de la fréquenter. Vous pouvez aller à son mariage et même à son enterrement ! Quant à moi, je ne me dérangerai ni pour l'une ni pour l'autre de ces cérémonies !

Ces paroles résonnèrent dans la pièce comme une sentence de mort. Entre les paupières de Michel Borissovitch brillait un regard de froide férocité. Sophie comprit qu'il resterait sur cette position d'orgueil.

— Je vous plains, père, dit-elle.

Et elle fit signe à Nicolas de la suivre hors du bureau.

# 4

Peu avant la Noël, un parent de Kostia, de passage à Pskov, remit à Nicolas des brochures françaises qui avaient pénétré en Russie sans éveiller les soupçons des autorités. Il y avait, dans le tas, plusieurs ouvrages du comte Claude-Henri de Saint-Simon, dont le nom aristocratique avait dû abuser les censeurs. Nicolas se jeta avec ivresse dans la philosophie de cet homme généreux, qui, après avoir parcouru le monde, prétendait améliorer par la science le sort de l'humanité et surtout de sa classe la plus nombreuse et la plus pauvre. Réorganiser la société en prenant le travail pour fondement de toute hiérarchie ; proscrire l'oisiveté comme un crime contre la nature ; donner la direction du pays à une élite composée de savants, d'artistes et d'industriels ; réformer la famille et la propriété ; toutes ces théories, Nicolas s'efforçait de les adapter à la réalité russe ! Excité par son sujet, il tenta même de bâtir une constitution. Mais les principes s'enchaînaient mal. Sophie avait raison : il était difficile d'aligner sous une même Loi des êtres aussi différents que les moujiks, les bourgeois, les militaires, les propriétaires fonciers et les nobles. Il eut une grande conversation avec elle à ce propos. Elle lui confessa qu'elle était déroutée par l'esprit du peuple russe, dont les mille contradictions devaient compliquer la tâche d'un gouvernement, qu'il fût autocratique ou républicain.

— Au fond, dit-elle, j'ai l'impression que les paysages que vous voyez autour de vous influent sur votre façon d'être. Ces plaines uniformes, couvertes de neige pendant la moitié de l'année, ce ciel gris, ces vastes solitudes, plongent votre âme dans une rêverie apathique. Pour conjurer ce mal, vous êtes forcés de recourir à des sensations vivifiantes : les alternatives du jeu, l'agitation de la danse, le rythme saccadé des chansons, le fracas des réunions mondaines, la chaleur des discussions amicales, les plaisirs de la table, la vélocité des traîneaux, la flamme des amours, tout ce qui peut rompre la monotonie d'une existence captive devient pour vous un besoin irrésistible !

Il rit de cette peinture française du caractère slave, mais avoua que certains traits étaient bien observés. Comme pour encourager Sophie dans son opinion sur la mystérieuse exaltation des Russes, elle reçut, peu après, une lettre enthousiaste de Marie, annonçant que son mariage était fixé au 8 janvier 1824, qu'elle espérait la présence de son frère et de sa belle-sœur à la cérémonie et qu'elle avait écrit à son père pour implorer une dernière fois son pardon.

Interrogé par Sophie, Michel Borissovitch reconnut avoir déchiré le billet que lui avait envoyé sa fille sans prendre la peine de le lire. Malgré ce que Nicolas et Sophie lui avaient déclaré, il était sûr qu'ils n'iraient pas à Otradnoïé. En apprenant qu'ils s'obstinaient dans leur décision, il se vexa. Lorsque M. Lesur exprima le désir de les accompagner, il le lui interdit formellement : « Peu m'importe que ma fille soit majeure ! dit-il. Nul dans le district n'ignore que ce mariage a lieu sans mon consentement ! Je ferai relever le nom de toutes les personnes présentes dans l'église et, de la sorte, je saurai quels sont mes ennemis ! » Epouvanté, M. Lesur regretta d'avoir formulé sa demande et, pour se réhabiliter, redoubla de critiques contre « la malheureuse enfant qui avait déserté le foyer paternel ». Là encore, son zèle se retourna contre lui. « Qui vous autorise à prendre parti dans cette affaire ? lui dit Michel Borissovitch. Le fait que vous mangiez à notre table ne signifie pas que vous soyez de notre famille ! »

A mesure que la date de l'événement approchait, la maison s'enfonçait plus profondément dans le silence. Par un commun accord, personne, à Kachtanovka, ne parlait de Marie. Elle était comme morte. Le visage de Michel Borissovitch était tantôt celui du deuil, tantôt celui de la fureur rentrée. La veille du mariage, Nicolas lui demanda la permission d'emporter l'icône familiale pour bénir Marie, selon la coutume, avant son départ pour l'église.

— Cette icône ne bougera pas de son coin ! dit Michel Borissovitch. Ta sœur, étant devenue pour moi une étrangère, n'a pas droit à la protection de la sainte image qui règne sur notre foyer. Il doit y avoir une icône quelconque chez son suborneur. Ce sera assez bon pour elle !

Le lendemain, dès l'aube, Sophie et Nicolas se préparèrent à partir. Levé en même temps qu'eux, Michel Borissovitch se retint pour ne pas les suivre dans leurs allées et venues à travers la maison. Il était partagé entre la colère de les voir se rendre, contre sa volonté, au mariage, et une curiosité haineuse pour ce qu'ils découvriraient là-bas. Il eût payé cher pour apprendre, à leur retour, que sa fille était triste, que Sédoff n'avait pu organiser de réception, faute d'argent, que les toilettes étaient laides, que le chœur chantait faux... Les serviteurs qui, tous, étaient au courant du scandale, évitaient le regard du maître et se transformaient en ombres sur son passage. Dans un coin de l'office, Vassilissa pleurait, parce que l'enfant dont elle avait guidé les premiers pas se mariait au loin par désobéissance. Elle remit à Sophie une nappe qu'elle avait brodée en cachette. Nikita et Antipe donnèrent eux aussi de petits cadeaux pour Marie : cuillers et timbales de bois colorié, couronnes de rubans. Sophie dissimula les présents dans un sac de voyage, par crainte que son beau-père ne s'en saisît. Il avait résolu de ne pas se montrer au moment où son fils et sa bru quitteraient la maison, mais l'épreuve se révéla au-dessus de ses forces. Il les rejoignit dans le vestibule. Son air détaché semblait dire qu'il se trouvait là par hasard.

— Une chose est certaine, grommela-t-il : le temps est exécrable. L'aurait-on commandé au diable qu'on ne serait pas mieux servi !

Il se frottait les mains avec une gaieté frileuse et lorgnait la neige qui tombait par rafales derrière les colonnes du perron. Nicolas et Sophie se couvrirent de manteaux fourrés, chaussèrent des bottes de feutre et se dirigèrent vers la porte.

— Ne puis-je vraiment rien dire de votre part à Marie ? demanda Nicolas, sur le seuil.

Les yeux de Michel Borissovitch se chargèrent d'ombre, comme si une visière se fût abaissée sur son front. Sans répondre, il tourna les talons et rentra dans son cabinet de travail. Quand le traîneau s'ébranla, Sophie vit la silhouette de son beau-père se profiler derrière les carreaux voilés de givre. Ce qu'il y avait d'excessif dans ce caractère la passionnait ; elle découvrait, en l'étudiant, des profondeurs effrayantes, attirantes...

Après un voyage pénible dans la neige, Nicolas et Sophie trouvèrent à Otradnoïé une demeure surchauffée où se bousculaient des servantes. Pour respecter les convenances, Vladimir Karpovitch Sédoff s'était installé dans une petite maison des communs, laissant à sa fiancée l'usage de l'habitation principale. Tandis que Nicolas restait au salon, Sophie passa dans la chambre où sa belle-sœur était en train de s'habiller. Engoncée dans sa robe blanche, la tête couronnée d'un diadème, Marie paraissait à peine vivante. Par contraste avec l'éclat nacré de l'étoffe, son visage était encore plus terne que d'habitude. Deux paysannes, assises à croupetons devant elle, finissaient de coudre un ourlet. Quand elle aperçut Sophie, elle eut un cri de joie :

— Vous êtes venue ! Quel bonheur ! Merci ! Merci ! Et Nicolas ?

— Il attend dans la pièce voisine.

— Et père ?... Quand je pense qu'il n'a même pas répondu à ma lettre !... Enfin, n'en parlons plus !... Aujourd'hui, je ne veux voir autour de moi que des visages aimables !...

Sophie lui remit les cadeaux de Vassilissa et des autres serviteurs. Elle s'attendrit :

— Ah ! Dieu, il y a donc plus de cœur chez les gens simples que chez ceux que la fortune a gâtés !

On frappa à la porte. Un garçon de dix ans, qui était un lointain neveu de Vladimir Karpovitch Sédoff, apporta des escarpins de satin blanc. Il se nommait Igor et avait des taches de rousseur jusque sur le front. Dans sa main droite, il tenait une pièce d'or de dix roubles. Il la glissa, selon la coutume, dans l'un des souliers, comme porte-bonheur, et aida Marie à se chausser.

— Votre toilette est ravissante, dit Sophie.

Elle ne le pensait pas. La robe avait été certainement cousue à la maison, par économie. Les plis tombaient mal. Des marques de doigts entouraient les boutonnières.

— Si vous saviez combien cela m'est égal ! soupira Marie en renvoyant de la main le petit garçon et les servantes.

— Vous n'êtes pas heureuse ?

— Oh ! si... D'une certaine façon... Heureuse d'avoir échappé aux contraintes, d'avoir affirmé mon indépendance...

— Et c'est tout ?

— Oui.

— Mais pourquoi, dans ces conditions, vous mariez-vous ?

— Je me marie par esprit de contradiction, par peur, par dégoût... par... par haine !... Ah ! Je ne sais plus !...

Un flot de larmes noya ses yeux bleus. Elle se mordit les lèvres jusqu'au sang. Puis, reprenant le souffle, elle chuchota :

— Jurez-moi que vous ne le répéterez pas à père, ni à Nicolas... ni à personne !...

— Je vous le jure, dit Sophie.

— D'ailleurs, ce n'est pas vrai ! J'aime Vladimir Karpovitch ! Quel homme merveilleux ! Savez-vous qu'il a tenu parole ? Je suis aussi pure aujourd'hui que lorsque je suis entrée dans cette maison ! Pour obéir à la tradition, il ne m'a pas vue depuis hier. Il partira de son côté pour l'église. Je veux que ce soit Nicolas qui me conduise à l'autel !

Elle s'exaltait d'une façon si bizarre, que Sophie pensa d'abord prosaïquement : « Il est urgent de la marier. » Aussitôt, elle se reprocha ce jugement sommaire. Le tourment de Marie dépassait celui qu'il est habituel de voir aux jeunes filles. Elle semblait assidue à chercher son malheur. Etait-ce encore un trait du caractère russe ? Un serviteur vint annoncer que Vladimir Karpovitch était parti à l'instant.

— Je suis prête, dit Marie. Fais avancer le traîneau.

Elle appela son frère. Nicolas entra, gauche, ému, un sourire conventionnel aux lèvres. Ils s'embrassèrent.

— Ma petite Marie, balbutia-t-il, je ne te reconnais pas dans cette belle robe ! Sois heureuse !...

Tout en parlant, il sentait croître sa gêne. Il avait vu Sédoff dix minutes plus tôt, dans le salon. L'homme lui déplaisait davantage encore depuis que Marie avait résolu de l'épouser. Que deviendrait-elle entre les mains de cet être froid et cynique ? Elle tendit une petite icône à son frère :

— Maintenant, bénis-moi !

Puis elle jeta un coussin par terre et s'agenouilla dessus. Nicolas brandit l'icône dans ses deux mains. Il se jugeait indigne de ce rôle, lui qui avait tant de rêves coupables sur la conscience. Néanmoins, il prononça d'une voix ferme :

— Je te bénis, Marie.

Elle baissa la tête, se signa, se releva. C'était fini.

— Partons vite ! dit-elle. Tous les invités doivent être déjà à l'église. Il ne faut pas les faire attendre.

Les domestiques s'étaient groupés dans le vestibule et sur le perron. Un murmure de sympathie salua le passage de la future mariée. Elle était enveloppée de fourrures. Deux servantes portaient sa traîne. Le vent jouait avec son voile blanc. Soudain, elle fut environnée de neige volante. Nicolas l'aida à grimper dans un traîneau à demi couvert et s'assit près d'elle. Le petit Igor s'installa en face d'eux, l'icône sur les genoux. Il devait voyager ainsi jusqu'à l'église. Sophie monta dans le traîneau suivant, avec deux vieilles dames endimanchées qu'elle ne connaissait pas et qui étaient des parentes de Sédoff. Trois autres traîneaux s'emplirent de familiers aux mines réjouies. Le convoi partit dans la tempête.

La figure morte de froid, les yeux brûlés d'une fausse lumière, Sophie se demandait comment le cocher distinguait sa route à travers cet abîme sans fond. Les patins ne mordaient pas dans le sol blanc, mais l'effleuraient à peine, comme pour se charger de vitesse à son contact. La caisse bondissait, retombait encore, s'inclinait à droite, à gauche, au risque de verser sur un talus. De grosses mottes gelées la heurtaient à l'avant avec un bruit sourd. Le timonier, la tête haute, entourée d'un arc peint de couleurs vives, menait grand trot, tirant de toutes ses forces ; les deux bricoliers, attelés à la volée, galopaient, l'encolure tendue à l'extérieur. Le traîneau de Sophie rejoignit celui qui transportait sa belle-sœur. Les deux attelages mêlèrent les sons argentins de leurs clochettes. Derrière la danse folle des flocons, Sophie aperçut la silhouette de la jeune fille, recroquevillée sous la capote, le reflet doré de l'icône, le profil de Nicolas. Cela semblait une image de fantasmagorie, rapide comme la pensée et qui, d'une seconde à l'autre, allait s'éparpiller dans l'air. Longtemps, les deux troïkas coururent côte à côte, dans une absence complète de paysage. Puis, hors de ce néant de blancheur, surgit la coupole verte d'une église. Le traîneau de Marie se laissa distancer par les autres : il fallait que tous les invités fussent en place pour l'entrée de la fiancée dans la nef.

Succédant à l'air glacé de la campagne, l'odeur de l'encens parut écœurante à Sophie. Elle se poussa au premier rang de l'assistance, sur la gauche, du côté des femmes. Des cierges allumés brillaient au-dessus des fidèles. Vladimir Karpovitch Sédoff attendait Marie dans l'allée centrale, face à l'iconostase aux trois portes fermées. Impassible et rasé de près, il levait les yeux vers le dôme, où planait l'image du Dieu Sabaoth, barbu, redoutable et concave. Sophie parcourut du regard les visages qui l'entouraient et n'en découvrit qu'une dizaine de connaissance. La petite église n'était d'ailleurs qu'à demi pleine. Le mauvais temps et la crainte de déplaire à Michel Borissovitch avaient dû inciter bien des gens à rester chez eux. Même le maréchal de la noblesse d'Opotchka, Alexis Nikitytch Péschouroff, n'avait pas jugé utile de se déranger malgré sa parenté avec Sédoff. Ceux qui avaient eu le courage de venir étaient transis de froid. On les entendait renifler, tousser, battre la semelle. Réunis autour de Sédoff, les garçons d'honneur soufflaient dans leurs doigts pour les réchauffer.

Il y eut un remous du côté de la porte. Un chœur de voix paysannes entonna le cantique joyeux : « Elle vole, elle approche, la blanche colombe ! » Marie pénétra dans l'église au bras de Nicolas. C'était un spectre en robe de mariée qui glissait, à pas comptés, vers l'autel. Devant, marchait le petit Igor, tenant l'icône. Arrivé près des garçons d'honneur, Nicolas fit un salut et s'effaça. Vladimir Karpovitch Sédoff vint se camper avantageusement à la droite de sa fiancée. La grande porte de l'iconostase s'ouvrit à deux battants et, dans une nuée d'encens, apparut le prêtre, barbe noire et chasuble d'or. Sophie se rappela avec émotion les détails de son propre mariage. Après les prières nuptiales, le pope fit signe aux fiancés de s'avancer sur le chemin de soie rose étendu devant le lutrin. Une croyance populaire voulait que celui des deux qui poserait le premier son pied sur le tapis commanderait dans le ménage. Des chuchotements parcoururent l'assemblée. Les dames pariaient pour l'un ou l'autre. Au dernier moment, Sédoff sourit ironiquement et céda le pas à Marie. Le prêtre leur donna deux cierges allumés et remit aux garçons d'honneur les deux couronnes d'orfèvrerie qu'ils auraient à tenir, en se relayant, au-dessus de la tête des futurs époux. Les questions sacramentelles retentirent.

— N'as-tu pas promis à une autre de t'unir avec elle ? demanda le prêtre à Sédoff.

— Non ! dit-il.

— N'as-tu pas promis à un autre de t'unir avec lui ?

— Non ! dit Marie.

Par trois fois, le prêtre leur fit échanger leurs alliances. Il lut les versets de l'apôtre saint Paul se référant à l'hymen, le récit des noces de Cana et d'autres passages des Evangiles. Les hurlements du vent couvraient sa voix par intervalles. Des portes, des volets claquaient on ne savait où. Les flammes des cierges se couchaient dans le courant d'air. A mesure que la cérémonie avançait, l'assistance devenait plus distraite et plus clairsemée. Les vrais amis serraient les rangs. En se tournant vers la porte pour observer la débandade, Nicolas aperçut une forme féminine, près d'un pilier, et son sang bondit : cette haute taille, ce port altier, ce col de fourrure appartenaient, sans conteste, à Daria Philippovna. Il ne l'avait pas revue depuis leur baiser dans le pavillon chinois. Cela ne l'empêchait pas de penser très souvent à elle avec ferveur. Qu'elle fût venue à ce mariage, alors que Marie avait refusé d'épouser son fils, témoignait d'une force d'âme peu commune. En admirant cette femme pour sa générosité, il justifiait l'envie qu'il avait de renouer avec elle. Comment se passerait leur entrevue après la messe ? Que diraient Marie et Sophie ? Les pieds de Nicolas gelaient dans ses bottes de feutre. Ses oreilles, son nez, étaient tranchés au couteau. Mais il y avait une flamme dans ses idées. Le chœur éclata en un chant d'allégresse :

*Isaïe, le prophète, jubile dans les cieux !*

Conduits par le prêtre, qui tenait leurs mains unies sous son étole, Marie et Sédoff firent trois fois le tour du lutrin. Les garçons d'honneur marchaient derrière eux, portant les lourdes couronnes à bout de bras. Nicolas se dit, avec soulagement, que la fin était proche. En effet, tout à coup, les chants cessèrent. Des quintes de toux éveillèrent des échos caverneux sous la voûte. Les jeunes mariés s'avancèrent pour baiser les images de l'iconostase. Le prêtre les félicita en premier. Ce n'était pas un orateur. Il dit simplement :

— Eh bien ! vous voilà mariés ! Rappelez-vous les paroles de saint Matthieu : « L'homme s'attachera à sa femme et ils ne seront plus tous deux qu'une seule chair. »

L'évocation était si précise que Marie rougit, tandis que Sédoff réprimait un sourire. Nicolas et Sophie s'approchèrent ensuite, poussés dans le dos par des gens impatients de se dégourdir. Ayant embrassé sa sœur et son beau-frère, Nicolas se dressa sur la pointe des pieds pour voir venir les autres invités. Une déception le saisit. Trompé par la distance, il avait pris pour Daria Philippovna une personne plus âgée qu'elle et que, d'ailleurs, il ne connaissait pas. Cette illusion n'en était pas moins instructive. Il semblait à Nicolas que Daria Philippovna avait assisté au mariage, sinon en chair et en os, du moins en pensée. Au comble de l'émotion, il décida de lui rendre visite à Slavianka dans les prochains jours.

Après les congratulations d'usage, les invités voulurent se grouper sous le porche pour assister à la sortie du couple, mais le vent d'une violence démente, les refoula à l'intérieur. Un véritable cyclone de neige entourait l'église. On ne distinguait rien à trois pas. Le prêtre dit :

— Vous ne pouvez partir ! Attendez que la tempête se calme !

Et il fit apporter par le diacre quelques chaises pour les dames. Elles s'assirent en demi-cercle à l'abri des portes refermées. Les hommes se tenaient debout, résignés et moroses. Parfois, l'un d'eux tirait une montre de son gousset. Au centre de ces gens qui perdaient leur temps par sa faute, Marie était malade de confusion. Tête basse, elle regardait le sol. Entre le bas du vantail et la pierre du seuil, l'air s'engouffrait en sifflant et poussait de biais une poudre scintillante. Sédoff dit :

— Mes amis, faites comme vous voulez ! Mais, moi, j'en ai assez, je pars !...

Le diacre courut avertir les cochers, qui s'étaient réfugiés sous un appentis, au cimetière. Ils vinrent, tout grelottants, déconseiller au barine une entreprise aussi périlleuse.

— Je conduirai mon traîneau moi-même, dit Sédoff. Je connais la route. Si quelqu'un veut me suivre au son des clochettes, qu'il se dépêche.

— Moi, dit Nicolas.

Il n'avait pas consulté Sophie avant de parler. Elle lui sut gré de sa décision. Les autres invités préférèrent demeurer sur place jusqu'à l'accalmie.

A grand-peine, les cochers amenèrent deux traîneaux devant le porche. Sédoff installa Marie dans la caisse et monta sur le siège du conducteur. Il portait une pelisse en peau de cerf sur son habit de cérémonie. Les chevaux s'élancèrent. Nicolas grimpa dans le traîneau suivant. Quand Sophie se fut assise sur la banquette, il cria : « Couvre-toi ! » brandit son fouet et poussa la troïka dans l'ouragan.

Le traîneau de Sédoff avait disparu par une trouée et, derrière lui, les rideaux de flocons blancs s'étaient refermés. Comme plongé dans un rêve de poursuite, Nicolas se demandait où cet homme emportait Marie. N'allait-elle pas se dissoudre avec son ravisseur dans l'espace incolore et glacé ? Il ne restait plus d'eux dans le monde qu'un tintement de clochettes infatigables. L'essentiel était de continuer à entendre ce signal. Il s'éloignait, se rapprochait, se déplaçait de gauche à droite. Nicolas se dirigeait sur lui à l'aveuglette. Les chevaux luttaient du poîtrail contre la bourrasque. Malgré la violence de leur effort, ils avançaient avec une lenteur irréelle, dans un milieu mi-solide, mi-fluide, qui avait la couleur du lait et le piquant des aiguilles de givre. Les notions de temps et de distance étaient également abolies par le froid. Sophie ne s'éveilla de sa torpeur qu'en apercevant la maison d'Otradnoïé. Des ombres s'agitaient dans la cour. Justement, Sédoff et Marie mettaient pied à terre devant le perron. Nicolas rangea son traîneau derrière celui de son beau-frère. La robe des chevaux fumait. Ils encensaient de la tête et projetaient autour d'eux des éclaboussures d'écume.

Dans le vestibule, une servante présenta aux jeunes mariés le pain noir et le sel sur un plateau d'argent. Sédoff toucha du doigt le menton de la fille et lui cligna de l'œil, sans égard à ce que pouvait en penser Marie.

— Quelle belle course ! dit-il. Et tous ces poltrons qui attendent encore à l'église !...

Il paraissait enchanté de son exploit. Marie le considérait d'un air d'admiration et d'obéissance. « Elle finira par lui cirer ses bottes ! », songea Nicolas avec dégoût. On passa au salon. Pas une plante verte n'égayait cette pièce vouée à l'acajou, aux estampes marines et à l'odeur du tabac. Un buffet était dressé dans un coin. Sophie et Nicolas burent à la santé du nouveau couple. Après avoir échangé quelques mots sur la cérémonie, ils ne surent plus que dire. C'était en se taisant qu'ils étaient le plus sincères. Heureusement, la tempête ne tarda pas à se calmer. Les invités arrivèrent. On se prépara pour le dîner avec un faux entrain.

La table, prévue pour trente personnes, n'en réunit qu'une quinzaine. Toutes ces places vides donnaient au repas un aspect de fête manquée. Le prêtre, convié au festin de noces, avait une attitude solennelle, des yeux de femme triste au-dessus d'une barbe noire, et ne prononçait pas trois mots sans citer les Ecritures. Nicolas trouva que la chère était copieuse, mais les vins et les liqueurs de mauvaise qualité. A qui Sédoff avait-il emprunté de l'argent pour payer la réception ? Au dessert, il fit servir du champagne. Selon la coutume, on cria : *Gorko ! Gorko !* ce qui voulait dire que le vin semblerait amer tant que les mariés ne se seraient pas embrassés en public. Marie tendit sa joue à Sédoff. Il baisa du bout des lèvres cette statue de cire. Lui-même avait un visage indifférent. Il ne s'anima de nouveau qu'au moment où une jeune servante remplit son verre. Tourné vers elle, il lui adressa, devant tout le monde, un regard de complicité. Nicolas et Sophie n'eurent pas à se concerter pour précipiter leur départ. Sédoff essaya mollement de les retenir. Marie les accompagna jusqu'au vestibule. Derrière eux, dans le salon, roulaient des rires et des tintements de vaisselle.

— Nous sommes les premiers à te quitter, dit Nicolas. Tu nous excuseras... La route est longue..

— Allez-vous-en vite ! chuchota Marie. Et oubliez ce que vous avez vu ici !

— Que voulez-vous dire ? demanda Sophie.

— Vous me comprenez très bien ! répondit Marie. Oubliez tout ! Oubliez-moi ! Je n'existe plus !...

Elle était pitoyable dans sa vilaine robe de mariée, avec son diadème posé de travers sur ses cheveux blonds, ses bras pendants et ses yeux pleins de larmes.

— Je reviendrai vous voir, dit Sophie. Dans quelques jours, vous m'annoncerez vous-même que votre bonheur est complet !

Des serviteurs, portant des torches, se tenaient sur le perron. Dans le ciel éclairci, luisaient de rares étoiles. Le cocher de Nicolas, rentré de l'église par le dernier traîneau, était déjà remonté sur son siège. Les rênes en main, la barbe étalée sur la poitrine, il attendait les ordres.

La troïka partit, sur la neige couleur de lune. « Quelle chose horrible qu'un couple sans amour ! » pensa Sophie. Et elle chercha la main de Nicolas sous la couverture en peau d'ours. Leurs doigts se nouèrent fortement. Elle se dit qu'il formaient un bloc indissoluble. Durant tout le trajet, sans échanger un mot avec son mari, elle goûta le plaisir de se promener en maîtresse dans cette tête d'homme.

Il était dix heures du soir quand le traîneau aborda l'allée des sapins. La maison de Kachtanovka paraissait plus basse dans la neige. Une lumière brillait dans le vestibule, une autre dans le bureau. Michel Borissovitch n'était pas encore couché.

— Il va nous interroger, dit Nicolas. Lui avouerons-nous que ce mariage était lamentable ?

— Cela lui ferait trop de plaisir et trop de peine à la fois ! dit Sophie. La charité nous oblige à mentir un peu.

Nikita, Vassilissa et Antipe, à l'affût dans le vestibule, tombèrent sur les voyageurs et leur demandèrent, à voix basse, si la mariée était belle.

— Un ange ! dit Sophie.

Vassilissa se signa et fondit en larmes, selon son habitude. Tandis qu'elle pendait les pelisses, Nicolas se dirigea vers le bureau. Sophie le suivit. Il frappa à la porte et, n'obtenant pas de réponse, poussa le battant. La pièce était vide, noire. Une odeur d'huile chaude se dégageait d'une lampe que Michel Borissovitch venait d'éteindre.

— Il a attendu notre retour pour savoir comment les choses se sont passées et, quand nous sommes arrivés, il est monté dans sa chambre ! murmura Nicolas. Qu'est-ce que cela signifie ?

— Cela signifie que son orgueil a été plus fort que sa curiosité ! répondit Sophie.

Et, avec un sourire intérieur, elle songea qu'elle commençait à bien connaître son beau-père.

## 5

Au moment de revoir Daria Philippovna, Nicolas mesura la faiblesse des excuses qu'il avait préparées. Pourrait-il la convaincre que, s'il ne lui avait pas donné signe de vie depuis longtemps, c'était uniquement parce qu'il était bouleversé par la fugue et le mariage de sa sœur ? En arrivant à Slavianka, où nul n'attendait sa visite, il comprit qu'il avait eu tort de s'alarmer. Le soleil en personne, entrant dans la maison, n'eût pas davantage éclairé les figures. Toutes les filles eurent subitement un fiancé. Daria Philippovna, les yeux humides, la lèvre tremblante, cherchait ses mots. Elle avait eu si peur de perdre Nicolas, elle était si heureuse de le retrouver, qu'elle ne songeait même plus à lui reprocher son absence. Ne lui eût-il fourni aucune explication, qu'elle l'eût accueilli avec la même gratitude. Pour le mettre à l'aise, elle balbutia qu'elle était au courant de tout, qu'elle le comprenait dans son indignation de frère et qu'elle n'en avait que plus d'estime pour lui. Une phrase sur le chagrin que des enfants indisciplinés peuvent causer à leur entourage vint rappeler aux trois jeunes filles qu'elles n'étaient pas à l'abri d'une semblable mésaventure. Et, comme on n'avait rien de mieux à faire, on prit le thé.

Plus tard, Euphrasie offrit à Nicolas de jouer aux

devinettes, mais sa mère s'y opposa, jugeant cette distraction trop puérile pour son hôte. Nathalie, payant d'audace, lui apporta ses dernières aquarelles. Il la complimenta par politesse, en feuilletant un album plein de fleurs délavées et de paysages mous. Agacée de le voir accaparé par ses filles, Daria Philippovna pria les deux plus jeunes de se tenir tranquilles, pendant que l'aînée se mettrait au pianoforte. Elle-même s'assit d'un air pensif au bout d'un petit canapé. Nicolas prit place à côté d'elle. Euphrasie et Nathalie chuchotèrent. Daria Philippovna les frappa d'un regard dur comme un coup de règle sur la tête. Les notes d'une romance désuète se déversèrent en cascade dans le salon. Hélène jouait avec zèle et maladresse. Son dos studieux se voûtait. Ses tresses battaient la mesure. Penché vers Daria Philippovna, Nicolas demanda à voix basse :

— Avez-vous fini d'installer le pavillon chinois ?

— Oui, dit-elle dans un souffle.

— Ne pourrais-je le voir ?

— Si.

— Quand ?

— Demain, à trois heures.

Il fut exact au rendez-vous, mais, en franchissant le seuil du pavillon, il crut tomber dans un incendie. Malgré le vasistas ouvert, une fumée âcre flottait dans la pièce. Au centre de cette nébuleuse, Daria Philippovna toussait et gémissait :

— Le poêle ne marche pas ! Depuis une heure, j'essaye en vain de l'allumer ! Je n'ai pas voulu me faire accompagner par un domestique...

— Ce n'est rien ! dit-il. Laissez-moi faire.

Pendant vingt minutes, il travailla comme un chauffeur à ranger les bûches, à les enflammer, à les attiser. Enfin, le feu consentit à ronfler dans le poêle de faïence verte. Mais il y avait toujours beaucoup de fumée dans la salle et le froid y était très vif. Cela ne contribuait pas à créer l'atmosphère d'intimité souhaitable. En outre, Nicolas était gêné par les statuettes grotesques, les masques grimaçants, les sièges contournés, qui agrémentaient le décor. Il s'était égaré dans la caverne des mauvais génies.

— D'où viennent ces objets ? dit-il.

— C'est mon père qui les a achetés autrefois à des marchands chinois de Nijni-Novgorod, dit Daria Philippovna. N'est-ce pas qu'ils sont beaux ?

— Oh ! oui ! Beaux et étranges...

Il gelait devant une femme en manteau, en chapeau. Et, autour de lui, des figurines hideuses ricanaient de sa déconvenue. Consciente d'avoir mal mené son affaire, Daria Philippovna se retenait de pleurer.

— Asseyez-vous, au moins ! chuchota-t-elle.

Chaque fauteuil ressemblait à un instrument de torture. Seul le divan paraissait praticable, malgré les quatre dragons dorés qui en défendaient les coins. Au moment d'être abattu par les circonstances, Nicolas eut un sursaut de virilité. Il ne serait pas dit que le froid et l'incommodité l'empêcheraient de justifier sa réputation devant une femme aimante. Oubliant la Chine, il saisit Daria Philippovna par les poignets et lui baisa les lèvres farouchement. Elle prit pour un élan de passion ce qui n'était qu'un exercice de volonté. Cette fois, elle n'eut garde de lui résister, par crainte qu'il ne s'arrêtât en chemin. Dominant sa pudeur, elle se laissa dévêtir en soupirant. Il poussa un halètement de triomphe en dévoilant ses rondes épaules et le haut de sa gorge. Elle avait la chair de poule. Ses dents s'entrechoquaient. « Si je n'y arrive pas, je suis déshonoré ! », pensa-t-il en la renversant sur le divan.

Il y arriva si bien, qu'à six heures du soir ils étaient encore dans les bras l'un de l'autre. Ce fut elle qui le pressa de partir. En regagnant Kachtanovka, il fut heureux de se sentir si peu coupable. Le cadre du pavillon chinois donnait un caractère d'exception et presque d'irréalité aux plaisirs qu'il y avait pris. Sa conduite bénéficiait de l'excuse qui s'attache aux infidélités commises par les marins dans les ports d'escale. Il retrouva Sophie avec l'âme d'un grand voyageur.

L'habitude fut vite établie : tous les mercredis, au lieu de se rendre au club, Nicolas allait rejoindre Daria Philippovna, qui l'accueillait, vêtue d'un ample peignoir exotique. La maisonnette, maintenant, était bien chauffée ; les monstres chinois avaient rentré leurs griffes ; un samovar trônait sur une table de laque ; entre deux étreintes, l'amante comblée servait du thé fort. Ces rencontres pleines de facilité plaisaient à Nicolas, parce qu'elles lui permettaient de rompre le cours monotone de son existence. Grâce à elles, il reprenait de l'assurance, il se créait de petits secrets inoffensifs, il se fixait un but dans la semaine. Bref, il s'ennuyait moins depuis qu'il avait quelque chose à se reprocher. Son principal souci était que Sophie ne se doutât de rien. Mais elle avait en lui une confiance absolue En vérité, elle eût été mal venue à le soupçonner de quelque relâchement, alors qu'il continuait d'être très empressé auprès d'elle. Peut-être même, par un phénomène de renouvellement, était-il plus amoureux de sa femme depuis qu'il avait une maîtresse ? Le soir, lorsqu'il franchissait le seuil du salon, son remords se dissipait à la vue de son père et de Sophie, assis devant un échiquier. Absorbés par d'importants problèmes de tactique, les deux joueurs remarquaient à peine la présence de M. Lesur, qui se rongeait de jalousie dans son coin, et celle de Nicolas, qui arrivait tout chargé de mystère.

Cette partie d'échecs était devenue, pour Michel Borissovitch, d'une nécessité aussi vitale que la nourriture. Si deux jours s'écoulaient sans que Sophie trouvât le temps de se mesurer avec lui, il commençait à souffrir. Ce n'était pas le jeu en soi qui le passionnait, mais le fait d'affronter sa belle-fille. Sans l'effleurer d'un doigt, il luttait corps à corps avec elle. Il la serrait de près, elle s'esquivait avec aisance, il la rattrapait par les poignets, elle roulait dans l'herbe, il la clouait au sol, elle se redressait d'un coup de reins, riait, fuyait, la chevelure dénouée, et ce délicieux combat se traduisait par un simple déplacement de pions d'une case à l'autre. Quand il avait la chance pour lui et qu'il enlevait une à une les principales pièces de Sophie, c'était comme s'il l'eût dépouillée de ses vêtements. Livrée à la volonté du vainqueur, elle attendait, parmi ses serviteurs dispersés, qu'il lui donnât le coup de grâce. En prononçant : « Echec et mat », il éprouvait une jouissance si aiguë, qu'ensuite il osait à peine lever les yeux sur sa bru. D'autres jours, en revanche, c'était elle qui prenait l'avantage. Il se défendait avec ruse, avec méchanceté, puis, devant cet acharnement femelle à le détruire, trouvait amusant de se laisser voler un cavalier ou une tour. Aussitôt, Sophie exploitait ce premier succès contre son beau-père. Il n'y avait pas d'endroit où il ne fût attaqué par surprise. Ah ! comme il aimait qu'elle fût sans pitié pour lui ! Sur le point de gagner, elle avait, pensait-il, le même regard brillant, le même sourire de tendre cruauté, qu'au paroxysme du plaisir physique. Ecrasé par elle, il succombait avec volupté et murmurait : « Je m'incline, vous êtes la plus forte ! » Il était impossible qu'elle ne ressentit pas, fût-ce d'une manière atténuée, les mêmes satisfactions que lui. En tout cas, elle refusait rarement de jouer aux échecs. La partie s'achevait par une conversation banale où les nerfs des deux adversaires se reposaient.

Profitant de la bonne humeur de son beau-père, Sophie essayait parfois de l'intéresser au sort de Marie. Alors, tout à coup, il devenait sourd. Depuis le mariage de sa fille, il n'avait pas posé une question à son sujet. L'eût-il fait, d'ailleurs, que Sophie se fût trouvée en peine pour lui répondre, car elle ne recevait aucune nouvelle d'Otradnoïé.

Trois mois passèrent ainsi. Finalement, inquiète du silence de sa belle-sœur, Sophie décida de lui rendre visite. Elle partit seule, par crainte que la présence de Nicolas n'empêchât Marie de se lancer dans les confidences.

Dans la première verdure du printemps, la maison d'Otradnoïé parut à Sophie plus avenante. Mais, une fois introduite dans le salon, elle y retrouva une impression d'abandon, de tristesse et de gêne. Il y avait quinze minutes déjà qu'elle attendait, assise dans un fauteuil, quand Marie ouvrit la porte et s'écria :

— Ah ! mon Dieu ! C'est vous ! On ne m'a même pas prévenue de votre arrivée !

— J'avais pourtant dit...

— Ces filles n'ont pas de tête ! Que je suis donc heureuse de vous voir ! Vous m'excusez : je suis toute décoiffée...

Ses cheveux blonds emmêlés lui pendaient dans le dos. Elle portait une robe bleue défraîchie.

— Le temps de me donner un coup de peigne et je reviens, dit-elle.

A son retour, elle était plus présentable. Mais il y avait toujours dans ses yeux une expression d'angoisse. Elle entraîna Sophie dans la salle à manger et agita une clochette pour commander le samovar. Personne ne répondit à son appel.

— Comment va Vladimir Karpovitch ? demanda Sophie.

— Il est en voyage, répondit Marie précipitamment. Pour ses affaires... à Varsovie...

De nouveau, elle agita la clochette. Un tic nerveux troussait les commissures de ses lèvres. Evidemment, elle regrettait que sa belle-sœur vît à quel point elle était mal obéie. Sophie imagina cette pauvre existence : mariée sur un coup de tête, reniée par son père, abandonnée par son époux après quelques semaines, condamnée à vivre dans une demeure étrangère, moquée par des servantes qui avaient eu, avant elle, les faveurs du maître, que pouvait-elle espérer de l'avenir ? Un troisième tintement de sonnette étant resté sans résultat, elle se leva et sortit de la salle à manger dans un mouvement de colère. Elle revint au bout de dix minutes, poussant devant elle un gamin en guenilles, qui tenait par les anses un petit samovar de cuivre rouge. Elle-même portait un plateau, avec deux pots de confiture et des tranches de pain gris sur une assiette.

— Nous allons nous servir : ce sera tellement plus agréable ! dit-elle.

Les tasses étaient ébréchées, les cuillers dépareillées. « Il faut absolument que je dise à père de l'aider, pensa Sophie. S'il voyait sa fille dans cet état, il aurait honte, il oublierait sa rancune... »

— Tout le monde se porte bien à Kachtanovka ? demanda Marie.

Sophie lui donna des nouvelles de la famille.

— Et ce charmant Nikita, que devient-il ? dit Marie d'un ton faussement enjoué.

— Il fait de rapides progrès en comptabilité.

— Et il note toujours ses impressions dans un cahier ?

— Sans doute.

— En tout cas, il est trop beau garçon pour rester serf. J'espère que vous allez enfin l'affranchir !

Il y avait une telle aigreur dans ce propos, que Sophie se demanda où sa belle-sœur voulait en venir. Des oies passèrent en cacardant sous la fenêtre. Sophie murmura :

— Cela ne dépend pas de moi !

— Vous ou mon père c'est la même chose, dit Marie. Il ne peut rien vous refuser.

— Si, dit Sophie avec douceur. Et vous le savez bien.

— Quoi ?

— Votre pardon. Je ne cesse de le lui demander.

Marie s'empourpra.

— Je suis une sotte ! balbutia-t-elle. Vous êtes la seule personne au monde qui puissiez me secourir, et je vous reçois par des paroles méchantes. Il ne faut pas faire attention. C'est la solitude. Je suis malade de solitude...

— Quand revient-il ?

— Je l'ignore.

— Il ne vous le précise pas dans ses lettres ?

— Non.

Sophie eut un soupçon. « Lui écrit-il seulement ? », pensa-t-elle. Avec précaution, elle poursuivit :

— Je suppose qu'il vous a laissé de quoi faire marcher la maison...

— Bien sûr ! dit Marie avec éclat. Je ne manque pas d'argent ! Qu'allez-vous imaginer ?...

Un sourire orgueilleux crispa sa figure. Elle mentait avec une application navrante.

— D'ailleurs, reprit-elle, Vladimir Karpovitch m'a remis une procuration. Si j'étais dans le besoin, je pourrais m'en servir. J'ai déjà pensé à vendre Aniouta. Vous l'avez vue ? C'est une belle fille. On m'en donnera bien deux mille roubles !

— Oui, dit Sophie. Mais, si vous le faites, votre mari ne sera pas content.

— Ne croyez pas cela ! Il me passe tous mes caprices ! dit-elle d'un ton si léger qu'elle ressembla à une folle.

Sophie la quitta avec l'impression de ne lui avoir apporté aucun réconfort.

Longtemps encore, Marie s'obstina dans le silence. Otradnoïé paraissait être à mille verstes de Kachtanovka. L'été vint, avec son soleil, sa poussière, ses orages... Après la Transfiguration du Seigneur, Nikita fut officiellement chargé par Michel Borissovitch de la petite comptabilité du domaine. Il s'installa avec ses registres et son boulier dans un réduit attenant au bureau de Nicolas. Sophie était fière de cette distinction pour son protégé. Admis dans l'intimité des maîtres, il prenait grand soin de sa toilette. Culottes bouffantes de drap bleu, bottes cirées, chemise de coton blanc boutonnée sur le côté, ceinture rouge, ce costume rustique mettait en valeur sa taille souple et ses larges épaules de pierre. Les filles serves passaient et repassaient sous sa fenêtre, parlaient haut, éclataient de rire pour l'attirer dehors, mais il ne remarquait pas leur manège. Souvent, quand Sophie entrait à l'improviste dans le cabinet de travail, elle trouvait Nikita le nez dans un livre, que Nicolas ou elle-même lui avait prêté. Il remuait les lèvres et suivait les lignes imprimées avec son doigt. En voyant la barynia, il se dressait d'un bond, une lumière sur le visage. Elle échangeait quelques mots avec lui, le complimentait pour la tenue de ses comptes, le questionnant sur ses lectures. Un jour, il lui déclama un poème de Lomonossoff, qu'il venait de découvrir :

*La bouche des sages proclame :*
*Il est là-bas mille mondes divers,*
*Il est là-bas mille soleils de flammes,*
*Il est là-bas des peuples et des siècles...*

Il y avait une telle passion dans ses yeux, que Sophie l'interrompit après la quatrième strophe.

— La comptabilité m'ennuie, dit-il. Je voudrais apprendre la poésie, les mathématiques, la politique, tout ce qui élève l'esprit !

Elle lui reprocha d'être trop ambitieux, tout en reconnaissant, à part soi, qu'il avait raison.

— Si seulement je savais le français, reprit-il, je pourrais lire les mêmes livres que Nicolas Mikhaïlovitch. Il me semble que toute la science de l'avenir est dans les livres français et toute la science du passé dans les livres russes.

Elle l'assura, en riant, que la distinction entre les deux cultures n'était pas aussi tranchée. Alors, il lui récita des mots français qu'il avait appris par lui-même : maison, ciel, route, forêt... Elle fut émue par la maladresse de sa prononciation (cette façon d'attaquer rudement les voyelles, de rouler les « r » sur le bout de la langue !) et coupa court, par crainte d'être entraînée à le conseiller. Elle n'allait tout de même pas lui donner des leçons !

Depuis quelque temps, elle était sans nouvelles de ses parents, ce qui la rendait nerveuse. Soudain, les lettres de l'étranger, bloquées pendant plusieurs semaines par la censure, arrivèrent toutes ensemble. La plupart avaient été ouvertes à la poste. En les lisant, avec retard, Sophie apprit, par sa mère, que la France vivait des heures troubles, que les carbonari étaient partout, que depuis l'odieux complot des quatre sergents de La Rochelle, la police était obligée de se montrer de plus en plus vigilante et le pouvoir de plus en plus ferme, enfin que Mme du Cayla, favorite du roi, donnait de belles fêtes, mais que celui-ci était bien malade. Vers la fin de septembre, les gazettes russes publièrent les nouvelles de la mort de Louis XVIII et de l'entrée de Charles X à Paris. Sophie pensait à la France comme à un pays où elle ne retournerait jamais plus, et cette certitude augmentait sa nostalgie. La vue d'un journal français lui tirait les larmes des yeux. Au début du mois d'octobre, elle reçut de sa belle-sœur une lettre radieuse : Vladimir Karpovitch était revenu ! Toute à son bonheur, Marie insistait pour que Nicolas et Sophie leur rendissent visite. Nicolas se déroba. Sophie attendit une semaine, fit atteler la calèche et alla de nouveau, seule, à Otradnoïé. Sédoff n'y était déjà plus !

Marie, livide, les traits creux, les yeux battus, s'enferma avec Sophie dans sa chambre et gémit :

— C'est hier qu'il est reparti !

— Mais pourquoi ?

— Toujours pour ses affaires !

— Quelles affaires ?

— Je ne sais pas. Il ne m'explique rien. Son voyage à Varsovie n'a donné aucun résultat. Pendant les quelques jours qu'il a passés près de moi, j'ai senti qu'il ne tenait plus en place. Les soucis le dévoraient. Il a refait ses valises...

Toute sa figure criait de sincérité. Ses mains se tordaient l'une dans l'autre, sur ses genoux.

— Aimez-vous réellement votre mari ? demanda Sophie.

— Oui ! chuchota la jeune femme.

— Et lui, vous aime-t-il ?

— Il est très malheureux. Il manque d'argent. Cela l'empêche de penser à moi comme il le faudrait....

Elle eut un rire misérable et poursuivit :

— Au fond, il a épousé une pauvresse. Je ne lui ai apporté aucune dot. Il ne peut même pas me vendre comme une fille serve ! Qu'est-ce que je suis pour lui ? Une source de tracas ! Mais, si ses affaires s'arrangent, tout changera. Je deviendrai une dame...

Elle fit le geste gracieux de se voiler la gorge avec un éventail :

— Je m'habillerai... Je me parfumerai... Il sera à mes pieds, au lieu de me crier dessus... Car il me crie dessus, vous savez ?... Comme si j'étais sa domestique !... Et il me bat !... J'ai des bleus !... Je vous montrerai !...

Elle en paraissait presque fière.

— Hélas ! j'ai bien peur qu'il ne revienne encore une fois bredouille ! reprit-elle. Dans ce cas, je ne sais ce que nous ferons. Nous n'avons plus de terres. Il faudra vendre nos derniers paysans. Et la plupart sont hypothéqués !

— Vous ne pouvez rester ainsi ! dit Sophie. Venez avec moi. Nous verrons votre père. Nous lui parlerons ensemble. S'il se laisse fléchir, vous serez sauvée. Autrement, il n'y aura pas de bonheur pour vous avec un homme comme Vladimir Karpovitch.

La terreur se leva dans les yeux de Marie. Elle se mit à trembler :

— Pas mon père... Je ne veux plus...

— La paix de votre ménage est à ce prix !

Les épaules de Marie se brisèrent. Elle se ramassa dans son fauteuil.

— C'est bien, dit-elle, j'irai...

Alors seulement, Sophie reconnut l'imprudence de sa proposition.

Elles arrivèrent à Kachtanovka peu avant l'heure du souper. En voyant Marie descendre de voiture, les serviteurs, accourus au bruit des clochettes, s'arrêtèrent, pleins de confusion. Une pestiférée s'avançait parmi eux. Elle leur souriait, et ils reculaient, défigurés par la peur. Même Vassilissa n'avait pas son vrai visage. Elle bénissait la nouvelle venue, de loin, en marmottant :

— Dieu te garde, ma petite colombe! Que ton ancien nid ne te réserve pas trop d'épines!...

Dans le vestibule, les deux femmes se heurtèrent à Nicolas, qui sortait, très agité, du salon. Il demanda à voix basse :

— Que se passe-t-il ? Pourquoi Marie est-elle venue avec toi ?

— Pour rencontrer son père, dit Sophie.

— Tu es folle ? Tu sais bien qu'il ne veut pas !...

Sophie lui coupa la parole :

— Nous a-t-il vu arriver ?

— Evidemment ! dit Nicolas. Il était à sa fenêtre. Il est furieux !

— J'en étais sûre ! balbutia Marie. Il vaut mieux que je m'en aille !

Sophie lui saisit la main :

— Ne craignez rien. Suivez-moi. Viens, toi aussi, Nicolas !

Elle était habituée à son adversaire, mais n'en redoutait pas moins sa violence. Quelle scène allait-il lui jouer maintenant ? Elle frappa à la porte, l'ouvrit, et s'effaça devant sa belle-sœur. Marie vit son père debout, le dos à la fenêtre, et tomba lourdement à genoux.

— Père, bredouilla-t-elle, je vous prie de me pardonner...

— Est-ce vous qui l'avez ramenée ? demanda-t-il en se tournant vers Sophie.

— Oui, répondit-elle.

— Malgré mes ordres ?

— Vous avez peut-être donné des ordres à vos domestiques, mais, devant moi, vous avez eu la courtoisie de n'exprimer que des souhaits ! dit Sophie.

Elle savait que ce genre de repartie enchantait son beau-père, bien qu'il feignît d'en être ulcéré.

— Ne jouez pas sur les mots ! dit-il. Cela suffit ! Qu'elle s'en aille !

— Pas avant de vous avoir parlé, répliqua Sophie.

— Nous n'avons plus rien à nous dire.

— C'est ce qui vous trompe, père ! Votre fille est très malheureuse...

— A qui la faute ?

— Nous ne sommes pas ici pour en discuter. Ce qui est fait est fait. Maintenant, il s'agit d'éviter le pire. Marie a besoin de votre affection, de vos conseils...

— Dites plutôt : de mon argent !

A ce mot, Marie redressa la tête et une expression de haine et de honte éclata dans ses yeux. Elle allait fuir, mais Sophie appuya la main sur son épaule et dit :

— Pourquoi le cacher ? Elle a besoin aussi de votre argent ! Quelles sont les filles qui ne sollicitent pas une aide de leurs parents au début du mariage ?

— J'aurais été au-devant de ses désirs si elle avait épousé quelqu'un de mon choix, dit Michel Borissovitch.

— N'a-t-elle plus le droit de manger, sous prétexte qu'elle aime un homme dont vous ne voulez pas pour gendre ?

Michel Borissovitch bomba le torse et glissa les pouces dans les entournures de son gilet. Nullement ému, il s'enflait d'une importance théâtrale. Sa fille, prosternée, lui répugnait. Il ne pouvait s'accoutumer à l'idée qu'elle s'était frottée à un corps d'homme. Elle ne méritait aucune pitié. Il n'y avait qu'une femme estimable au monde : Sophie !

— C'est vrai, père ! dit Nicolas. Réprouvez la conduite de Marie, mais donnez-lui, du moins, de quoi vivre !

— Il est juste que vos deux enfants participent également aux revenus du domaine, renchérit Sophie. Vous nous versez, à votre fils et à moi, une somme très suffisante pour l'existence calme que nous menons ici. Faites-en autant pour Marie !...

De nouveau, Michel Borissovitch partit dans ses pensées. Il avait l'impression de s'être engagé, avec sa bru, dans une partie d'échecs plus subtile que d'habitude. Comment faire pour s'assurer la gratitude de Sophie, tout en refusant de céder sur l'essentiel ? Comment la berner au point qu'elle se crût victorieuse, alors qu'il serait le gagnant ? La navrante Marie, avec son amour inassouvi et ses soucis d'argent, devint subitement pour lui le prétexte d'extraordinaires calculs stratégiques. Il en oubliait presque qu'il l'avait maudite. Une idée le frappa, si ingénieuse qu'il en éprouva d'abord de la crainte. Cela ressemblait à une chiquenaude du diable. Un pion déplacé à l'insu de l'adversaire ! Dans le silence, Sophie aida Marie à se relever. Nicolas se campa derrière elles, avec un air de chevalier protecteur. Michel Borissovitch sentit que le moment était venu de proposer son plan. Gravement, avec tout le poids de son âge, il dit :

— Je ne donnerai pas un kopeck à Marie sur mon argent. C'est une question de principe. Mais la maison de Saint-Pétersbourg nous vient du côté de ma femme. D'après son testament, Nicolas et Marie ont des droits sur ce bien, comme moi-même. Qu'ils le vendent, je les y autorise, et nous nous partagerons la somme dans les proportions voulues par la chère défunte : une moitié pour eux deux, une moitié pour moi.

Il jouit de l'étonnement que produisait son discours.

— Eh ! oui, reprit-il. Au fond, ce serait la sagesse ! Nicolas pourrait s'occuper de l'affaire. Je lui signerais tous les papiers dont il aurait besoin. Seulement, voilà, mon cher, tu devras te rendre à Saint-Pétersbourg pour traiter !...

Tout en parlant, il imaginait son fils en voyage et lui, seul avec Sophie, à Kachtanovka. Il savait que les titres de propriété n'étaient pas en règle et qu'il faudrait des semaines, des mois de démarches, peut-être, pour conclure la vente. Un fourmillement le prit à la nuque. Il eut si chaud qu'il glissa un doigt entre son col et son cou.

— Ce n'est pas un obstacle, père ! dit Nicolas. J'irai, je reviendrai le plus vite possible !...

— Qu'en pensez-vous, Sophie ? demanda Michel Borissovitch.

Allait-elle donner dans le panneau ? Il en avait tellement envie ! La jeune femme eut un sourire de confiance :

— Cela me paraît une bonne solution.

Michel Borissovitch frissonna de plaisir et se passa la langue sur les lèvres.

— Et toi, Marie, es-tu contente ? demanda Nicolas.

Marie hocha la tête sans répondre. Elle aurait voulu pouvoir refuser cette proposition, mais la situation de son mari était trop mauvaise : elle devait imposer silence à son amour-propre. Si seulement son père avait accompagné cette offre de quelques paroles bienveillantes, s'il avait laissé entrevoir à sa fille qu'elle n'était pas tout à fait perdue pour lui ! Timidement, elle murmura :

— Puis-je espérer que vous voudrez bien, de nouveau, vous intéresser à moi, père, qu'il ne s'agit pas pour vous de me faire l'aumône ?...

— Tu appelles ça une aumône ? s'écria-t-il en devenant cramoisi. Une aumône qui te rapportera dans les vingt mille roubles !

— Vous comprenez très bien ce que je veux dire ! souffla Marie, effrayée.

— Non !

— En venant ici, j'avais rêvé autre chose ! Je pensais que vous et moi...

— Eh bien ! tu te trompais ! Je ne change pas d'avis ! Ce qui est coupé est coupé ! Tu auras ton argent ! Mais disparais et ne te représente plus jamais devant mes yeux !

Il lui désignait la porte de son bras tendu. Marie eut un sanglot et se précipita dehors, suivie de Sophie et de Nicolas. Michel Borissovitch s'assit dans son fauteuil et se frotta le front avec le plat de la main. Sa respiration se calmait, ses idées défilaient moins vite. Vingt minutes plus tard, il entendit un remue-ménage dans le vestibule. Sophie et Nicolas reconduisaient Marie après l'avoir consolée. Michel Borissovitch résista au désir de regarder par la fenêtre. Il imaginait tout : les larmes, les soupirs, les embrassades, les promesses... Enfin, l'attelage partit, grinçant des roues et tintant des clochettes.

— Va-t'en au diable ! grommela Michel Borissovitch.

Et il se prépara, d'un cœur léger, à recevoir les reproches de son fils et de sa belle-fille.

★

Le lendemain, pendant le dîner, tout se compliqua : non contente de blâmer la dureté de son beau-père, Sophie émit soudain l'idée d'accompagner Nicolas à Saint-Pétersbourg. Incapable de s'opposer à une décision si légitime, Michel Borissovitch marmonna :

— Est-ce bien nécessaire ?... Nicolas ne restera pas longtemps absent !... D'ailleurs, là-bas, il sera très occupé !... Vous le verrez à peine !...

Rien ne modifia les intentions de Sophie. Michel Borissovitch eut du mal à garder un maintien digne jusqu'au bout du repas. Retiré dans sa chambre, pour la sieste, il ne prit aucun plaisir à se faire gratter les pieds, chassa Vassilissa et se mit à souffrir du cœur. Allongé tout habillé sur le canapé, la main glissée sous sa chemise, il écoutait ce battement irrégulier dans sa poitrine et pensait à la mort. Il se disait que sa course était finie, que personne au monde ne tenait à lui, que ses enfants se partageraient sa fortune sans l'avoir mérité, et que, s'il ne se trompait pas de route, il retrouverait sa femme dans le ciel. Avec la tombée du soir, sa méditation affecta un tour encore plus tragique. Puis, peu à peu, il se rendit compte que son malheur pouvait lui être d'une grande utilité. A l'heure du souper, il agita sa sonnette d'une main faible. Vassilissa entrebâilla la porte, alluma la lampe, s'affola, et courut chercher Nicolas et Sophie. En les voyant, Michel Borissovitch, qui se sentait beaucoup mieux, feignit une extrême lassitude. On lui demanda ce qu'il éprouvait. Il répondit, avec une sincérité mitigée, qu'il avait des arrêts du cœur. Sophie, inquiète, lui prit le pouls et constata qu'il était à peu près normal. Vassilissa lui apporta des œufs battus avec du rhum et du sucre, pour remonter ses forces. Nicolas parla d'envoyer chercher un médecin, en pleine nuit, à Pskov, mais Michel Borissovitch protesta :

— A quoi bon déranger le docteur, puisque le malaise est passé !

— Bien sûr ! dit Sophie. Mais nous devons veiller à ce qu'il ne se reproduise pas !

Michel Borissovitch eut un sourire de philosophe :

— Si on envisageait toujours le pire, on ne vivrait plus !

En disant cela, il espéra que Sophie, le sachant en mauvaise santé, hésiterait à partir. Elle accepta d'attendre le matin pour alerter le Dr Prikoussoff.

C'était un vieux praticien, timide et besogneux, qui soignait la famille depuis vingt-cinq ans. Il vint avec sa trousse noire, ses grosses besicles et son habit qui sentait les médicaments et le crottin de cheval. Michel Borissovitch se méfiait du diagnostic à un double titre : reconnu malade, il pouvait craindre une issue fatale, reconnu dispos, il devait s'attendre à voir Sophie suivre son mari à Saint-Pétersbourg. Heureusement, le Dr Prikoussoff avait le goût des nuances. Après l'auscultation, il convoqua la famille et annonça que le patient avait évidemment un cœur trop faible et un sang trop lourd, mais qu'à condition d'alléger le sang et de fortifier le cœur il vivrait cent ans. Le traitement préconisé consistait en une application immédiate de sangsues. Ensuite, tous les soirs, avant de se coucher, le malade prendrait une certaine potion, et, tous les matins à jeun, un petit verre de rosée. Le Dr. Prikoussoff tenait essentiellement à ce petit verre de rosée, dont, disait-il, la plupart de ses clients étaient enchantés. Il n'y avait qu'à désigner quelques filles serves qui, chaque jour, à l'aube, iraient ramasser les gouttes d'eau précieuse dans les champs et les forêts du domaine. Pour le reste — du repos, le moins de contrariétés possible... Michel Borissovitch ayant confié, en secret, à son médecin, qu'il souffrait de fréquentes angoisses, celui-ci recommanda à Nicolas et à Sophie de ne pas le laisser seul. A ces mots, le malade fit une mine désolée et s'écria :

— C'est impossible, docteur ! Ils doivent partir tous les deux pour un voyage important ! Je vous assure que je ne risquerai rien en leur absence !

Il suffisait que l'on contredît le Dr Prikoussoff, pour que cet homme mou devînt l'intransigeance même.

— Et moi, je vous répète, gronda-t-il, que vous avez besoin d'une surveillance constante !

— Il y a les domestiques pour cela, dit Michel Borissovitch.

— Nous ne pouvons leur laisser ce soin, père ! dit Sophie.

Nicolas se faisait une telle joie de ce séjour dans la capitale, que l'idée d'un empêchement le désespérait. Sophie n'aurait-elle pu rester à Kachtanovka pour garder le malade, pendant que lui-même se rendait à Saint-Pétersbourg ? Il n'osait formuler cette suggestion, bien qu'il en brûlât d'envie. Daria Philippovna et ses chinoiseries commençaient à l'ennuyer... Assis en robe de chambre dans un fauteuil, Michel Borissovitch observait son fils à la dérobée et exultait sous un masque soucieux :

— Ah ! mes pauvres enfants ! Je vous complique bien la vie !

— Mais non, père, dit Nicolas stoïquement, nous remettrons le voyage à plus tard !

— Et Marie qui attend le résultat avec impatience ! soupira Michel Borissovitch.

Il craignit d'avoir forcé la note et que sa sollicitude ne parût suspecte à Sophie. Mais elle le regarda avec étonnement et presque avec espoir. S'imaginait-elle que, pris de remords, il revenait à sa fille ? La candeur des femmes les plus intelligentes était sans limites dès qu'il s'agissait de conversions sentimentales.

Après le départ du Dr Prikoussoff, Michel Borissovitch se plaignit à nouveau de spasmes dans la poitrine. Il grimaçait, haletait, bégayait :

— Ce n'est rien !... Voilà !... Dieu !... Ah !... Ça passe !...

Son fils et sa belle-fille insistèrent pour qu'il se couchât tôt, après avoir bu une infusion de tilleul. Il passa une excellente nuit. Au déjeuner du matin, Sophie lui annonça que Nicolas irait seul à Saint-Pétersbourg. Michel Borissovitch fut envahi d'un bonheur étouffant. Tout s'arrangeait comme il l'avait voulu. Il se disait : « Quel beau tissu de mensonges ! Je suis ravi de me débarrasser de mon fils, et je fais semblant de regretter qu'il parte sans sa femme ; Nicolas est ravi d'aller en célibataire à Saint-Pétersbourg, et il fait semblant de s'y rendre par devoir ; Sophie est ravie de rester à Kachtanovka, et elle fait semblant d'y être contrainte par les circonstances... » La dernière proposition était la moins sûre des trois. En y pensant, Michel Borissovitch appuya ses deux mains sur son cœur. Son fils et sa belle-fille surprirent son geste et échangèrent un regard de connivence. Pour ne pas inquiéter inutilement le malade, Sophie dit :

— Ne vous figurez surtout pas, père, que je demeure à cause de vous ! Simplement, je crains que le voyage, en cette saison, ne me fatigue trop !

— S'il en est ainsi, chuchota-t-il, j'accepte.

Et il inclina la tête sur sa poitrine, comme vaincu par la générosité de ses enfants.

# 6

Dans la nuit du 6 au 7 novembre, Nicolas fut éveillé par la plainte lugubre du vent dans la cheminée. Il alluma une bougie sur sa table de chevet. Un courant d'air étira la flamme. Sur le mur, se profila l'ombre immense d'un homme sortant de son tombeau. De tous côtés, les parquets craquaient, les portes grinçaient sur leurs gonds, les vitres tremblaient dans leurs châssis. Comme toujours dans ses insomnies, Nicolas leva les yeux vers l'icône et se signa. Arrivé depuis quarante-huit heures à Saint-Pétersbourg, il ne se sentait pas chez lui dans ce vaste appartement désert. Sa première visite avait été pour le notaire de son père, Dmitri Lvovitch Moukhanoff, qui devait vendre la maison. Aux dires de l'homme de loi, l'affaire se présentait mal. Des pièces du dossier avaient été égarées. Peut-être trouverait-on les renseignements nécessaires à Smolensk, où la mère de Nicolas était née et où vivait encore sa famille ? Dmitri Lvovitch Moukhanoff avait, par chance, un excellent confrère dans cette ville. On allait le charger des recherches. Mais cela demanderait du temps. Loin d'inquiéter Nicolas, la perspective de ce délai le comblait d'aise. Comme s'il eût prévu que le séjour de son fils dans la capitale se prolongerait, Michel Borissovitch l'avait nanti, au départ, d'une somme d'argent fort convenable. Quant à Sophie, elle s'était préparée à une séparation de deux ou trois semaines, compte tenu du fait que le voyage d'aller et de retour prendrait huit jours en tout. Jamais, depuis son mariage, Nicolas n'avait été plus libre !

En quittant le notaire, il s'était rendu chez Kostia Ladomiroff. Minute sublime ! Kostia pleurait de joie en donnant l'accolade au revenant. Trois camarades de l'ancienne « Alliance pour la Vertu et pour la Vérité » assistaient à la rencontre. Tous, en souvenir de leur première année de conspiration, portaient la bague d'argent au doigt. Ils avaient raconté à Nicolas, que, malgré la visite du colonel Pestel à Saint-Pétersbourg au mois de mai dernier, aucun progrès n'avait été fait dans le rapprochement de l'Union du Nord et de l'Union du Sud. Cependant, l'Union du Nord comptait maintenant, à côté des anciens chefs du genre modéré, tels que le prince Troubetzkoï et Nikita Mouravieff, un nouveau venu de tendance plus radicale, le poète Conrad Fédorovitch Ryléïeff. Kostia tenait en haute estime ce personnage, qui avait quitté l'armée avec le grade de sous-lieutenant, et, après une courte carrière dans la magistrature, avait été nommé directeur de la Compagnie Russo-Américaine pour la découverte et la colonisation de territoires dans le nouveau monde. Avec son ami Alexandre Bestoujeff, il éditait une revue, l'*Etoile Polaire*, à laquelle collaboraient les meilleurs écrivains de la jeune génération. Ainsi renseigné, Nicolas avait attendu avec impatience que Kostia le conduisît chez Ryléïeff.

L'entrevue avait eu lieu hier soir, au siège de la Compagnie Russo-Américaine. Nicolas s'était trouvé en présence d'un homme mince, presque fluet, avec des traits énergiques, de grands yeux sombres et des sourcils qui se joignaient en touffe à la racine du nez. Dès l'abord, Ryléïeff lui avait dit : « Je sais par Kostia le bon travail que vous faites à Pskov. Continuez ! Nous avons besoin d'informateurs dans toutes les places importantes. » Ce compliment avait gêné Nicolas, car son activité politique s'était ralentie ces derniers temps. Comment son hôte, qui le connaissait depuis un quart d'heure à peine, pouvait-il lui parler avec tant de confiance ? Ne craignait-il pas d'être trahi, dénoncé ? Dans ses yeux, brillait une lumière généreuse, qui opérait comme un charme. En quelques minutes de conversation avec lui, Nicolas avait mieux compris la situation de la Russie qu'en cinq années de solitude à Kachtanovka. D'après Ryléïeff, le gouvernement s'engageait chaque jour plus loin dans la voie de l'obscurantisme. Ayant obtenu le départ des princes Volkonsky et Galitzine, proches conseillers du tsar, l'obséquieux Araktchéïeff dominait seul, à présent, l'esprit de son souverain. La religion et la police étaient les meilleurs soutiens du trône. Mais, si l'armée bougeait, ce serait l'effondrement du régime. « Je compte que, dans deux ou trois ans, nous pourrons agir avec toutes les chances de succès ! avait déclaré Ryléïeff. Le mouvement partira des colonies militaires. Il ne faut surtout pas que le reste de la nation s'en mêle. Nous voulons une révolte conduite par des officiers, et non une révolution dirigée par des orateurs populaires... »

En repensant à ce discours, Nicolas éprouvait une impression d'angoisse et de bonheur. Ce qui, autrefois, n'était pour lui qu'une rêverie, devenait soudain d'une réalité proche, terrible, lourde de conséquences. Il écoutait l'ouragan et entendait Ryléïeff. Les yeux de cet homme le suivaient partout. Pour se distraire de son obsession, il songea que demain serait une journée plus remarquable encore. Vassia Volkoff lui avait fait porter une lettre pour le prier à dîner. Leurs retrouvailles ne pouvaient être que très émouvantes. Daria Philippovna avait supplié Nicolas de se renseigner sur les fréquentations de son fils. Elle redoutait pour lui, à la fois, les hommes trop sérieux et les femmes trop légères. Cette sollicitude choquait Nicolas, comme un manque de tact. Il n'aimait pas que sa maîtresse fût aussi une mère. Leur séparation, dans le pavillon chinois, avait été déchirante. Daria Philippovna, écroulée par terre dans un peignoir brodé de lotus, lui enserrait les genoux et gémissait : « Jure-moi que tu me seras fidèle ! » Sophie ne lui avait pas demandé de prêter le même serment. Il sourit à cette idée et tenta de s'assoupir. La bourrasque soufflait trop fort pour qu'il pût fermer les yeux. De temps à autre, toute la maison était comme enveloppée par le claquement d'une voile lourde et humide. Derrière la porte de la chambre, Antipe se retournait en geignant sur sa paillasse. Selon son habitude, il avait accompagné le maître en voyage. Nicolas voulut le réveiller et se faire servir du thé. Mais, à la réflexion, il avait plus envie de dormir que de boire.

Il se recoucha et souffla la bougie. Sa joue s'appuya sur la *doumka*, petit oreiller que Vassilissa lui avait cousu jadis et qu'il emportait toujours dans ses bagages. Puis, comme lorsqu'il était enfant, il serra sa croix de baptême dans sa main droite et entra, sans peur, dans une nuit peuplée de loups hurlants. Ils ne lui firent aucun mal jusqu'aux premières lueurs de l'aube. A ce moment, l'un d'eux se jeta sur le lit avec tant de violence, que Nicolas poussa un cri rauque et se mit à lutter. En plein effort, il remarqua que le loup avait des yeux d'homme, une chevelure rousse et ressemblait étrangement à Antipe.

— Barine ! barine ! disait-il en secouant l'épaule de son maître. Levez-vous vite ! Venez voir !...

Il paraissait si effrayé que Nicolas bondit sur ses jambes. La chambre baignait dans une lumière blafarde. Antipe ouvrit la fenêtre. Un vent froid souleva les rideaux et chassa des papiers sur la table. De la ville montait une rumeur inaccoutumée de chocs sourds et de clapotements. Nicolas se pencha à la croisée et la surprise lui coupa le souffle : la rue s'était transformée en fleuve. Une eau sale, tumultueuse, léchait le bas des portes. La pluie tombait à grandes raies obliques d'un ciel couleur de plomb. Aux fenêtres, surgissaient des figures inquiètes. Pour l'instant, les caves seules devaient être inondées. Mais le flot gagnait vite. Les canons de la forteresse Pierre et Paul tonnaient à longs intervalles pour annoncer le sinistre.

— Cela s'est passé en un clin d'œil, dit Antipe. Le vent de la mer a repoussé la Néva vers l'intérieur et, tout à coup, elle est sortie de son lit. Si Dieu veut laver la ville de ses péchés, nous n'avons pas fini de voir couler de l'eau ! Pourvu qu'elle n'atteigne pas notre étage !

Nicolas vit, au-dessous de lui, sur une moulure de la façade, une procession de formes grises. Les rats avaient fui la cave et cherchaient un endroit pour se mettre au sec. Ils se bousculaient et se mordillaient dans leur hâte. Le portier sortit sur le trottoir. L'eau lui venait à mi-jarret. Les mains en cornet devant la bouche, il cria quelque chose à son compagnon d'en face, qui, lui aussi, s'était aventuré dehors pour jouir du spectacle. Des palefreniers tiraient les chevaux des écuries et les emmenaient loin de la Néva et de ses canaux, vers l'est de la ville, où le danger était moins grand. Les bêtes, effarouchées, hennissaient, se cabraient. Des bourgeois filaient en calèche. Les roues brassaient l'eau en tournant. Pareils à des dieux de la mythologie, les cochers, le fouet au poing, conduisaient des attelages aquatiques. Nicolas pensa à son propre cocher, à ses chevaux, à sa voiture, remisés non loin de là.

— J'espère que Séraphin aura su mettre tout à l'abri ! dit-il.

— Sûrement, barine ! dit Antipe. Il aime trop l'eau-de-vie pour n'avoir pas peur de l'eau !

— Nous devrions tout de même aller voir !

— Ce ne serait pas prudent, barine... Regardez, regardez !...

Assis sur des bornes, des gamins riaient et montraient du doigt les bouts de bois, les caisses, les épluchures de légumes qu'emportait le courant. Soudain, tous détalèrent en piaillant. D'énormes vagues glauques, crêtées d'écume jaune, déferlèrent entre les façades. Un chariot de poste fut soulevé comme une barque. Le cocher descendit, détela et, tenant le cheval par une oreille, partit à la nage. Nicolas se rappela que le rez-de-chaussée était habité par des gens simples, employés, artisans, petits fonctionnaires en retraite. Inquiet, il s'habilla, traversa l'appartement au pas de course et sortit sur le palier.

Le grand vestibule de la maison était devenu une pièce d'eau. Fuyant leurs chambres inondées, une vingtaine de personnes s'étaient réfugiées sur les marches. Les femmes, terrifiées, serraient dans leurs bras des ballots de vêtements, des samovars et des icônes. Une fillette sanglotait, parce qu'elle avait perdu sa poupée. Des hommes âgés, le pantalon troussé jusqu'aux genoux, retournaient dans leur logement pour sauver des meubles et des hardes. Matelas, cages à canari, berceaux d'osier, coffres, casseroles, couvertures s'entassaient aux pieds de Nicolas comme des offrandes. A chaque voyage, les déménageurs enfonçaient plus profondément dans l'eau limoneuse. De courtes lames frappaient la base de l'escalier. Les femmes criaient des recommandations à leurs maris :

— Prends mon châle vert !

— Rapporte un tabouret !

En apercevant Nicolas, une vieille, toute en os et en veines, se précipita sur lui et gémit :

— Votre Noblesse, Votre Honneur, Votre Excellence, c'est vous le propriétaire, n'est-ce pas ?

— Oui, dit-il.

— Je suis Marfa Gavrilovna, une de vos locataires ! Je paye quarante-cinq roubles par mois pour mon logement ! Et jamais de retard ! Alors, je vous en prie, daignez commander qu'on me donne une barque !

— Mais je n'en ai pas !

— Je suis sûre que si ! Faites un effort, Votre

Noblesse ! La souveraine du ciel vous en saura gré ! C'est pour aller voir mon fils, mon fils !...

Un hoquet lui coupa la parole et elle s'assit sur une caisse. Des voisines expliquèrent à Nicolas que le fils de Marfa Gavrilovna demeurait dans une maisonnette de l'île Vassili et que cette partie de la ville était parmi les plus menacées.

— Calme-toi, Gavrilovna, dit le portier. Tu ferais mieux de prier Dieu pour ton fils que d'importuner le barine.

— Où tous ces malheureux vont-ils passer la nuit ? demanda Nicolas.

Le portier ouvrit les bras comme pour étreindre la fatalité :

— Sur l'escalier, si l'eau ne monte pas davantage.

— Les appartements du deuxième étage sont occupés tous les deux ?

— Oui, barine. Le général Massloff et sa famille sont rentrés de la campagne. Même sous les combles, il n'y a plus de place !

— C'est bien, nous nous arrangerons autrement ! dit Nicolas.

Antipe devina la pensée de son maître et chuchota :

— Barine, barine, vous n'allez pas les loger chez nous !

— Il le faudra bien, en attendant que le flot se retire ! dit Nicolas.

— Mais ce ne sont pas des gens de votre rang !

Nicolas se sentit brusquement inspiré par Sophie et dit, en vrai libéral :

— Il n'y a pas de rang dans le malheur. Je mets le grand salon à leur disposition !

Les locataires du rez-de-chaussée se répandirent en balbutiements de gratitude. Couvert de bénédictions, Nicolas fut à la fois heureux et honteux d'être tant remercié pour une chose si naturelle. « Je suis un homme des temps nouveaux », songea-t-il, tandis que des inconnus, chargés de pauvres paquets, franchissaient le seuil de sa porte. Il s'apprêtait à les suivre, quand une grosse barque à deux rameurs pénétra dans le vestibule de la maison comme dans un port, se glissa entre les colonnes et accosta au pied de l'escalier. A l'arrière du bateau se tenait Kosta Ladomiroff, enveloppé dans une cape noire.

— Eh ! Nicolas ! Viens vite ! cria-t-il.

Marfa Gavrilovna poussa un hurlement de victoire :

— Merci, petit père ! Notre bienfaiteur t'a prévenu ! C'est pour mon fils !...

— La voilà de nouveau qui radote ! grogna le portier. Tu ne comprends donc pas que ce monsieur vient chercher le barine, espèce de buse ?

Gavrilovna se remit à pleurer.

— D'où as-tu cette barque ? demanda Nicolas.

— Un pêcheur me l'a vendue pour son poids d'or, dit Kostia. Nous allons faire le tour des amis. J'en connais quelques-uns qui doivent être en danger !

Nicolas prit son manteau, son chapeau, et descendit dans l'embarcation. Cette façon de quitter son chez soi était si extraordinaire, que, tout en plaignant les victimes de l'inondation, il éprouvait une sorte d'allégresse devant l'imprévu des événements. Assis sur le banc de poupe, il avisa Marfa Gavrilovna qui se tordait les mains. Un trait de pitié le toucha.

— Ne pouvons-nous vraiment l'emmener ? dit-il.

— Tu es fou ? dit Kostia. Notre barque sera à peine assez grande pour les camarades et tu veux te charger de cette vieille folle ? En avant, les gars !

Les deux hommes reprirent leurs avirons. La barque pivota lentement. Comme dans un rêve absurde, Nicolas se vit passer, en bateau de pêche, dans la glace de l'entrée. Kostia tenait la barre. Dehors, une pluie fine cingla les voyageurs en pleine figure.

— Je voudrais voir ce qu'est devenu mon équipage, dit Nicolas. C'est tout près. Oblique à gauche...

A la porte de la remise, un valet, qui s'apprêtait lui-même à partir en bachot, les rassura : Séraphin avait conduit les chevaux et la calèche en lieu sûr.

— Et maintenant, où allons-nous ? demanda Nicolas soulagé.

— Prendre des nouvelles de Vassia Volkoff, dit Kostia. Il habite dans la rue des Officiers. Un mauvais coin quand la Néva déborde.

— J'avais justement rendez-vous chez lui pour le dîner !

— Eh bien ! Si tu ne veux pas dîner les pieds dans l'eau, tu iras ailleurs !

— Quelle calamité ! soupira Nicolas. Comment un homme aussi intelligent que Pierre le Grand a-t-il pu construire une ville à un endroit que la moindre crue transforme en cloaque ?

— Il a pensé que sa volonté serait plus forte que les éléments ! dit Kostia. C'est le meilleur exemple de folie autocratique qui se puisse concevoir !

Les rameurs soufflaient, la coque craquait, des appels de détresse partaient des maisons. Courbant la tête sous l'averse, Nicolas aperçut un radeau de planches, avec une grappe de naufragés entourant une vache. Derrière, voguait un factionnaire en uniforme, assis à califourchon sur sa guérite rayée. Il se servait de sa hallebarbe comme d'une godille. En sens inverse, glissait un canot de la marine, dont les six paires d'avirons frappaient le flot avec un synchronisme parfait. Un officier, debout, le bras tendu, commandait l'équipage. La pluie avait détrempé son bicorne, dont les pointes pendaient sur ses épaules. Au croisement de deux rues, la rencontre des eaux formait un tourbillon où dansaient des tonneaux et des bûches. Penché à sa fenêtre, un gaillard pêchait les bouts de bois avec une gaffe. Devant la remise d'un carrossier, aux portes défoncées, des calèches prenaient le large. Les unes s'en allaient toutes droites, d'autres dérivaient, la caisse en bas, les roues en l'air. Des croix, arrachées à un cimetière, passèrent en tournant sur elles-mêmes. Sur le balcon d'un hôtel particulier, apparut un cheval pie. Comment était-il monté jusque-là ?

Dans la rue des Officiers, les maisons étaient toutes dans l'eau jusqu'à mi-hauteur. Des familles entières gîtaient sur les toits. Un guetteur, perché sur une cheminée, secouait un torchon blanc dans le vent. Vassia Volkoff logeait dans un pavillon en planches, au fond d'un jardin. La palissade avait été démantelée. La barque navigua entre des branches qui sortaient du fleuve comme des griffes noires. Un homme était assis au bord d'une fenêtre et laissait pendre ses jambes à l'extérieur. Nicolas reconnut son ami et cria de joie. Vassia sauta dans l'esquif au risque de le faire chavirer. On s'embrassa, malgré la bourrasque qui redoublait de violence.

— J'ai attendu quatre ans cette minute ! dit Nicolas. Mon amitié pour toi n'a pas faibli !

— Et la mienne pour toi n'a fait que grandir ! répliqua Vassia. Ah ! pourquoi faut-il que nous nous retrouvions en plein désastre ?

Craignant un accès de lyrisme, Kostia dit :

— Ce n'est pas le moment de divaguer ! Prends ce que tu as de plus précieux. Nous t'emmenons.

— Où ?

— Tu logeras chez moi, dit Nicolas.

Le visage efféminé de Vassia exprima une émotion profonde. Ses cils noirs battirent. Il murmura :

— Merci, mon grand ami ! Merci ! J'avais préparé mes bagages, à tout hasard...

Il retourna dans sa chambre, passa un sac de voyage par la fenêtre et embarqua. Kostia dirigea les rameurs le long du canal Krioukoff. De temps à autre, il s'arrêtait pour prendre des nouvelles d'un membre de l'association, dont la maison était menacée par la crue. Sur le nombre des camarades interpellés, seuls Youri Almazoff et Stépan Pokrovsky, tous deux célibataires et habitant au rez-de-chaussée, acceptèrent de suivre les sauveteurs. La barque était si chargée, qu'elle avançait à peine. Nicolas et Vassia s'assirent à côté des rameurs, pour les aider à tirer sur les avirons. Kostia, au gouvernail, criait :

— Une, deux ! Une, deux !

Par la rue des Galères, le bateau déboucha sur la place du Sénat, qui n'était plus qu'un lac tumultueux. L'eau du ciel et l'eau du fleuve confondaient ici leurs grisailles. L'énorme bâtiment de l'Amirauté flottait dans la brume, comme déraciné. Sa flèche orgueilleuse s'était perdue dans le ciel. Sur un récif battu par les lames, s'élevait le monument équestre de Pierre le Grand. Tenant son coursier cabré au bord de l'abîme, le géant tendait le bras pour ordonner à la Néva de rentrer dans son lit. Mais la Néva refusait de se soumettre. En serait-il de même, un jour, pour le peuple russe ?

— Nous sommes commandés par une statue ! dit Stépan Pokrovsky.

La barque dépassa le monument. Nicolas ne pouvait en détacher ses regards. Il lui semblait, à distance, que Pierre le Grand galopait sur les vagues. Plus loin, il remarqua, sur le toit d'un petit bâtiment de l'administration militaire, tout l'effectif du poste de garde, debout, l'arme au pied. La pluie tombait dru sur les soldats, qui ne bougeaient pas d'une ligne. Leurs shakos noirs se dressaient à intervalles égaux, tels des tuyaux de cheminée. Depuis combien de temps attendaient-ils la relève ? Un canot des équipages de la flotte s'approcha d'eux en se dandinant. Le sous-officier de garde clama un ordre d'une voix rauque. Aussitôt, les hommes présentèrent les armes. Ce mouvement d'ensemble, exécuté au sommet d'une maison, sous une pluie battante, par des épouvantails vêtus d'uniformes trempés, exprimait, aux yeux de Nicolas, toute la grandeur et tout le ridicule de la discipline militaire poussée à outrance. Il ne savait s'il devait admirer ou redouter cette faculté d'obéissance chez le peuple russe. Une révolution lui paraissait subitement impossible.

Kostia invita tout le monde à dîner chez lui. Habitant au deuxième étage, il était tranquille. Le vieux

Platon leva les bras en voyant surgir dans l'antichambre ces cinq naufragés ruisselants et transis. Il les aida à se débarrasser de leurs manteaux, de leurs chaussures, et leur apporta des robes de chambre et des pantoufles fourrées. A table, ils ne touchèrent presque pas à la nourriture. Obsédés par les visions du déluge, ils ne pouvaient parler d'autre chose. D'après les derniers renseignements, il n'y avait pas eu de crue pareille depuis la fondation de la ville. Dans les îles et dans les faubourgs de l'Ouest, des rangées entières de maisons de bois avaient été arrachées, les victimes se comptaient par centaines. Le vieux Platon soupirait et reniflait pendant le service.

— N'as-tu pas vu l'inondation de 1777 ? lui demanda Kostia.

— Si, barine. Je m'en souviens comme d'hier. Et celle de 1755, et celle de 1762, et celle de 1764 ! Mon père et mon grand-père m'avaient fait monter sur un radeau. Nous avons failli nous noyer, tous les trois...

— Cinq inondations en une vie d'homme ! s'écria Youri Almazoff. C'est affreux !

— Il paraît, dit Platon, que notre petit père le tsar est frappé de chagrin. Il a promis d'aider tous les malheureux. Il circule en bateau parmi les ruines...

— Il aura beau se montrer partout, dit Vassia, aux yeux des pauvres gens ce désastre aura le caractère d'un châtiment divin.

— Rappelez-vous la prophétie ! dit Kostia. Une grande inondation a marqué, en 1777, la naissance d'Alexandre Ier, une plus grande inondation annoncera sa mort !

— Serais-tu superstitieux ? demanda Nicolas.

— Comment ne pas l'être, quand la nature entière semble se révolter contre celui qui nous gouverne ? dit Stépan Pokrovsky. Les péchés du tsar retombent sur la nation, voilà ce qu'on se répète dans les casernes et dans les isbas !

— Que connaissent-ils des péchés du tsar ?

— Il y en a un, au moins, que n'importe quel orthodoxe peut comprendre : Alexandre a refusé de secourir ses frères en religion de la Grèce martyre. Pour complaire aux Français, aux Anglais, aux Autrichiens, il a laissé les Turcs massacrer ceux qui prient dans les mêmes églises que nous, il a préféré les bourreaux de la secte de Mahomet aux héros d'Ypsilanti qui avaient levé l'étendard de la révolte !

— Ainsi, dit Nicolas, d'après toi, cette horrible inondation servirait finalement notre cause ?

Les yeux de Stépan Pokrovsky étincelèrent derrière ses lunettes. Son visage potelé revêtit une expression d'extase.

— J'en suis sûr, car je crois en Dieu ! dit-il. Il y a une phrase de la Bible qui chante dans ma mémoire : « La lumière des justes donne la joie. La lampe des méchants s'éteindra. » Le voici venu, l'ouragan qui éteindra toutes les lampes du palais d'Hiver !

Le repas s'acheva silencieusement. Ensuite, les cinq amis décidèrent de remonter dans leur barque et de parcourir la ville en essayant d'aider le plus de gens possible. Ils naviguèrent ainsi, pendant des heures, dans les faubourgs, ravitaillant des isolés en pain et en eau douce, transportant des familles d'une maison à l'autre, amenant des blessés aux postes de secours des différentes casernes. Ce fut seulement au crépuscule qu'ils arrêtèrent leur expédition. Kostia rentra chez lui avec Stépan Pokrovsky et Youri Almazoff qu'il avait promis d'héberger. Nicolas et Vassia continuèrent leur chemin en bateau.

Depuis quatre heures du soir, la montée de l'eau s'était ralentie, mais la tempête ne se calmait pas. Des rafales glacées de vent et de pluie s'opposaient à l'effort des rameurs. Par moments, il semblait que l'esquif fût retenu au fond par une ancre. Les maisons s'enfonçaient dans le brouillard nocturne. Des cadavres de chevaux, de chiens, de chats, flottaient, le ventre ballonné, sur les vagues. Chaque fois que l'embarcation cognait une de ces épaves, Vassia frissonnait de dégoût. Les rameurs allumèrent une torche et la fixèrent à la proue. La résine grésilla en répandant une épaisse fumée. Des reflets de flammes dansèrent dans les plis de la houle. D'autres points lumineux rampaient à travers la capitale morte, Nicolas pensait à ses amis, à la révolution, à l'ivresse du sacrifice... Etait-il possible que le jour se levât demain ?

Antipe accueillit les voyageurs au sommet de l'escalier, une lanterne au poing, la face creusée de rides noires comme un valet de théâtre. Son silence était annonciateur d'une nouvelle catastrophe. En pénétrant dans le grand salon, Nicolas découvrit un campement de bohémiens. Les locataires du rez-de-chaussée s'étaient installés là, pêle-mêle, avec leurs bagages. Des tentures pendues sur des ficelles délimitaient le domaine de chaque famille. Derrière ces écrans, disposés dans tous les sens, les chandelles de suif étaient autant d'étoiles rayonnantes. Une odeur de vêtements mouillés, de bottes et de mauvaise soupe serrait la gorge, dès le seuil.

— Vous l'avez voulu, barine ! dit Antipe.

Nicolas sourit avec une bienveillance un peu forcée à tous ces gens qui dérangeaient son appartement, prit Vassia par le bras et l'entraîna vers sa chambre. Au milieu du couloir, ils croisèrent une jeune femme qui revenait de la cuisine, une cruche à la main. Elle salua les deux hommes d'une charmante inclination de la tête. Sur un signe de Nicolas, Antipe, qui le suivait, leva la lampe. La jeune femme était blonde, avec de petits yeux marron, un nez retroussé et un grain de beauté sur la narine gauche. En regardant ce grain de beauté, on oubliait ce que le reste du visage avait de banal. Elle passa.

— Qui est-ce ? demanda Nicolas.

— Tamara Casimirovna Zakrotchinskaïa, répondit Antipe. Une Polonaise de rien du tout. Elle vit avec sa sœur et travaille en ville comme couturière.

Il eût épilogué longtemps sur l'inconvénient qu'il

y avait à recevoir n'importe qui chez soi, sous prétexte d'inondation, mais Nicolas lui ordonna de servir une collation dans sa chambre et de dresser un lit pour Vassia dans la pièce voisine. Attablés devant une bouteille de vin, du saucisson et du pâté de Strasbourg, les deux amis mangèrent d'abord avec une voracité taciturne. Puis, rassasiés, réchauffés, ils retrouvèrent l'usage de la parole. Chaque souvenir qu'ils évoquaient augmentait leur joie d'être ensemble. Nicolas dit, incidemment, qu'il avait revu Daria Philippovna. Vassia ne lui demanda pas des nouvelles de Marie. Sans doute savait-il qu'elle avait épousé Sédoff. La mèche de la lampe filait. Un petit poêle trapu ronflait, face à la fenêtre noire que fouettait la pluie. Le clapotement de l'eau contre les murs ne gênait pas la conversation. Vers une heure du matin, le vent tomba.

## 7

Le départ de Nicolas avait donné à Michel Borissovitch une seconde jeunesse. Dès le réveil, il éprouvait un afflux d'espoir, comme si quelque événement heureux l'eût attendu dans la journée. Il se rasait de près, raffinait sur le contour de ses favoris et choisissait avec plaisir son gilet et sa cravate. En lui apportant le petit verre de rosée prescrit par le médecin, Vassilissa s'étonnait de le voir si élégant. Il buvait cette gorgée d'eau régénératrice, pensait aux filles qui avaient travaillé pour lui dans le brouillard de l'aube et souriait de bien-être. Tant de marche par les sentiers, de courbettes sur l'herbe, de fatigue dans les genoux, pour rassembler quelques gouttes d'onde pure ! C'était, à son avis, le symbole des plus grandes joies humaines. Pour rien au monde, il n'eût renoncé à cette médication, dont, cependant, il n'avait nul besoin. Sa politique consistait à observer un juste équilibre entre les dehors de la maladie et ceux de la santé. Sophie n'eût pas compris une guérison trop prompte. Peut-être même en eût-elle été déçue. Il devait, à la fois, paraître assez dolent pour qu'elle se sentît indispensable dans son rôle de garde-malade et d'assez bonne humeur pour qu'elle ne s'ennuyât pas avec lui. Jusqu'à présent, il ne s'était pas trop mal tiré de ce double jeu. Depuis huit jours que Nicolas était parti, la jeune femme n'avait montré ni tristesse ni lassitude. Tout au plus se disait-elle inquiète d'être sans nouvelles de son mari. A la première lettre qu'elle recevrait de Saint-Pétersbourg, ce nuage se dissiperait. Michel Borissovitch souhaitait qu'elle se plût davantage à la maison en l'absence de Nicolas. Pour cela, il s'efforçait de mettre de l'imprévu dans chaque instant de leur existence. Il feuilletait des livres d'histoire en cachette, retenait quelques traits curieux, et les plaçait dans la conversation. C'était à table qu'il se montrait le plus brillant dans ses évocations de l'époque de Pierre le Grand ou de Catherine II. Les anecdotes qu'il contait semblaient lui revenir à l'esprit par hasard. M. Lesur remarquait son manège et plissait un œil narquois. Mais Sophie était enchantée. De son côté, elle avait pour lui des attentions délicates. Quand il chaussait ses lunettes, elle s'écriait : « Dieu, qu'elles sont poussiéreuses ! Vous ne devez rien discerner ! » Il les lui donnait d'un air faussement contrit. Et, pendant qu'elle nettoyait les verres en soufflant dessus, en les frottant avec le coin de son mouchoir, il se délectait de la voir manier un objet lui appartenant. Après le repas, elle insistait afin que son beau-père fît la sieste. Il protestait, pour le rare agrément d'être grondé par elle. Parfois, elle l'accompagnait jusqu'au seuil de sa chambre. Dans ce cas, il refusait les services de Vassilissa et s'endormait, heureux, sans s'être fait gratter les pieds.

L'après-midi, Sophie lui lisait à haute voix quelque roman français. Il ne l'écoutait pas et observait ses lèvres. Elle avait une façon de prononcer les mots qui évoquait le baiser. Le soir, c'était l'apothéose, avec la partie d'échecs. Chaque fois que Michel Borissovitch levait les regards de son jeu, il était saisi par la beauté de cette jeune femme brune, aux traits fins. Qu'elle bougeât la tête sous la masse sombre de ses cheveux, qu'elle avançât la main pour prendre une pièce, qu'elle inclinât son buste rond au-dessus de la table, toutes les lignes de son corps se déplaçaient et se recomposaient harmonieusement. Il y avait un contraste des plus excitants entre la distinction naturelle de ses manières et tout ce que ses prunelles noires, sa carnation ambrée, sa bouche charnue, les fossettes de ses joues, la courbe de ses épaules, promettaient de folie sensuelle. La partie terminée, les pièces rangées, Michel Borissovitch se retirait, rompu, comblé, frissonnant de fatigue amoureuse.

Une nuit, ne pouvant dormir, tant son émotion était forte, il se leva et sortit dans le couloir pour le plaisir de passer devant la porte de Sophie. Collant son oreille contre le battant, il crut entendre une respiration égale. Des visions de nudité défilèrent dans son esprit. Il humait un parfum, qui, lui semblait-il, traversait le bois du vantail. Personne d'autre que lui et elle dans cette maison ! Nicolas et Marie étaient loin, les domestiques ne comptaient pas, M. Lesur lui-même était un témoin négligeable ! Si elle avait voulu !... Cette idée le frappa de délice et de honte. Il fut soudain dans le péché jusqu'aux mâchoires. Sophie se donnait à lui. Avec violence, il secoua la tête. L'image vola en éclats. Une faiblesse le prit aux genoux. Au bout d'un long moment, il se signa, serra sa robe de chambre sur ses reins et retourna se coucher.

Le lendemain, au petit déjeuner, Sophie lui trouva l'air étrange. Aussitôt, elle s'inquiéta de sa santé, mais il lui jura qu'il ne se portait ni mieux ni plus mal que la veille. Et, pour détourner la conversation, il la complimenta sur sa toilette : robe de drap vert amande, garnie, dans le bas, de feuilles de velours ton sur ton. C'était un modèle de Paris que les couturières serves de la maison avaient habilement reproduit d'après les conseils de Sophie. Elle mettait ce vêtement pour la première fois. Tout en se flattant de plaire à son beau-père, elle mesurait les risques de sa coquetterie. Sans que rien n'eût été modifié dans leurs rapports, elle avait le sentiment qu'il l'enveloppait d'une tendresse toujours plus pressante. Ce matin, sa façon de la regarder, de lui parler, était d'un époux ébloui par sa chance. Comme pour conjurer une menace, elle demanda :

— Avez-vous envoyé quelqu'un à la poste de Pskov ?

— Bien entendu, ma chère ! dit Michel Borissovitch. Je suis aussi impatient que vous de savoir ce qui se passe à Saint-Pétersbourg ! Fédka est parti à cinq heures du matin. Il ne va plus tarder.

Très calme, il buvait son thé dans un grand verre à monture d'argent. Ce visage usé, ces cheveux gris, ces veines sur les mains rassurèrent Sophie. Comment avait-elle pu s'imaginer qu'il l'aimait d'une manière autre que paternelle ?

— Cela fera le neuvième jour ! reprit-elle.

— Vous oubliez qu'il vous a écrit d'un relais !

— C'est vrai ! Mais depuis, je n'ai rien ! Avouez que c'est anormal !

— Il a dû avoir beaucoup à faire en arrivant ! dit M. Lesur, la face coupée en deux par une énorme tartine.

— Le notaire, les amis, renchérit Michel Borissovitch.

La pluie battait les doubles carreaux. Sophie s'étonna de n'être pas plus malheureuse. Son beau-père portait un gilet gris moucheté d'argent, qu'elle ne lui connaissait pas.

— Vous attendez quelqu'un ? demanda-t-elle.

— Non. Pourquoi ?

— Pour rien.

Le nez de M. Lesur se plissa dans une grimace de renard. Michel Borissovitch fronça les sourcils. Sophie pensa : « Il s'est habillé pour moi, c'est ridicule ! »

— Voulez-vous jouer aux échecs ? dit Michel Borissovitch.

— Non, dit-elle, j'ai la migraine.

Il la regarda d'un air aussi désespéré que si elle se fût refusée à lui. Des minutes passèrent, lourdes d'exigences inexprimées. Michel Borissovitch alluma une pipe. Il s'était remis à fumer, depuis quelque temps, un peu par goût, beaucoup pour inquiéter sa belle-fille, qui jugeait cette habitude déraisonnable. Un chariot s'arrêta en grinçant devant le perron. Sophie et Michel Borissovitch sortirent à la rencontre de Fédka.

— Il n'y a rien, barine ! dit le moujik en appliquant une claque sur sa sacoche vide.

Sophie baissa la tête et rentra dans la salle à manger, où M. Lesur mangeait maintenant du miel à la cuiller. Dans son dos, elle entendait le pas de son beau-père, son souffle d'animal pesant. Soudain, elle eut envie de lui donner un grand plaisir.

— Eh bien ! si vous voulez, faisons une partie, dit-elle en se retournant.

Le visage qu'elle aperçut exprimait une joie sans commune mesure avec sa proposition. Elle eut l'impression d'avoir ouvert une porte qu'elle ne saurait plus refermer. Un ouragan s'engouffrait dans sa vie. Michel Borissovitch posa sa pipe et se frotta les mains :

— Parfait ! Parfait !.. Nous allons tout de suite nous y mettre !

« Il va me laisser gagner ! », songea-t-elle. Or, il fit tout pour la battre. En prononçant : « Echec et mat ! », il avait un regard dilaté, presque douloureux.

— Vous avez très bien joué ! dit-elle.

— Non. J'ai été méchant ! Et vous avez été distraite !

En effet, elle avait rêvé à Nicolas pendant toute la partie. Les yeux de Michel Borissovitch le lui reprochaient tristement. Elle lui demanda une revanche. Il accepta avec gratitude. Elle joua mieux. La bataille était encore indécise, quand l'heure du dîner sonna. Ils décidèrent d'observer la trêve jusqu'au soir. Après le repas, Michel Borissovitch se retira dans sa chambre pour la sieste. Vassilissa vint lui offrir ses services. Il ramena ses pieds nus sous sa couverture. La vieille femme joignit les mains et murmura :

— Hier déjà, vous n'avez pas voulu que je vous gratte, barine ! Est-ce que je m'y prends mal ?

— Tu m'embêtes ! grogna-t-il. Je n'en ai pas envie, et c'est tout ! Va-t'en !

— Ma vieillesse est déshonorée ! dit Vassilissa.

Et elle partit en pleurant. Michel Borissovitch fit un somme léger jusqu'à cinq heures et s'éveilla en entendant tinter les clochettes d'une voiture. Par la fenêtre, il reconnut la calèche du maréchal de la noblesse d'Opotchka, l'ennuyeux Péschouroff.

— Que me veut-il encore, celui-là ? dit-il en étouffant un bâillement de lion.

Furieux d'être dérangé, alors qu'il se promettait de reprendre sa partie d'échecs avec Sophie, il se rendit au-devant de son visiteur et, sans rien lui offrir à boire, l'introduisit dans son bureau. A peine assis, Péschouroff remua sa bosse, tendit le cou et dit :

— Est-il exact que votre fils soit parti pour Saint-Pétersbourg ?

— Oui, dit Michel Borissovitch étonné. Pourquoi ?

— Avez-vous des nouvelles de lui ?

— Pas encore.

— Savez-vous ce qui se passe là-bas ?

— Non.

— C'est bien ce que je supposais ! Le gouvernement a interdit de publier la chose. Mais, dans les sphères officielles où j'évolue, tout se sait déjà. Le directeur des postes m'a encore donné des détails, ce matin. J'ai cru que mon devoir était de vous avertir, en passant...

Péschouroff prépara son effet, arrondit des yeux de volaille effarouchée et conclut :

— La capitale a été entièrement inondée !

Un vide se creusa dans la poitrine de Michel Borissovitch. Ce malaise fut si subit qu'il eut peur pour lui-même avant de penser à son fils. Quand son cœur se remit à battre normalement, il murmura :

— Ce n'est pas la première fois...

— Les autres crues ont été bénignes auprès de celle-ci, dit Péschouroff. On affirme que le tsar et sa famille ont été obligés de fuir la ville, qu'un habitant sur deux a été noyé, que toutes les maisons sont détruites...

Michel Borissovitch savait que Péschouroff avait le goût de la tragédie et ne pouvait raconter une catastrophe sans y ajouter des détails affreux. Mais, même en réservant la part de l'exagération, il était probable que l'inondation avait fait de nombreuses victimes. Dans ces conditions, le silence prolongé de Nicolas justifiait les plus sérieuses inquiétudes. Tandis que Péschouroff, emporté par son récit, submergeait le Palais d'Hiver et l'Amirauté, endeuillait toute l'aristocratie russe et rayait Saint-Pétersbourg de la carte du monde, Michel Borissovitch suivait sa propre idée avec une froide passion.

— Je vous remercie de m'avoir averti, cher Alexis Nikitytch, dit-il enfin. Mais si vous rencontrez ma belle-fille, ne lui répétez pas ce que vous venez de m'apprendre. Il sera toujours temps... Vous me comprenez, n'est-ce pas ?

— Je vous comprends et je vous approuve ! s'écria Péschouroff en lui secouant les mains.

Il s'attarda un peu, espérant sans doute qu'on servirait du thé ou des liqueurs, et finit par se lever, déçu, vexé, le gosier sec. Michel Borissovitch le reconduisit dans le vestibule, avec la crainte de tomber sur Sophie. Connaissant la sottise de Péschouroff, il le voyait fort bien laissant échapper son secret. Heureusement, la jeune femme resta chez elle, malgré les éclats de voix du maréchal de la noblesse, qui parlait le français pour n'être pas compris des domestiques.

Lorsqu'il fut parti, Michel Borissovitch retourna en hâte dans son bureau, comme si une affaire importante l'y attendait. La porte refermée, il s'écroula dans son fauteuil. Que se passerait-il si Nicolas ne revenait pas ? Il imagina son fils disparu dans l'inondation, la douleur de Sophie, et lui la consolant, la réconfortant, toute pâle dans sa robe de deuil. S'il savait se montrer persuasif, elle resterait avec lui à Kachtanovka. Nicolas ne serait plus là pour les séparer. Le monde entier s'éloignerait d'eux, les laissant face à face. Elle deviendrait sa femme, à l'insu de tous. Il lui donnerait un amour qu'elle n'aurait jamais connu avec son fils. Michel Borissovitch eut conscience, brusquement, qu'il souhaitait la mort de Nicolas. Une terreur fatidique le saisit, mais il ne renonça pas à ses rêves. Parvenu à ce point d'exaltation, il n'y avait pas de remords assez grand pour décourager son désir. Il allait de l'avant, avec une bête noire assise sur le dos. Trois coups discrets retentirent à la porte. Il tressaillit. C'était Sophie qui venait lui proposer de reprendre la partie d'échecs. Elle souriait, insouciante, à mille lieues du drame dont elle était l'enjeu.

— N'est-ce pas Péschouroff qui est venu vous voir, père ?

— Si.

— Que voulait-il ?

— Oh ! rien... une visite de politesse.

Tout en parlant, il la contemplait avec une sorte de crainte radieuse, de criminelle délectation. Elle portait une robe claire et il la voyait en noir. Ce fut la veuve de son fils qu'il suivit dans le salon. Devant l'échiquier, puis, plus tard, à table, il continua de mener une double vie. Il accomplissait les gestes et prononçait les mots qu'on attendait de lui, mais toute une part de son être, la plus importante, perdait le contact avec la réalité. A l'heure du coucher, Sophie l'accompagna jusqu'à sa porte. Il feignait la fatigue et s'appuyait au bras de sa belle-fille. A travers le tissu de la robe, il sentait, tout contre lui, la chaleur de ce jeune sang. Ce soir-là, il s'agenouilla devant l'icône pour une prière plus longue que d'habitude. Les grands signes de croix dont il s'éventait ne chassaient pas son obsession. Il grimpa dans le lit sans s'être allégé d'un scrupule. La nuit, il pensa si fort à Sophie, qu'il n'eut pas besoin d'aller rôder dans le couloir pour imaginer ce qu'il voulait.

Le lendemain, le temps s'éclaircit et Sophie en profita pour rendre visite à sa belle-sœur. Michel Borissovitch passa l'après-midi à se morfondre. Ce fut en vain que M. Lesur lui suggéra de faire une partie d'échecs. Rien ne l'intéressait. Jusqu'au soir, il n'eut d'autre distraction que de rabrouer le Français et d'observer ses grimaces. A l'heure où on allumait les lampes, la voiture revint. En accueillant Sophie dans le bureau, Michel Borissovitch fut frappé par l'expression tourmentée de son visage.

— Père, dit-elle, Marie vient de m'annoncer une chose affreuse : Saint-Pétersbourg est inondé !...

Il eut du mérite à feindre la surprise. Les muscles de sa figure ne lui obéissaient pas. Ses exclamations sonnaient faux. Cependant, toute à son angoisse, Sophie ne s'apercevait pas qu'il jouait la comédie.

— Ah ! mon Dieu ! C'est incroyable ! dit-il. Mais de qui Marie tient-elle cette nouvelle ?

— De Vladimir Karpovitch, dit Sophie. Lui-même l'a apprise hier, à Pskov.

— Je me méfie des racontars de province. Il faut attendre de plus amples renseignements avant de s'affoler !

— Non, père, dit-elle. Je vais partir.

Il fut pris de panique et bégaya :

— Partir ?... Comment partir ?... Pourquoi partir ?... Vous ne pouvez pas !... Ce serait absurde !..

— Vous oubliez que je suis sans lettre de Nicolas depuis qu'il nous a quittés !

— Eh bien ! Vous en recevrez une demain, ou après-demain... D'ailleurs, notre maison est située loin du canal... Cela devrait vous rassurer... Nicolas n'a rien... Absolument rien !...

— Tant que je n'en aurai pas la confirmation, je ne serai pas tranquille.

Michel Borissovitch baissa la tête. L'obstination

de sa belle-fille le consternait. Comme elle tenait à son mari ! Elle s'était assise dans un fauteuil, près de la fenêtre. La fatigue marquait son visage. Elle avait pleuré. Ses cils étaient encore humides. Il ne pouvait supporter de la voir souffrir à cause d'un autre. N'était-elle pas consciente de sa cruauté ? Il avait pris des droits sur elle en quelques jours. A l'idée de la perdre, il tremblait de jalousie. La saisir dans ses bras, la pétrir, lécher les traces de larmes sur ses joues !

— Je partirai avec vous, dit-il soudain.

— Ah ! non ! s'écria-t-elle.

— Je ne peux vous laisser courir les routes toute seule !

— Je ne risque rien !

— Oh ! si, Sophie, balbutia-t-il. Et puis, me voyez-vous dans cette maison, sans mon fils, sans ma belle-fille ?...

— Vous n'êtes pas en assez bonne santé pour supporter le voyage, père.

— Allons donc ! Je vais beaucoup mieux !

Il s'imagina avec elle, dans le fond d'une voiture, la frôlant à chaque cahot. Et puis, les arrêts dans les auberges, les repas en tête à tête, le sommeil dans de mauvais lits, séparés par une mince cloison ! Quatre jours de bonheur !... Au bout de ce trajet, il y aurait, si Dieu le voulait bien, la terrible, la merveilleuse nouvelle de la mort de Nicolas !

— Oui, reprit-il, c'est décidé : si demain vous n'avez pas de lettre, nous partirons tous les deux !

Comme si elle ne l'eût pas entendu, elle murmura :

— J'y songe à l'instant : il y a quelqu'un qui pourrait me renseigner !

— Qui ?

— Daria Philippovna. Son fils est à Saint-Pétersbourg. Peut-être lui a-t-il parlé de Nicolas dans ses dernières lettres ? Je vais la voir !

— Vous n'y pensez pas ! Après ce qui s'est passé entre nos deux familles !...

— Le sort de Nicolas me préoccupe trop pour que je m'arrête à ces misérables querelles, répliqua Sophie.

Elle appela un domestique et ordonna d'atteler de nouveau la calèche.

— C'est bon. Je vous ferai accompagner par un piqueur, soupira Michel Borissovitch.

Radoucie, elle dit, en lui donnant ses mains à baiser :

— Je ne serai pas longtemps absente, je vous le promets. Vous devez me trouver insupportable. Mais comprenez mon inquiétude. Je ne vis plus...

— Comme moi ! marmonna-t-il. Comme moi ! Allez, mon enfant ! Que Dieu vous suive à la trace !

★

La famille Volkoff était sur le point de passer à table, quand le vieux Simon, doyen des domestiques, ouvrit la porte du salon et annonça d'une voix chevrotante que Mme Ozareff désirait parler à la maîtresse de maison. Daria Philippovna, soudain privée de jambes, ne pouvait plus se lever de son fauteuil. « Qui l'a prévenue ? se demanda-t-elle. Un serviteur, un voisin malveillant ? » Elle devinait ce qui allait suivre : reproches, cris, injures ! Son regard éperdu se porta sur ses trois filles. Plutôt mourir que d'être déshonorée devant elles ! Muettes de surprise, les innocentes créatures semblaient dire : « Que nous veut cette intruse ? » Déjà, le vieux Simon s'effaçait devant la visiteuse. Il y eut un froissement d'étoffe. La justice divine entra dans le salon sous les traits de Sophie. Sur un signe de leur mère, Hélène, Nathalie et Euphrasie firent la révérence et se retirèrent sagement. « Que ta volonté s'accomplisse, Seigneur ! pensa Daria Philippovna. J'ai péché dans l'ombre, frappe-moi dans la lumière ! »

Et, mentalement, elle offrit sa gorge au couteau.

— Madame, dit Sophie, je m'excuse de vous déranger à une heure si tardive...

Ce préambule courtois étonna Daria Philippovna, qui se reprit timidement à espérer. Lorsque Sophie lui eut exposé le but de sa visite, ses dernières craintes tombèrent et elle éprouva un élan de gaieté fébrile. Pour un peu, elle eût trouvé que la femme de Nicolas était sympathique.

— Hélas ! dit-elle à Sophie, je suis dans le même cas que vous. Mon fils ne m'a pas écrit. Si Alexis Nikitytch Péschouroff n'était passé me voir, hier, je ne saurais même pas que Saint-Pétersbourg a été inondé !

— Comment, c'est Péschouroff qui ?...

— Mais oui. Ne vous a-t-il pas rendu visite en sortant de chez moi ? Il m'avait dit qu'il le ferait.

— Il l'a fait, il l'a fait ! murmura Sophie.

Elle se demanda pourquoi son beau-père lui avait caché que, grâce à Péschouroff, il était au courant du désastre. Sans doute ne voulait-il pas la tourmenter avant d'avoir acquis une certitude. C'était l'explication la plus honorable. Elle eût aimer s'en contenter. Mais elle revoyait la mine faussement étonnée de Michel Borissovitch pendant qu'elle lui racontait ce qu'il savait déjà, et un malaise s'emparait d'elle. Même charitable, cette simulation était indigne de lui. Elle ne démêlait plus la vérité du mensonge. Toutes ses relations avec cet homme lui parurent ambiguës, douces et périlleuses à la fois. Elle se promit de lui dire combien elle était fâchée qu'il ne l'eût pas prévenue immédiatement du danger que courait Nicolas. Puis elle se ravisa, devant l'inutilité d'une pareille discussion. A tous ses arguments, Michel Borissovitch opposerait le noble visage du père de famille soucieux de préserver la paix de ses enfants. Finalement, ce serait elle qui aurait tort !

— Vassia est si négligent ! disait Daria Philippovna. Et il habite l'un des quartiers les plus exposés ! Je vis un cauchemar, depuis hier !...

En apprenant que Sophie comptait partir le lendemain pour Saint-Pétersbourg, elle l'envia secrètement. N'étaient ses trois filles, elle se fût envolée elle-même. Plus que quiconque elle avait droit au voyage : son fils et son amant étaient menacés par les eaux ! Elle les confondait si bien dans sa sollicitude, qu'à dix reprises elle faillit se trahir en prononçant le nom de Nicolas alors qu'elle parlait de Vassia. Son trouble augmenta tout à coup, lorsqu'elle avisa, sur un guéridon, un livre que Nicolas lui avait prêté, avant son départ : c'étaient des poèmes de Joukovsky, reliés en maroquin vert, avec, sur le plat de la couverture, une guirlande de fleurs gravées en or. Le volume provenait de la bibliothèque de Kachtanovka. Si Sophie le reconnaissait, elle ne manquerait pas d'en avoir des soupçons. Dans la lumière de la lampe, l'objet s'étalait avec une ostentation maléfique. Sa surface brillait. On ne voyait que lui. Jusqu'au moment où Sophie se leva pour prendre congé, Daria Philippovna vécut dans des transes mortelles.

★

Debout au milieu de la cour, Michel Borissovitch criait sur Vassilissa, qui était en train de plumer une oie :

— Quand donc comprendras-tu, espèce de bûche, que les plumes d'oie sont incurvées de telle façon que celles de l'aile gauche sont seules bonnes pour écrire ? Celles de l'aile droite se couchent mal sous le doigt. Ne mélange donc pas ce que tu tires d'un côté et de l'autre !

Vassilissa, qui écoutait son maître avec vénération, l'interrompit tout à coup :

— Barine ! Barine ! Vous entendez ?

— Quoi ?

— Les clochettes ! C'est Fédka qui revient de la poste !

Plantant là Vassilissa et son oie morte, Michel Borissovitch se hâta vers la maison. Mais il enfonçait dans la boue à chaque pas. Devant le perron, il vit Fédka, qui, déjà, dételait son cheval.

— Il y avait une lettre de Saint-Pétersbourg pour la barynia, dit Fédka.

— Tu la lui as donnée ?

— Oui, barine.

— Qu'est-ce qu'elle a dit ?

— Rien. Elle est devenue pâle et elle est rentrée pour la lire.

Le cœur crispé, Michel Borissovitch monta les marches, traversa l'antichambre, pénétra dans le salon, n'y trouva personne et, furieux de s'être dépêché pour rien, alla ruminer son impatience dans le bureau. Ce fut là que Sophie le rejoignit, dix minutes plus tard. Elle était transfigurée par la joie. Ses yeux brillaient, sa bouche riait, tout son corps se mouvait avec une légèreté irréelle entre les gros meubles qui encombraient la pièce. « Il vit ! », pensa Michel Borissovitch. Presque en même temps, Sophie s'écria :

— Soyez rassuré, père !

Au lieu du dépit rageur qu'il escomptait, un lâche soulagement s'opéra en lui. Certes, il y avait ce projet auquel il devait renoncer : Sophie et lui, seuls dans la grande maison de Kachtanovka... Mais sa déception était peu de chose auprès de l'enfer où il se fût engagé si Dieu lui avait accordé la mort de son fils. Perdu dans un nuage d'idées sombres et violentes, il entendit sa bru qui disait :

— Je venais vous lire la lettre !

Il la remercia d'un signe de tête. Pourtant, il n'avait nulle envie de l'écouter. Les hauts et les bas par lesquels il était passé depuis quelques jours avaient usé sa résistance nerveuse. Au sentiment de la délivrance morale succédait celui de l'écœurement. L'exercice de la vertu ressemblait à une punition. Il était injuste que l'homme vieillissant ne fût pas libre de choisir l'objet de son amour, que l'Eglise, la société, la famille fussent pendues à ses trousses pour l'empêcher d'aller où il voulait, que les jeunes femmes fussent attirées par des imbéciles de leur génération, simplement parce qu'ils avaient une peau sans rides et un regard clair, que le lot de ceux qui avaient franchi la soixantaine fût la convoitise stérile et l'attente du néant ! Assise sur l'accoudoir d'un fauteuil, Sophie lut à haute voix :

— « Je suppose que, malgré la censure, tu dois être au courant de la terrible catastrophe qui vient d'endeuiller la capitale... »

Michel Borissovitch remarqua qu'elle avait commencé au milieu de la première page : sans doute, le début de la lettre contenait-il des phrases d'un caractère trop intime pour être divulguées.

— « Je ne te décrirai pas les scènes d'épouvante auxquelles j'ai assisté, poursuivit-elle, cela t'attristerait trop. Sache cependant que le fleuve, repoussé vers sa source par l'ouragan, a submergé les faubourgs, les îles, la ville entière, entraînant les voitures et les chevaux, brisant les ponts. Des infirmes, des malades, des vieillards, surpris par le flot, ont été emportés, ainsi que des enfants en bas âge. Dans le seul port des Galères et dans les fabriques, plus de cinq cents ouvriers ont trouvé la mort. Les provisions pour l'hiver sont détruites ; un grand nombre d'habitations sont hors de service ; des milliers d'infortunés, sans toit, errent dans les rues jonchées de débris. Grâce à Dieu, notre maison n'a pas trop souffert. L'eau, après avoir envahi le rez-de-chaussée, a consenti enfin à baisser. J'ai recueilli chez moi, provisoirement, les malheureux locataires que la Néva avait chassés de leurs chambres. Parmi nos amis, il n'y a pas de victimes... »

Sophie s'interrompit de lire et dit :

— Il faudra que je prévienne Daria Philippovna !

Puis elle reprit avec entrain :

— « Bien entendu, cette terrible calamité a suscité partout des dévouements admirables. Sous l'impulsion de l'empereur, qui a donné lui-même un million de roubles, une souscription a été ouverte en faveur des sinistrés. La classe des nobles et celle des marchands rivalisent de générosité. Des comités de secours s'organisent. Pour ma part, j'ai versé deux cents roubles... »

— C'est bien, n'est-ce pas, père ? dit Sophie.

— Très bien, dit-il. Continuez...

— « Hélas ! comme si le Seigneur avait jugé la punition insuffisante, de brusques gelées ont succédé à l'inondation. La plupart des maisons, n'ayant pas eu le temps de sécher, se sont revêtues d'une couche de glace. Les gens les moins aisés ne peuvent se procurer de bois de chauffage et supportent un froid de dix degrés au-dessous de zéro. Pour ma part, je suis en excellente santé et plein du désir d'aider mes pauvres concitoyens... »

— Et la vente ? demanda Michel Borissovitch.

— J'y viens, dit Sophie. « Avec ces destructions affreuses, le prix des maisons solidement construites va monter. Moukhanoff est sûr que nous pourrons vendre dans de très bonnes conditions. Il ne parle plus de quatre-vingt mille roubles, mais de cent mille. Bien entendu, il me conseille la patience. D'ailleurs, il n'a pas encore réuni les papiers nécessaires. Je crains qu'il ne me faille prolonger mon séjour ici de trois ou quatre semaines... »

C'était le seul espoir de Michel Borissovitch, depuis qu'il savait Nicolas en vie. Les lèvres plissées, il se retint de sourire.

— C'est ennuyeux ! dit Sophie.

— Il fallait s'y attendre, dit Michel Borissovitch. Une affaire de cette importance ne se bâcle pas en quelques jours.

— « Si vous le voulez, lut Sophie, je donnerai procuration à Moukhanoff pour traiter à ma place !... »

— Surtout pas ! s'écria Michel Borissovitch. Il nous roulerait !

— « Mais j'estime que ce serait imprudent, continua Sophie. Sois donc raisonnable, ma chérie, comme je le suis moi-même. Si tu savais combien je souffre de notre séparation ! Certains soirs, dans ma solitude, je maudis l'idée que j'ai eue de partir. Puis je me dis que, ce voyage, c'était mon devoir de l'accomplir, pour Marie, pour toi, pour nous tous !... La ville est sinistre. Je revois mes compagnons d'autrefois, qui se sont bien assagis. Et je rêve tristement à notre chère Kachtanovka. Comment va père ? Sa santé s'est-elle améliorée ? N'y a-t-il pas quelque médicament que je puisse lui rapporter de Saint-Pétersbourg? »

Michel Borissovitch hochait la tête Ces marques d'attention satisfaisaient en lui un grand besoin de déférence.

— « Et toi, ma douce chérie, à quoi occupes-tu tes journées ? J'essaye de t'imaginer dans ta chambre... »

Sophie se troubla, replia la lettre et la glissa dans son corsage. Son beau-père leva sur elle un regard étonné.

— C'est tout ? demanda-t-il.

— Oui.

Elle le défiait avec une effronterie si charmante, qu'il sentit le feu courir dans ses veines. Il se mit debout. Une moiteur lui vint au visage. Saisissant les mains de la jeune femme, il balbutia :

— Vous voyez bien que vous aviez tort de vous inquiéter !

— Oui, père, dit-elle.

— Je suppose que vous n'avez plus l'intention de partir, de me laisser ?

— Oh ! non...

— Vous êtes heureuse ?

— Très heureuse ! Je vais vite écrire à Nicolas !

Il l'eût battue ! Elle souriait. Il lui lâcha les mains. La pièce s'emplit d'un bourdonnement d'abeilles. Un formidable choc éclata dans la poitrine de Michel Borissovitch. Il s'appuya au dossier d'un fauteuil.

— Je ne suis pas bien ! chuchota-t-il.

Sa belle-fille l'aida à se rasseoir. Aussitôt, le malaise se dissipa. Il haletait, regardait le tendre visage penché au-dessus de lui dans le brouillard, et ne savait plus s'il était réellement très faible ou s'il avait feint de perdre connaissance pour apitoyer Sophie.

## 8

Enfin, le fleuve gela sur toute sa largeur. Entre les quais en granit de la Néva, une carapace blanche recouvrit les souvenirs du déluge. Là où, jadis, le flot furieux roulait des débris de cabanes et des cadavres de bêtes, maintenant les enfants patinaient, des vendeurs de boissons chaudes battaient la semelle, des attelages de maîtres faisaient la course et des rennes aux hautes ramures tiraient des chargements de glace translucide. Les blessures des maisons reçurent des pansements de neige. La flèche de l'Amirauté se redora au soleil de l'hiver. Les frontons des palais reposèrent sur des colonnes enfarinées. Dans les rues, le glissement silencieux des traîneaux remplaça le vacarme des voitures à roues. Toute la cité parut s'assoupir, s'engourdir, dans une fausse sérénité. Les locataires du rez-de-chaussée quittèrent le salon de Nicolas pour se réinstaller dans leurs chambres aux boiseries décollées et au sol boueux. Sans doute préféraient-ils encore la misère et le froid à la promiscuité. Vassia lui-même retourna bientôt dans sa maisonnette de la rue des Officiers.

Après cette expérience de vie en communauté, Nicolas fut heureux de se retrouver seul avec Antipe. Il avait lié connaissance avec Tamara, la jolie Polonaise, et songeait à la séduire pour passer le temps. Sous prétexte de réparations, il lui avait déjà rendu visite à trois reprises, dans l'unique pièce qu'elle partageait avec sa sœur. Les deux premières fois, la sœur, boiteuse et revêche, avait assisté à leur rencontre. La troisième fois, il avait vu Tamara seule et, tout en lui parlant du grave problème de l'infiltration des eaux dans les murs, il lui avait pris la main. Elle l'avait regardé avec frayeur et n'avait pas osé se dégager : il était le propriétaire, un homme riche, respectable, qui pouvait la jeter à la porte ou doubler son loyer pour la punir ! Mais peut-être aussi le jugeait-elle à son goût ? Le lendemain, Nicolas lui avait écrit un billet pour la prier de venir souper, un soir, à sa convenance. Une couturière n'allait pas, se disait-il, refuser une invitation aussi flatteuse ! Or, les jours s'écoulaient, Tamara ne répondait pas et Nicolas perdait patience. Il finit par se désintéresser d'elle au point de ne plus chercher à la revoir.

D'ailleurs, il avait trop à faire pour s'ennuyer. Levé tard, il passait un long temps à sa toilette, déjeunait légèrement et s'installait pour écrire à Sophie. Loin d'elle, il mesurait mieux la place qu'elle tenait dans son existence. Il évoquait son beau visage, s'emplissait de tendresse et laissait partir sa plume sur le papier. Lui eût-il parlé de vive voix, qu'il se fût exprimé avec la même aisance. En revanche, bien que Daria Philippovna l'accablât de missives passionnées, il ne se sentait pas le goût de lui répondre. Plus elle lui reprochait son silence, plus il s'y renfermait. Vers onze heures, il enfilait un manteau doublé de fourrure, coiffait un large chapeau bolivar, empoignait sa canne à pommeau d'argent et sortait dans la rue, le nez au vent, le cœur battant de plaisir. Chaque jour, ou presque, il allait voir le notaire, discutait avec un acheteur éventuel, se promenait en traîneau sur la Néva gelée, dînait avec Kostia, Vassia, Youri Almazoff, Stépan Pokrovsky, soutenait des conversations politiques et finissait la soirée au Cabaret Rouge, parmi des officiers et des filles.

Youri Almazoff était tombé amoureux d'une jeune danseuse de ballet, difficilement accessible. Il en parlait tellement à ses amis, que Nicolas voulut la connaître. Un dimanche, à sept heures, ils se rendirent en bande au Grand Théâtre, récemment construit sur la place, derrière le pont Potsélouïeff.

Le parterre et les trois étages de loges étaient pleins à craquer d'uniformes et de robes du soir. Les épaulettes, les aiguillettes, les diadèmes et les chiffres de diamant éparpillaient en mille reflets la lumière d'un gigantesque lustre de cristal. Quelques fracs posaient une note sévère dans ce papillotement de couleurs vives. Le rideau de scène, représentant un temple grec, ondulait mollement devant une rangée de quinquets. Le murmure des conversations ressemblait au bruit de la mer. Assis entre Youri Almazoff et Kostia, Nicolas jetait ses yeux de tous côtés, saluait des connaissances, remarquait de jolies femmes aux épaules nues et demandait leur nom à voix basse. Derrière lui, deux graves personnages en uniforme parlaient des soucis que leur causaient leurs domaines.

— Mon intendant est un vaurien, mais je n'ai pas le temps de le surveiller, disait l'un. Je lui écris d'abattre des arbres pour dix mille roubles, il en abat deux fois plus et garde la différence. Les récoltes sont tellement mauvaises, que je n'en tire pas un kopeck. Si je proteste, on me dit que ma terre ne produit rien parce qu'elle est trop pierreuse, ou trop fatiguée. C'est comme pour le foin : d'après les comptes que je reçois, le bétail en aurait consommé vingt mille pouds en quatre mois !

— Vingt mille pouds en quatre mois ! s'écria l'autre. Mais cela suffirait à ravitailler tout un régiment de cavalerie pendant une année !

— Peut-être ! Je ne sais plus ! Je me laisse grignoter ! A la grâce de Dieu !

— Il faut réagir, Ivan Arkadiévitch. Menacez-les des verges, et tout rentrera dans l'ordre. Mais, au fait, combien avez-vous d'âmes ?

Nicolas se pencha vers Kostia et soupira :

— Etrange pays que la Russie ! Les gens n'y demandent pas les uns aux autres : « Avez-vous une âme ? » Mais : « Combien avez-vous d'âmes ? » Tout le mal vient de cette confusion entre le pluriel et le singulier !

Ils pouffèrent de rire, heureux de si bien se comprendre. A côté d'eux, sur la gauche, un jeune garde à cheval, en uniforme blanc, racontait avec fièvre à son voisin la dernière revue au manège :

— D'abord, nous sommes passés au pas, puis au trot, puis au galop. Je montais Arlequin. Une splendeur ! Sais-tu qu'on va nous distribuer de nouveaux casques, un peu plus bas que les précédents et d'une forme antique ? Nous ressemblerons à des guerriers romains !...

A ces mots, il se dressa et se mit au garde-à-vous. Un général passa entre les fauteuils. Vieux et chauve, il marchait, une épaule en avant, et répondait distraitement aux saluts. Nicolas entendit deux jeunes femmes qui murmuraient :

— A son âge ? Ce n'est pas possible !

— Mais si ! Et c'est une liaison qui dure depuis longtemps ! Il paraît que le grand-duc Nicolas l'a sommé de rompre ! Sinon, il l'enverra au Caucase !

A peine les militaires se furent-ils rassis, que tout le monde se releva : le général-comte Miloradovitch, gouverneur de Saint-Pétersbourg, entrait dans sa loge. Héros de la guerre nationale, il portait fièrement le surnom de « chevalier Bayard russe ». Sa réputation amoureuse était aussi solidement établie que sa réputation guerrière. On chuchotait qu'il entretenait un harem. Un cordon bleu barrait sa large poitrine constellée de décorations. Ses épaulettes devaient peser une livre chacune. Au bout de ses doigts brillait une lorgnette en or. Il répondit d'une inclination du buste à l'hommage silencieux du public et prit place dans son fauteuil. Les conversations recommencèrent, entre haut et bas. A voir cette salle élégante, il était malaisé de croire qu'une terrible inondation avait ravagé la ville quelques jours auparavant. Les morts enterrés, les rues déblayées, l'instinct de vivre poussait les gens fortunés à oublier le malheur des autres.

Les premiers accords de l'orchestre couvrirent les propos qui couraient du parterre aux galeries. L'affiche annonçait un ballet, *Acis et Galatée*. Tout à coup, le rideau s'envola. Sur la scène, décorée de plantes vertes, s'élancèrent des figures féminines d'une extraordinaire légèreté. L'affreux cyclope Polyphème tournait et bondissait, fou de jalousie, autour de la nymphe et du berger amoureux. Téléchova dans le rôle de Galatée, Novitskaïa dans celui d'Acis, rivalisaient de grâce dans leurs attitudes. Chacune avait ses adorateurs, qui applaudissaient après les pas les plus difficiles. Cependant, Youri Almazoff ne voyait qu'une petite danseuse du corps de ballet, qui, de temps à autre, faisait une pirouette, ou esquissait un battement de pieds, au second plan.

— N'est-ce pas qu'elle est divine ? marmonnait-il.

C'était Katia, sa bien-aimée, dont un riche négociant en bois protégeait la carrière. A la fin du premier acte, une ovation monta du public, des bouquets jonchèrent la scène. Par une tendre habitude conjugale, Nicolas regretta que Sophie ne fût pas auprès de lui pour jouir du spectacle. Youri Almazoff, rouge d'enthousiasme, se rua dans les coulisses. Il retenait son sabre. Ses éperons tintaient. Nicolas et Kostia le suivirent. Ils tombèrent parmi des machinistes qui déplaçaient les décors. Des lampes à huile éclairaient mal un chaos de toiles verticales, de cordages, de treuils et de poulies. Appuyée contre un portant, la petite Katia reprenait son souffle. Un vilain châle marron couvrait sa robe de tulle rose. Des fleurs de papier pendaient dans ses cheveux. Elle avait un nez pointu et dégageait une fine odeur de transpiration.

— Divine ! Divine ! répétait Youri Almazoff en lui baisant les mains. Permets-moi de te présenter mes amis qui sont aussi tes admirateurs...

Il ne put en dire davantage ; le maître de ballet Didelot arriva en hurlant :

— Les danseuses dans leurs loges ! Les spectateurs dans la salle ! Ce n'est pas le moment des bavardages ! Veuillez vous retirer, monsieur l'officier !

Katia s'enfuit. Youri Almazoff voulut la suivre, mais Nicolas le retint. Une étrange procession traversait la scène : cinq ouvreurs du théâtre, en livrée rouge et bas blancs, s'avançaient, portant d'énormes corbeilles de roses. Derrière eux, marchait le comte Miloradovitch. Tout ce monde s'engagea dans le couloir et s'arrêta devant la porte de la Téléchova. Tandis que le gouverneur de Saint-Pétersbourg frappait au vantail, Didelot réitérait l'ordre aux personnes étrangères à la troupe de quitter immédiatement les coulisses.

— Dispersez-vous, mortels ! dit Nicolas. Le géant Polyphème va faire sa cour à l'élue !

Quelques visiteurs l'entendirent. Il y eut des rires étouffés. Trois robustes danseurs, en costumes de tritons, coiffés d'une perruque verte et portant leur queue de poisson sur le bras comme une serviette, se chargèrent de refouler poliment les intrus vers la sortie.

Après le spectacle, Youri Almazoff ne put rejoindre Katia, qui était invitée à souper par son riche protecteur, et, de désespoir, proposa à ses deux amis de finir la soirée chez les tziganes. Nicolas rentra à la maison vers minuit, sans avoir bu autre chose que du champagne. Il était très lucide, bien que sa tête fût pleine de chansons.

Antipe attendait son maître en somnolant dans un fauteuil, près d'une lampe allumée.

— On a apporté une lettre pour vous, tout à l'heure, barine, dit-il d'une voix pâteuse en se mettant debout.

— Qui, on ?

— Tamara Casimirovna, la Polonaise. Vous veniez juste de sortir...

Nicolas saisit le billet que lui tendait Antipe, le décacheta et lut ces lignes tracées d'une plume appliquée :

« Estimé Nicolas Mikhaïlovitch,

« Ma sœur est partie ce matin pour Toula, où notre tante malade réclame ses soins. Comme je suis seule, j'ai pensé que nous pourrions souper ensemble, ainsi que vous avez eu la bienveillance de me le proposer. Si ce soir vous convenait, ce serait avec plaisir. Sinon, un autre soir, comme vous voudrez. Je vous prie d'agréer, estimé Nicolas Mikhaïlovitch, mes respectueuses salutations. »

Un sourire effleura les lèvres de Nicolas. Tamara était sortie de sa tête imperceptiblement ; elle y rentrait par surprise. Soudain, il fut heureux de l'aventure facile qui se dessinait pour lui. Cette Polonaise était exactement la personne qu'il lui fallait en ce moment : humble, discrète, cent fois plus jolie que la Katia de Youri Almazoff ! Dommage qu'il fût trop tard pour inviter la jeune fille à souper. Mais peut-être ne dormait-elle pas encore ? Il prit la lampe des mains d'Antipe, descendit l'escalier, s'avança dans le couloir du rez-de-chaussée et frappa légèrement à une porte. De l'autre côté, il y eut un vague remuement, le bruit de deux pieds nus sur le plancher. Une voix douce chuchota :

— Qui est là ?

— C'est moi : Nicolas Mikhaïlovitch Ozareff ! dit Nicolas. Je viens de lire votre billet. Il faut absolument que je vous parle. Ouvrez-moi.

— Je ne peux pas.

— Pourquoi ?

— Je suis au lit.

— Ce n'est rien. Jetez un vêtement sur vos épaules.

— Ne pouvons-nous attendre demain ?

— Demain, il sera trop tard !

— Trop tard pour quoi ?

— Il m'est impossible de vous l'expliquer ainsi. Je dois vous voir, coûte que coûte. Chaque minute perdue aggrave la situation. Vite ! Vite !

Il l'entendit qui ouvrait une armoire. « Pourvu qu'elle ne s'habille pas trop ! », pensa-t-il. Enfin, elle entrebâilla la porte. Ses cheveux bruns pendaient sur ses épaules. Elle avait enfilé un peignoir de gros tissu jaune. Dessous, il ne devait y avoir que la chemise de nuit.

— Que se passe-t-il ? murmura-t-elle, les yeux agrandis d'inquiétude.

— Il se passe que je vous aime ! s'écria Nicolas en la repoussant dans la chambre.

Et il referma la porte derrière lui.

L'affaire se déroula comme il l'avait prévu : Tamara, pleine de considération pour un monsieur de son importance, se laissa coucher et caresser avec une soumission non dépourvue de curiosité. Au moment de céder tout à fait, elle gémit : elle était vierge. Il en éprouva de la fierté et de la confusion. Puis elle ne protesta plus. Comme il faisait trop froid chez elle pour y goûter l'amour avec quelque chance de plaisir, Nicolas l'emmena dans son appartement. En voyant revenir son maître avec la Polonaise, Antipe ouvrit une bouche de gobeur. Cette réprobation muette irrita Nicolas, qui eût souhaité n'avoir pas de témoin. Il se fit servir du champagne et des fruits dans sa chambre, foudroya son serviteur d'un regard seigneurial et boucla sa porte.

La chaleur du poêle, les vapeurs du vin, la douceur des baisers achevèrent de retourner Tamara. Folle de gratitude, elle répétait à Nicolas qu'il était trop beau et trop instruit pour elle, qu'elle ne le méritait pas et que, quoi qu'il advînt par la suite, elle prierait pour lui, car il l'avait comblée jusqu'à la fin de ses jours. La conscience d'être quelqu'un d'exceptionnel, fût-ce aux yeux d'une couturière, lui donna du ressort jusqu'à cinq heures du matin. Avant que le portier ne fut levé, il la reconduisit chez elle, tout amollie.

— Dès que je pourrai te revoir, je viendrai frapper à ta porte, dit-il. D'ici là, sois sage.

— Oh ! oui ! dit-elle. J'obéirai. J'attendrai...

Il la trouva parfaite et remonta se coucher avec la satisfaction d'avoir rondement mené le jeu.

Le lendemain, au saut du lit, il convoqua Antipe, se gratta la tête et grommela d'un ton négligent :

— Pour ce qui s'est passé la nuit dernière, je compte sur ta discrétion. Si tu parles à quiconque, tu auras affaire à moi. Je t'écorcherai le dos !

— Votre volonté est la plus forte, barine, soupira Antipe.

Il avait l'air bourru et renfermé. Sans doute gardait-il son opinion, malgré les menaces. Nicolas ne pouvait supporter l'idée qu'un moujik lui reprochât, même en silence, de tromper sa femme. Brusquement, il se sentit d'accord avec les deux propriétaires fonciers qui se plaignaient de leurs serfs, au théâtre.

Toute la journée, Antipe bouda son maître. Tantôt il évitait de regarder Nicolas, tantôt il lui jetait un coup d'œil aigu, hochait la tête et bougonnait :

— Aïe ! Aïe Aie ! Que Dieu nous pardonne nos péchés d'aujourd'hui en pensant à nos bonnes actions d'hier et de demain !

Ou bien :

— L'eau de la rivière a l'air propre, mais entre dedans, tes pieds enfonceront dans la vase !

— Qu'est-ce que tu veux dire ? demandait Nicolas furieux.

— Rien, rien ! Je rêvais tout haut.

Le soir, Nicolas fit de nouveau venir Tamara dans sa chambre. En refermant la porte derrière eux, Antipe cracha par-dessus son épaule.

★

Les jours suivants, Nicolas fut très pris par les affaires et par la politique. Moukhanoff avait fini par publier dans les journaux que la maison Ozareff était à vendre. Sur les nombreux amateurs qui s'étaient présentés, un seul, le comte Derjinsky, paraissait sérieux. Toutefois, il critiquait la valeur de la construction avec une âpreté indigne de sa fortune. Pour l'instant, il offrait soixante-quinze mille roubles en assignats, alors que le prix fixé était de cent mille. Le marchandage menaçait d'être long et délicat, mais Nicolas n'était pas pressé de conclure. Plus que jamais, sa place était à Saint-Pétersbourg, parmi les réformateurs. Les réunions clandestines se multipliaient chez Kostia, chez Stépan Pokrovsky et surtout chez Conrad Ryléïeff. Après avoir repoussé les propositions de l'Union du Sud, les membres de l'Union du Nord s'efforçaient d'élaborer un programme d'entente dans leur propre groupe. Cependant, de discussion en discussion, les divergences d'opinion s'aggravaient. « Les modérés », avec Nikita Mouravieff, désiraient une monarchie constitutionnelle, alors que les « décidés », avec Ryléïeff, tenaient pour une république. Comme pour accroître cette confusion, le colonel Pestel venait d'annoncer sa prochaine visite à Saint-Pétersbourg. Ceux qui l'avaient vu lors de son dernier passage, en mai 1824, le représentaient comme un monstre de lucidité, d'autorité et de calcul, n'hésitant pas à prêcher le régicide. Nicolas était curieux de le rencontrer, mais craignait d'être trop nouveau dans l'association pour participer à une séance aussi importante. Sa joie n'en fut que plus vive, lorsque Kostia lui transmit une invitation de Ryléïeff pour le dimanche suivant, à sept heures du soir.

La maison de la Compagnie Russo-Américaine était située en bordure de la Moïka, près du pont Bleu. Des grilles protégeaient les fenêtres sur la rue. Devant la porte, Nicolas rencontra Kostia et Vassia qui arrivaient ensemble. Le vestibule était encombré par une montagne de manteaux civils et militaires. Des shakos et des hauts-de-forme s'alignaient sur un rayon. Dans un coin, brillait la glorieuse ferraille des sabres, appuyés contre le mur. Affolé, le petit cosaque de Ryléïeff, Filka, ne demanda même pas le nom des visiteurs. Ils entrèrent, sans être annoncés.

Nicolas, qui se souvenait d'un logis aux pièces minuscules et proprettes — avec des rideaux de mousseline blanche, un serin dans sa cage, des pots de balsamine au bord des fenêtres et des chemins de toile bise sur le plancher — ne reconnut pas les lieux au premier abord. Les portes de communication entre le salon, le bureau et la salle à manger avaient été enlevées de leurs gonds. Tous les meubles inutiles avaient disparu, pour faire place à une grande table couverte d'un tapis vert. Une vingtaine de chaises dépareillées s'écrasaient contre le mur. Evidemment, la moitié au moins des sociétaires devraient rester debout. Il y avait déjà tellement de monde, qu'on avait ouvert le vasistas pour chasser l'odeur du tabac. Pestel n'était pas encore arrivé. Les visages étaient graves. Nicolas salua Ryléïeff, qui lui parut à la fois endimanché et nerveux. Pour cacher son impatience, il parlait à deux jeunes gens d'une pièce de Griboïédoff, *le Malheur d'avoir trop d'esprit*, qu'il jugeait admirable, mais dont la censure impériale empêchait la publication. Avisant Nicolas, il s'écria :

— A propos, mon cher, savez-vous que notre grand poète Pouchkine, après avoir été exilé dans le Sud, s'est vu fixer comme résidence forcée la propriété de ses parents, dans le gouvernement de Pskov ?

— Je l'ai entendu dire, en effet.

— Il est donc votre voisin.

— Un voisin très éloigné.

— Vous devriez néanmoins lui rendre visite. Il meurt d'ennui dans sa solitude !

— Comme je le comprends ! soupira Nicolas. Si je le pouvais, je ne retournerais jamais en province !

Et il continua de regarder avec passion autour de lui. Près de la fenêtre, Nikita Mouravieff, en grand uniforme, la face incolore, les yeux jaunes, les cheveux blond filasse, tirait de petits papiers de sa poche, les lisait, les cachait de nouveau, comme s'il eût repassé une leçon. Monarchiste convaincu, auteur de la constitution du Nord, il devait fourbir ses arguments contre le chef des conjurés du Sud. Le laissant à ses méditations, Nicolas entra dans un groupe, que dominait la voix claironnante de Bestoujeff. On y discutait des contradictions qui marquaient le caractère de Pestel. Son père, ex-gouverneur général de la Sibérie, homme sot, brutal, infatué de lui-même et concussionnaire par surcroît, avait été destitué et traduit en justice. On aurait pu croire que c'était pour réagir contre le souvenir de ce despote provincial que l'actuel directeur de l'Union du Sud avait choisi la voie de la révolution. Mais il avait de qui tenir, et, tout en prêchant la liberté, il était un colonel intraitable, faisant passer ses soldats par les baguettes à la moindre faute de service.

— Son régiment est formé d'automates ! dit Bestoujeff. Notre souverain, qui est un connaisseur, l'a paraît-il félicité pour la discipline de ses troupes, après une revue, à Toultchine !

— Si le tsar avait su qu'il s'adressait à un conspirateur ! dit Nicolas.

— Il l'a certainement appris depuis !

— Ce n'est pas possible !

— Eh ! si, Nicolas Mikhaïlovitch ! Vous pensez bien que l'empereur est au courant, par ses espions, de nos réunions secrètes. Mais les noms des suspects le rassurent. Presque tous sont des officiers, de hauts fonctionnaires ou des nobles de première grandeur. « Rien à craindre, se dit-il, avec ces gens-là ! Ils ne vont pas soulever le peuple pour le plaisir de perdre leurs privilèges dans l'aventure ! » Autant Alexandre se sent menacé lorsqu'il entend parler de soldats révoltés contre des chefs militaires, autant il montre de mansuétude pour les chefs militaires qui rêvent d'un meilleur avenir pour l'humanité !

— Tu te berces d'illusions, dit Ryléïeff en se rapprochant de Bestoujeff. Alexandre ami des idéalistes en tous genres, c'était bon du temps où il approuvait la fondation de la Société Biblique. Maintenant, cette association, dont il fallait faire partie si on voulait obtenir un avancement rapide, est dissoute par un oukase de son ancien protecteur. Tout ce qui ressemble de près ou de loin à une organisation secrète éveille ses soupçons. Même les comités de secours aux victimes de l'inondation l'inquiètent et le contrarient. Que deux personnes parlent entre elles à voix basse, et c'est un complot, qu'un soldat éternue à la parade, et c'est le début d'une émeute, qu'on crie : « Hourra » au passage de l'empereur, et c'est une façon de le conspuer ! Tous ces dangers imaginaires lui cachent le seul danger véritable ! Il ne nous voit pas dans la réalité, parce qu'il nous voit trop en rêve !

— Pour en revenir à Pestel, dit un autre conjuré, la première fois que je l'ai rencontré, j'ai tout de suite pensé à Napoléon.

— Et moi, à Robespierre, dit Bestoujeff.

— Quel terrible mélange ! dit Nicolas en se forçant à rire. Cela nous promet une discussion orageuse !

D'autres invités arrivèrent, parmi lesquels il reconnut les conjurés Kuhelbecker, Odoïévsky, Batenkoff... Le brouhaha des conversations devenait assourdissant. Sur le mur du cabinet de travail, au-dessus des têtes, s'étalait une carte de l'Amérique. Les établissements russes des îles Aléoutiennes et de la côte du Pacifique étaient marqués de petits drapeaux rouges. Il paraissait incroyable que des sujets du tsar se fussent aventurés jusqu'en Californie. Cependant, le gouvernement de Washington avait déjà protesté contre cet essai de colonisation et il était probable qu'à Saint-Pétersbourg le ministre Mordvinoff allait accepter un compromis fixant la frontière des différentes possessions et proclamant la liberté du commerce. Une rêverie s'empara de Nicolas. Il songeait à ses compatriotes, perdus dans cette contrée sauvage. Sans doute était-il grisant d'apporter la civilisation à une terre vierge ! Mais les conjurés étaient, eux aussi, des pionniers ! « Pour la première fois de ma vie, se dit Nicolas, je sais ce qu'on éprouve au début d'une grande action. » Un remous l'interrompit dans ses pensées. Autour de lui, on chuchotait :

— Il arrive !... Poussez-vous !... Messieurs, je vous en prie !...

Se dressant sur la pointe des pieds, Nicolas vit entrer un homme de petite taille, en uniforme de ligne vert foncé à haut collet rouge et épaulettes d'officier supérieur. Dans sa face bouffie, blafarde, les yeux noirs, profondément logés sous l'arcade sourcilière, avaient un regard figé et dominateur. Un sourire dédaigneux plissait ses lèvres charnues. Ses cheveux clairsemés étaient brossés en avant, sur les tempes, à la mode militaire. Nicolas remarqua les décorations du nouveau venu : l'ordre de Sainte-Anne, l'ordre « Pour le mérite » et l'épée en or avec l'inscription « Pour la bravoure ». Tous les signes distinctifs d'un héros de la guerre nationale ! Quant à la ressemblance avec Napoléon, elle devait être plus morale que physique. Pestel serra quelques mains, mais renonça à se faire présenter tout le monde :

— Vous êtes trop nombreux, dit-il, nous n'en finirions pas !

Le maître de maison le conduisit vers la table de conférence. Une lourde lampe à huile pendait du plafond. Les personnages les plus importants s'assirent autour du tapis vert, comme pour commencer une partie de cartes. Les autres, dont Nicolas, restèrent debout contre le mur. Nikita Mouravieff annonça que la séance était ouverte et donna la parole au directeur du tribunal du Sud, le colonel Paul Ivanovitch Pestel.

— Je suis revenu parmi vous, dit Pestel, parce qu'il m'apparaît de plus en plus funeste que nos deux Unions, inspirées par un même idéal, ne conjuguent pas leurs efforts pour le faire triompher. Depuis ma dernière visite, vous avez dû vous rendre compte que la pourriture du régime gagne en profondeur. Dans les cas graves, le médecin ne soigne plus, il ampute. L'heure des demi-mesures est passée. Nous ne pouvons nous permettre de replâtrer la monarchie avec une constitution. Il nous faut une république...

— Nous sommes nombreux à penser comme vous, dit Ryléïeff. Mais ce que nous voudrions savoir, c'est par quels moyens vous entendez parvenir à ce résultat ?

— L'armée se soulèvera sur l'ordre de ses chefs et contraindra le tsar à abdiquer.

— Fort bien, dit Bestoujeff. Et après ?

— Après, nous obligerons le Synode et le Sénat à décréter le gouvernement provisoire.

— Et que ferez-vous du tsar ? demanda Nikita Mouravieff d'un ton aussi courtois que s'il eût pris des nouvelles de quelque proche parent du visiteur.

Les yeux de Pestel étincelèrent sous son front dégarni, couleur d'ivoire. Il dit d'une voix brève :

— Quand on balaye un escalier, on commence par le haut !

— Précisez votre idée.

— Je vous l'ai déjà dit : pour moi, il ne suffit pas d'éloigner le tsar. Même exilé, il serait redoutable par les partisans qu'il aurait conservés dans le pays. Place nette. C'est avec les rois morts qu'on fait les républiques vivantes !

Tout le monde s'attendait à cette déclaration. Pourtant, elle surprit comme un cri sacrilège dans une église. Les visages se pétrifièrent dans la réverbération verdâtre de la table. Un long silence suivit. Nicolas, qui se croyait révolutionnaire, se sentit devenir monarchiste. Il considérait avec terreur celui qui osait parler du meurtre de son souverain. Décidément, Pestel était d'une autre race que les conjurés du Nord, dont la politique se teintait de poésie, de philosophie, de rêverie humanitaire. Eux étaient gens de pensée, lui, était homme d'action. Nikita Mouravieff soupira et dit :

— Mes convictions morales et religieuses m'interdisent d'accepter une pareille suggestion, Paul Ivanovitch. D'ailleurs, je suis persuadé que le peuple se dresserait avec horreur contre les régicides. N'oubliez pas que le tsar est consacré et inspiré par Dieu, pour nous autres Russes !

Pestel, qui était d'origine allemande, comprit la malveillance de l'allusion et répliqua :

— Le shah de Perse, lui, se prétend fils du Soleil et frère de la Lune. En avez-vous plus de considération pour ce personnage ?

— Vous n'allez pas comparer...

— Mais si ! Un autocrate vaut l'autre. Ce qui change, c'est la superficie du territoire et la forme de la couronne. J'affirme, moi, qu'en voyant à quel point il est facile de tuer le tsar, les gens les plus simples comprendront que son omnipotence reposait sur un énorme mensonge !

— Et les membres de la famille impériale, quel sera leur sort ? demanda Ryléïeff.

— Logiquement, nous devrions supprimer aussi les grands-ducs et les grandes-duchesses, répondit Pestel. Tant qu'il reste une tête à l'hydre, elle peut mordre !

Il parlait aussi calmement que s'il eût démontré un théorème. Cependant, autour de lui se répandait le froid de la mort.

— Vous nous conviez à un massacre ! balbutia quelqu'un.

— A un nettoyage, dit Pestel. Mais, pour assurer l'alliance de l'Union du Sud avec la vôtre, je serais prêt à quelques concessions sur ce point : ainsi, j'admets qu'on laisse la vie sauve aux grands-ducs et aux grandes-duchesses, à condition qu'ils soient déportés. Je peux compter, pour cette opération, sur le concours de la flotte de Cronstadt.

— C'est une grande générosité de votre part, dit Nikita Mouravieff avec un sourire en coin.

— Oui, dit Pestel. Cela ne vous suffit pas ?

Nikita Mouravieff balança la tête négativement.

— Eh bien ! reprit Pestel, je vous propose encore quelque chose : l'assassinat du tsar sera perpétré par des hommes à moi. Vous ne tremperez pas dans le complot. Vous garderez les mains propres !

— Et la conscience ?

— Elle se lave plus facilement que les mains, en cas de réussite ! Bien entendu, prenant sur nous la vilaine besogne, nous exigerons de vous des garanties. Si notre offre de collaboration vous agrée, vous devrez, dès maintenant, adopter la constitution que j'ai rédigée et affirmer qu'il n'y en aura pas d'autre !

Nikita Mouravieff, piqué dans son amour-propre de juriste, répliqua qu'il préférait la constitution dont il était l'auteur. Il s'ensuivit un échange de propos très vifs. Pestel, plus incisif dans ses attaques, eut tôt fait de prouver que le système de son adversaire était un maquillage maladroit du régime actuel.

— Ma constitution est une ébauche que je suis prêt à retoucher sous la poussée des événements ! dit Nikita Mouravieff avec humeur.

— Ce n'est pas armé d'une ébauche qu'on part à l'assaut d'une réalité ! s'écria Pestel. Ayez le courage d'ouvrir les yeux sur l'avenir. Notre chemin doit aller de l'esclavage complet à la liberté intégrale. Nous n'avons rien, nous voulons tout. Pourquoi croyez-vous que j'ai intitulé ma constitution la « Vérité Russe » ? Un jour, tous les peuples européens, soumis à l'odieuse oppression de la noblesse et de l'argent, s'inspireront de cette « Vérité Russe » pour secouer le joug qui les écrase. La révolution de 1789 n'a été que française, la nôtre sera mondiale !

Il y eut quelques applaudissements dans l'assistance.

— Qui, d'après vous, commandera le mouvement insurrectionnel ? demanda Ryléïeff.

— Votre directoire et le nôtre devront désigner un dictateur, auquel les deux sociétés obéiront aveuglément, dit Pestel.

— Ce dictateur, ce sera vous ?

Pestel haussa les épaules :

— Pas obligatoirement. La majorité décidera.

D'ailleurs, j'ai un grave défaut pour occuper ce poste : mon nom n'est pas russe !

En disant cela, il décocha un regard haineux à Nikita Mouravieff, qui compulsait ses notes en prévision d'une nouvelle offensive.

— Il n'est pas nécessaire d'avoir un nom russe pour savoir où est le bien de la patrie ! s'exclama le long et maigre Kuhelbecker. Il vous sera toujours possible de faire taire la calomnie en quittant le pouvoir pour rentrer, comme Washington, dans les rangs des simples citoyens !

— Traiter Bonaparte de Washington, quel contresens ! chuchota Kostia à l'oreille de Nicolas.

— De toute façon, dit Ryléïeff, je suppose que le gouvernement provisoire ne durera pas longtemps : un an, deux ans au plus...

— Oh ! non, répliqua Pestel. Il nous faudra bien dix ans pour rétablir l'ordre nouveau.

— Et cet ordre nouveau, vous l'imposerez par la force ?

Pestel eut un rire métallique :

— Connaissez-vous un autre moyen ? Il y aura tant de mauvaises habitudes à faire perdre ! Dans la Russie nouvelle, on ne verra pas une tête plus haute que l'autre. La prospérité naîtra de l'égalité, le bonheur, de l'uniformité. Nous abolirons le servage, nous supprimerons toute distinction de fortune et de condition sociale : plus de riches ni de pauvres, plus de princes ni de roturiers, plus de bourgeois ni de moujiks ! Les enfants naturels auront les mêmes droits que les enfants légitimes. L'instruction obligatoire sera donnée dans des établissements de l'Etat. Toute espèce d'éducation privée sera proscrite comme dangereuse pour la formation politique des jeunes. Il faudra étouffer aussi les tendances particulières des divers peuples vivant sur notre territoire ; leurs traditions, leur folklore seront interdits ; leurs noms mêmes disparaîtront du vocabulaire. Quand toutes les différences de race, de richesse, de culture auront été anéanties, les citoyens se verront fixer un lieu de résidence et un genre de travail conformes aux intérêts de la république...

Un murmure parcourut l'assistance.

— Excusez-moi de vous interrompre, Paul Ivanovitch, dit Nikita Mouravieff, mais ce que vous nous décrivez là ressemble fort à une colonie pénitentiaire !

— Il n'en sera ainsi que pendant la période transitoire, assura Pestel.

— Sans doute aurez-vous besoin d'une nombreuse police pour prévenir tout risque de contre-révolution ? dit Ryléïeff.

— Oui, je ne le cache pas. J'envisage même la création d'un contingent d'espions, directement rattachés au pouvoir central.

— Et la censure ?

— Nous la renforcerons. Il importe que le patient ne bouge pas pendant que le chirurgien opère.

— Ne craignez-vous pas, d'autre part, que l'Eglise ?...

Pestel arrêta Ryléïeff d'un geste de la main :

— J'y ai pensé. Tous les cultes seront assujettis à l'autorité de l'Etat. L'Eglise orthodoxe sera déclarée Eglise officielle. La capitale de la république ne sera pas Saint-Pétersbourg, ville marquée par la tradition tsariste, mais Nijni-Novgorod, où l'Orient et l'Occident se rencontrent. Là, nous serons particulièrement bien placés pour réaliser l'unité russe. Je suis d'ailleurs décidé à expulser les deux millions de Juifs russes et polonais, et à les envoyer fonder un royaume judaïque en Asie Mineure...

Nicolas avait l'impression de se trouver devant un être dont la passion du raisonnement avait détruit la sensibilité. Théoricien inexorable, Pestel poussait au bout les systèmes qu'il avait conçus et en acceptait, dans l'abstrait, toutes les conséquences. Il eût aussi bien appliqué ce mécanisme intellectuel à résoudre un problème de mathématique ou de physique, mais les circonstances l'avaient porté vers la conspiration. Il en profitait pour réformer la Russie. Ah ! on était loin de la république idéale de Saint-Simon dont Nicolas s'enchantait dans sa solitude !

— Puisque vous nous exposez aussi franchement vos intentions, dit Nikita Mouravieff, j'aimerais savoir s'il est exact que vous comptez séparer la Pologne de la Russie ?

— Parfaitement exact, dit Pestel sans se démonter. La Pologne deviendra une république autonome.

— Pourquoi ?

— Parce que tel est l'accord que j'ai pris avec les chefs insurrectionnels de ce pays.

— Vous avez osé démembrer la Russie sans nous consulter ? gronda Ryléïeff.

— Je n'ai pas à vous consulter, puisque vous n'appartenez pas à l'Union que je dirige. Sachez cependant que j'estime l'indépendance polonaise nécessaire à notre stratégie. Vous piétinez encore dans la poussière de l'ancien temps. Moi, je marche sur une route neuve. Si vous voulez rêver la révolution, continuez selon vos méthodes ; si vous voulez la faire, suivez-moi !

— Où ? Dans un cabanon ? hurla Bestoujeff.

Nikita Mouravieff agita une sonnette pour réclamer le silence et dit :

— Messieurs, nous touchons au comble de l'incohérence ! Pour unifier la Russie, on lui enlève la Pologne, pour protéger le peuple, on crée une police secrète chargée de sa surveillance, et, pour garantir la liberté de tous, on limite la liberté de chacun ! Si c'est cela votre « Vérité Russe », je lui préfère la vérité française, anglaise ou américaine !

— Oui ! Oui ! crièrent quelques conjurés. Pas de dictature ! A bas le pouvoir personnel !

Depuis longtemps, Nicolas avait de la peine à se taire. Soudain, il éclata :

— Ce qui fait le charme de la vie, c'est la diversité des coutumes, des croyances, des tempéraments, des talents ! Si vous supprimez cela, si vous réduisez tous les êtres à un dénominateur commun, la masse absorbera l'individu, la Russie se transformera en une vaste fourmilière ! Ce sera affreux !

— Pour qui ? dit Pestel en dirigeant sur lui la lumière de ses yeux noirs. Pour vous qui aurez perdu un peu de bien-être ou pour les milliers de pauvres bougres qui en auront gagné beaucoup ?

— Il n'y a pas de bien-être sans liberté !

— Vous parlez en homme qui n'a jamais manqué de rien !

— Et vous en esclavagiste ! balbutia Nicolas, tremblant de colère. Vous ne voulez abolir le servage des moujiks que pour l'étendre à toute la nation !

Son audace l'étonnait. Etait-ce bien lui, le reclus de Kachtanovka, qui tenait tête au puissant chef de l'Union du Sud ? Grisé par l'approbation de ses camarades, il dit encore :

— La peine de mort existe-t-elle dans votre système ?

— Non, répondit Pestel.

— Que ferez-vous donc des gens qui, comme nous, refuseront vos idées ?

Pestel serra les poings au bord de la table et ne dit mot.

— Nous enverrez-vous en Sibérie après un simulacre de jugement ? reprit Nicolas.

Pestel se taisait toujours. Visiblement, il bandait tous les muscles de son corps pour ne pas crier : « Oui ! » Ses regards exprimaient le feu d'une pure conscience et le mépris des vains jugements dont on l'accablait. Craignant que la réunion ne se terminât en bataille, Nikita Mouravieff intervint avec diplomatie :

— Les principes développés par notre hôte seront, peut-être, applicables à la Russie dans cinquante ans, dans cent ans, mais, pour l'instant, le pays n'est pas prêt à subir une transformation aussi radicale. A un peuple qui, depuis des siècles, croupit dans la servitude et l'ignorance, les droits politiques ne peuvent être accordés qu'à doses progressives. Si, du jour au lendemain, vous renversez le tsar au profit d'un dictateur inconnu des foules, votre action sera vouée à l'échec. Le choc, trop brutal, déréglera les cerveaux. Ayant créé le désordre, vous périrez dans le désordre. C'est pourquoi je reviens à mon idée : afin de permettre à la nation de faire son apprentissage civique, nous devrons procéder par étapes : d'abord, la monarchie constitutionnelle...

— Pourquoi pas d'abord la république ? interrompit Ryléïeff. Une république libérale, évidemment, et non dans le genre de celle que nous a proposée Pestel...

— Oui, oui, une république libérale ! renchérit Kuhelbecker.

— Une monarchie ! dit Batenkoff. Il y a du bon dans la monarchie !

Les exclamations se croisaient :

— Je vote pour la monarchie ! Mais à condition qu'on change de tsar !

— Je vote pour la république !

— Reprenez la constitution américaine !

— Non, la constitution française... la Charte !...

Pendant le tumulte, Pestel se leva et se dirigea vers la porte.

— Où allez-vous ? demanda Ryléïeff.

— Je reviendrai quand vous vous serez mis d'accord ! dit Pestel avec un sourire méprisant.

— Inutile de revenir ! cria Kuhelbecker. L'accord est déjà fait : l'Union du Nord ne s'alignera jamais sur l'Union du Sud ! Adieu !

Ryléïeff accompagna son hôte dans le vestibule et reparut bientôt, l'air pensif.

— Enfin ! nous revoici entre nous, dit Nikita Mouravieff en s'épongeant le front. Ça fait plaisir !

— Ce Pestel est un fou ! dit Nicolas.

— Croyez-vous ? murmura Ryléïeff avec un hochement de tête.

En rentrant à la maison, Nicolas n'alla pas chercher Tamara dans sa chambre. Ce qu'il avait vu et entendu le préoccupait trop pour qu'il pût prendre du plaisir auprès d'une femme. Il ouvrit son cahier de citations afin de se retremper dans l'enseignement de ses maîtres. Une phrase de Chateaubriand lui sauta aux yeux : « Un peuple qui sort tout à coup de l'esclavage, en se précipitant dans la liberté peut tomber dans l'anarchie, et l'anarchie enfante presque toujours le despotisme. » (*Voyage en Amérique.*) Fier de sa science, il recopia la formule à l'intention de Nikita Mouravieff.

Le lendemain, il s'apprêtait à sortir, quand un facteur se présenta. Il était en uniforme, avec un sabre au côté et un shako sur la tête. Une goutte pendait à son nez. Ses doigts rouges fouillaient dans sa sacoche de cuir. Il en tira une lettre :

— Pour vous, Votre Noblesse ! Quel froid, ce matin ! La fumée monte droit, c'est signe qu'il va geler !

Nicolas paya vingt kopecks pour la taxe postale et la livraison à domicile. Il avait reconnu l'écriture de Sophie. Disposé à la tendresse, il décacheta le pli et lut :

« Mon bien-aimé,

« Ne penses-tu pas revenir bientôt ? Les journées me semblent si longues ! Je me sens bête, inutile, sans toi, dans cette grande maison où tout me parle de notre amour. Père se porte assez bien. Il est plein de prévenance à mon égard. Mais ses malaises l'ont rendu capricieux. C'est un véritable enfant gâté, qui ne supporte pas d'être seul. Pour qu'il fût pleinement heureux, je devrais passer mon temps à jouer aux échecs avec lui, ou à lui faire la lecture, ou à l'entendre raconter ses souvenirs de jeunesse. J'ai revu Marie, toujours aussi triste, et son époux, toujours aussi odieux. Ils attendent avec impatience le résultat de tes négociations... »

Sans s'arrêter de lire la lettre, Nicolas rentra dans

sa chambre et s'assit sur le lit. Déjà, il était repris par l'atmosphère de Kachtanovka. Un instant, il envia son père, qui voyait Sophie du matin au soir. Puis il repensa gravement à ses amis de l'Union du Nord. « Si je n'étais pas amoureux de ma femme, se dit-il, je resterais parmi eux, je deviendrais peut-être leur chef !... » Cette rêverie le troubla. Il eut conscience de sacrifier quelque chose de noble et de dangereux au bonheur calme du mariage.

## 9

Après avoir menacé dix fois de rompre les pourparlers, le comte Derjinsky accepta le prix de cent mille roubles pour la maison. La vente fut signée dans les premiers jours de janvier 1825. Nicolas prit congé de Tamara en larmes, lui promit, sans conviction, qu'elle le reverrait le mois prochain et offrit un dîner d'adieu à ses amis dans un restaurant. Au cours du repas, il parla avec éloquence de Saint-Simon, dont il eût aimé, disait-il, que tous les conjurés devinssent des adeptes. Ryléïeff lui demanda s'il savait que le philosophe français avait tenté de mettre fin à ses jours, au mois de mars 1823. La balle du pistolet lui avait crevé un œil. Cette nouvelle étonna Nicolas : il lui semblait inconcevable qu'un génie de cette grandeur pût céder au désespoir. Toutefois, d'après Ryléïeff, ce suicide manqué avait convaincu Saint-Simon que son rôle n'était pas terminé, que le triomphe de ses théories était proche, et il s'était courageusement remis à la tâche.

— Si cela vous intéresse, dit Ryléïeff, je vous ferai parvenir tous les ouvrages de lui que je pourrai me procurer.

Nicolas remercia avec émotion. A la fin du dîner, les convives se levèrent pour boire au succès de « la cause ». Kostia Ladomiroff et Vassia Volkoff accompagnèrent Nicolas jusqu'à la barrière de la ville. En les quittant, il eut l'impression de s'arracher au siècle des lumières pour s'enfoncer dans les ténèbres de l'ancien temps. Quatre jours de voyage n'égayèrent pas son humeur. Certes, il était heureux à l'idée de retrouver Sophie, mais il craignait que la vie de province ne lui parût encore plus monotone après les heures pleines d'agrément qu'il avait connues à Saint-Pétersbourg. Il oublia son appréhension en apercevant le toit de la demeure familiale, entre les sapins chargés de neige. Chaque fois qu'il s'engageait dans cette allée, au retour d'un voyage, il se revoyait pensionnaire, venant passer des vacances chez ses parents. Son arrivée fut triomphale : Michel Borissovitch le félicita d'avoir mené à bien une négociation aussi délicate et Sophie se blottit amoureusement dans ses bras. Ils ne dormirent presque pas de la nuit, tant ils avaient de goût l'un pour l'autre après des mois de privation. Entre deux étreintes, ils s'interrogeaient réciproquement sur ce qu'avaient été leurs journées. Nicolas raconta par le menu les entretiens politiques qu'il avait eus avec ses amis, analysa la constitution du Nord par opposition à celle du Sud et présenta Ryléïeff comme un chef raisonnable, courageux et fort, et Pestel comme un dictateur aux ambitions diaboliques. Encouragé par l'intérêt que Sophie prenait à son récit, il déclara soudain :

— L'effervescence des esprits est telle, que je devrai probablement retourner là-bas dans quelque temps.

— Si c'est vraiment nécessaire...

— C'est indispensable ! Nous irons ensemble ! Tu veux bien ?

Elle ne dit ni oui ni non et, changeant de sujet, le questionna sur l'inondation de Saint-Pétersbourg. Il en avait déjà parlé à table devant son père. Il recommença. Aussitôt, le souvenir de Tamara survola son esprit. Avait-elle réellement existé, avec son grain de beauté sur la narine ? Tenant Sophie toute chaude dans ses bras, il était près de se dire qu'il ne l'avait trompée qu'en rêve. Cette interprétation des faits le soulagea de ses scrupules. Vers quatre heures du matin, absous sans avoir eu à demander pardon, il s'assoupit contre le flanc de cette femme, à qui, en dépit des apparences, il ne pourrait jamais être tout à fait infidèle.

Ils allèrent ensemble à Otradnoïé pour apporter à Marie sa part sur la vente de la maison. En recevant, des mains de son frère, la grosse enveloppe cachetée de cire rouge où il avait glissé vingt-cinq mille roubles en assignats, la jeune femme pleura de bonheur. Sans même vérifier le contenu du paquet, elle signa la quittance que Nicolas avait préparée et dit :

— Cet argent nous sauvera de la ruine ! Nous avons tellement de dettes ! Je te remercie du fond du cœur, Nicolas ! Vladimir Karpovitch te remerciera lui aussi, bien sûr, dès son retour. Oui, il est encore en voyage. Mais je l'attends d'un jour à l'autre...

Chaque fois qu'elle parlait de son mari, il y avait une expression de gêne dans ses yeux. Elle croisait un châle gris sur son ventre. Sophie, qui ne l'avait pas revue depuis plus de deux mois, remarqua sa taille épaisse, ses traits tirés, et murmura :

— Ne nous cachez-vous pas une heureuse nouvelle ?

Marie rougit violemment.

— Oui, j'attends un bébé, balbutia-t-elle.

— Mais, c'est merveilleux ! s'écria Sophie. Pour quand ?

— Pour dans quatre mois !

Nicolas félicita sa sœur avec un embarras très masculin.

— Comment l'appelleras-tu ? demanda-t-il.

— Serge, si c'est un garçon, dit Marie, Tatiana, si c'est une fille.

— Et que préférerais-tu ?

— Un garçon !

Elle semblait déchirée entre la fierté et la pudeur.

Son regard évitait celui de son frère. Ses doigts nerveux jouaient avec les franges de son châle. Sophie fut bouleversée à la pensée que sa belle-sœur connaîtrait bientôt un bonheur qu'elle-même espérait en vain depuis si longtemps ! Devant cette jeune femme qui allait donner le jour à un enfant, elle se découvrait pleine d'admiration, d'attendrissement et de convoitise, comme si cet acte, le plus naturel du monde, fût aussi le plus étrange et le plus glorieux.

— Comptez sur nous, Marie ! dit-elle. Si vous avez besoin de quoi que ce soit...

Elles s'embrassèrent et se mirent à parler, en femmes, de l'avenir. Marie s'animait d'une façon anormale. On eût dit qu'elle cherchait à se persuader d'une félicité qu'elle savait impossible. Après l'avoir enviée, Sophie se demanda si, au contraire, elle ne devait pas la plaindre. Par une mystérieuse prédisposition, les événements qui, pour toute autre femme, eussent été heureux, prenaient, pour celle-ci, un aspect de menace. Elle attirait les calamités comme certaines montagnes attirent les nuées d'orage. L'univers était paisible et lumineux autour d'elle, mais, sur son front, il y avait toujours une ombre. Quelle serait la vie de cette mère sans mari, de cet enfant sans père ? « Je suis stupide ! se dit Sophie. Je dramatise tout ! Bien des mauvais ménages ont été sauvés par une naissance ! » Malgré ce raisonnement, l'inquiétude demeurait en elle aussi vivace. Elle eut de la peine à feindre la gaieté jusqu'à la fin de la visite.

Pendant le voyage de retour, elle fit part à Nicolas de ses impressions.

— Moi non plus, je n'arrive pas à me réjouir, dit-il. Tout, dans cette maison, sent la discorde, l'abandon, la pauvreté, la honte ! Sédoff toujours par monts et par vaux, Marie incapable de se défendre, des domestiques arrogants, un foyer sans chaleur ! L'enfant viendra au monde dans les conditions les plus lamentables !

— Que peut-on faire pour elle ? soupira Sophie.

— Rien. Au fond, je crois qu'elle aime souffrir. Inconsciemment, elle a choisi Sédoff, parce que c'est l'être qui peut la rendre la plus malheureuse !

Sophie attendit la fin du dîner pour apprendre à Michel Borissovitch qu'il allait être grand-père. M. Lesur faillit se répandre en congratulations, mais se retint, à la dernière seconde, préférant régler son attitude sur le maître de maison. Celui-ci choisit de rester muet, impassible et lourd.

— N'êtes-vous pas heureux, père ? demanda Nicolas, irrité par ce silence.

— Je ne vois pas pourquoi je devrais être heureux à l'idée qu'il y aura bientôt un Sédoff de plus sur la terre, dit Michel Borissovitch.

Sophie, à son tour, ne put se contenir :

— C'est tout de même votre fille...

— Et après ? gronda Michel Borissovitch. Epargnez-moi les couplets d'usage ! Cet événement n'intéresse en rien notre famille !

M. Lesur rengaina son sourire. Sophie et Nicolas échangèrent un regard navré. On sortit de table, comme d'un repas de funérailles. Michel Borissovitch fuma toute une pipe, ce soir-là, sans que sa belle-fille le réprimandât pour son imprudence. De même, elle ne lui proposa pas de nettoyer ses lunettes, alors qu'il s'apprêtait à lire son journal.

Conscient d'avoir blessé son entourage, il se montra, par contraste, fort aimable les jours suivants. Le désir qu'il avait de Sophie s'apaisait, maintenant qu'elle était redevenue la femme de Nicolas. Rendu à son rôle de beau-père, il apprenait à limiter son ambition aux plaisirs accessibles. Avec de la patience et de l'imagination, il arriverait, pensait-il, à se contenter des miettes de bonheur qui tomberaient de la table des époux. Il les observait, les trouvait mal assortis et conservait dans son cœur un espoir dont il ne voulait fixer ni la nature ni l'échéance.

Depuis le retour de Nicolas, Sophie avait repris ses visites aux villages. Il n'y avait pas de famille dans le domaine qui n'eût quelque problème à lui soumettre, quelque conseil à lui demander. Les mariages entre serfs devant être approuvés par le propriétaire, c'était elle que les fiancés chargeaient d'intervenir auprès de Michel Borissovitch. En fait, il ne refusait jamais son consentement, trop heureux de prouver à sa bru qu'il avait l'esprit large. Elle n'en était pas moins gênée chaque fois qu'un jeune couple se présentait devant le maître et tombait à genoux au milieu du bureau. Le gars avait les cheveux coupés court, la fille portait des rubans multicolores dans ses tresses. Tous deux, perclus de respect, n'osaient lever les yeux sur le seigneur qui les dominait de son ombre. Après avoir tourné autour d'eux et les avoir examinés sur toutes les coutures, Michel Borissovitch disait invariablement :

— C'est bon ! Mais donnez-moi beaucoup d'enfants ! Sinon, gare !

Et il les renvoyait avec un grand rire. Sophie lui reprochait sa rudesse et il riait davantage encore. Jamais elle ne le gagnerait à ses idées ! Pour reprendre confiance, elle allait, de temps à autre, voir travailler Nikita.

Une fois, comme elle pénétrait dans le petit bureau, elle fut frappée par l'air agité du garçon qui se levait à son approche. De toute évidence, il avait un aveu à lui faire, ou une question à lui poser, et ne savait comment s'y prendre. Enfin, il se lança : Antipe venait de lui raconter une chose extraordinaire. Etait-il vrai qu'à Saint-Pétersbourg Nicolas Mikhaïlovitch et ses amis étudiaient la meilleure façon d'accorder le bonheur au peuple ? Interloquée, Sophie réfléchit une seconde, puis répondit avec prudence :

— Bien des gens, en effet, souhaitent améliorer le sort des serfs. Je suis persuadée qu'un jour vous serez tous libérés...

— Pourquoi les messieurs feraient-ils cela ? demanda Nikita.

L'innocence de son âme rayonnait dans ses prunelles d'un bleu de flamme légère.

— Par esprit de justice, répondit-elle.

Il ne comprenait pas encore. Ses sourcils blonds, presque blancs, se fronçaient. Un souffle circonspect élargissait son nez court, aux narines fortes.

— S'ils nous affranchissent, ils s'appauvriront, dit-il.

— La conscience d'avoir accompli une bonne action les dédommagera de leur perte !

— Pour certains, peut-être, il en sera ainsi... Mais pour les autres ?...

— Les autres seront entraînés par le courant de l'Histoire, dit-elle. La Russie ne peut continuer indéfiniment à être le seul pays d'Europe où règne le servage !

Il soupira :

— Vous le croyez vraiment, barynia ? Moi, je ne peux pas imaginer que, tout à coup, il n'y aura plus de maîtres et plus d'esclaves ! Même si on nous affranchit, nous ne deviendrons jamais vos semblables !

— Pourquoi ?

— Parce que nous ne sommes pas de la même race que vous. Notre naissance nous a marqués dans notre chair. Nous avons une peau de moujiks sur des os de moujiks. Enseignez-moi, libérez-moi, habillez-moi de vêtements somptueux, je resterai un pauvre !

Il ouvrit les bras, baissa la tête, et tout son corps exprima la soumission à une fatalité ancestrale.

— La belle sottise ! s'écria Sophie. Un jour, tu m'as récité des vers de Lomonossoff, t'en souviens-tu ?

— Oui, barynia.

— Que sais-tu de lui ?

— Rien.

— Eh bien ! écoute : cet homme, qui, au siècle dernier, fut le premier grand poète russe, qui fonda la chimie et la physique russes, qui fixa les règles de la grammaire russe, qui donna son essor au théâtre russe, à l'histoire russe, qui organisa l'Université de Moscou, cet homme était le fils d'un pêcheur illettré des bords de la mer Blanche. A dix-neuf ans, dévoré par la soif de s'instruire, il a fui la cabane paternelle pour la grande ville. Et, après de longues études, de terribles luttes et de nombreux travaux, il a fini gentilhomme, respecté de tous, couvert d'honneurs par l'impératrice. S'il avait raisonné comme toi, il n'aurait jamais osé, lui, un pauvre bougre, se pousser dans le monde des lettres, des arts et des sciences !

Nikita, subjugué, écoutait un conte merveilleux. Enfin, il se ressaisit et murmura :

— Il avait du génie, barynia !

Elle allait répondre que le génie n'était pas nécessaire pour avoir foi en l'avenir, quand une voix grave la fit sursauter :

— Aurions-nous un Lomonossoff dans nos murs ?

Michel Borissovitch se tenait sur le seuil de la porte. Son sourire était jovial et son œil méchant. Qu'avait-il entendu de la conversation ? Sophie se sentit prise en faute, alors qu'elle n'avait rien à se reprocher. Furieuse de son trouble, elle balbutia :

— J'expliquais à Nikita qu'il ne devait pas rougir de ses modestes origines!

— Mais certainement ! dit Michel Borissovitch. Il aurait même lieu d'en être satisfait. Vous intéresserait-il autant s'il n'était pas un serf ?

Comme Sophie se taisait par dédain pour ce genre d'escarmouche, Michel Borissovitch grommela encore : « C'est le monde à l'envers ! » et s'éloigna, d'un pas bruyant, dans le corridor. Une fois dans son bureau, il se reprocha d'avoir si rapidement battu en retraite. Mais il n'aurait pu rester plus longtemps devant sa belle-fille sans laisser éclater son dépit. La sollicitude qu'elle manifestait à Nikita était par trop agaçante ! Que trouvait-elle d'extraordinaire à ce petit rustre de vingt-deux ans, aux cheveux blonds et aux yeux bleus. De jour en jour, la présence du gamin dans la maison devenait plus intolérable à Michel Borissovitch. Il regrettait de ne l'avoir pas affranchi et envoyé à la ville, comme Sophie le lui avait demandé jadis. Une idée le traversa : ce qu'il avait refusé à sa bru quelques années auparavant, pourquoi ne le lui accorderait-il pas aujourd'hui ? Mais peut-être n'en avait-elle plus envie ? Peut-être, comme tant d'épouses fidèles, tenait-elle à garder son sigisbée ? Tant pis pour elle ! La proposition n'en serait que plus drôle ! Michel Borissovitch s'amusait à évoquer ces obscurs combats d'une conscience féminine. Tout ce qui, chez Sophie, paraissait le résultat d'une rêverie coupable, excitait en lui l'indignation, la jalousie, l'espoir, la férocité, le désir, et ce mélange de sentiments se traduisait par un agréable vertige. Le lendemain matin il l'appela dans son bureau et lui annonça, d'un ton patelin, qu'il avait réfléchi au cas de Nikita :

— Comme toujours, vous aviez raison, chère Sophie : nous n'avons pas le droit de maintenir ce jeune homme dans une condition inférieure. J'ai résolu de l'affranchir.

— Est-ce possible ? s'écria-t-elle avec espoir.

— Ne me l'aviez-vous pas demandé ?

— Il y a si longtemps !

— L'idée a cheminé lentement dans ma vieille tête. Il n'est jamais trop tard pour bien faire. Nikita n'est certes pas Lomonossoff, mais il mérite mieux que les pauvres travaux qu'il exécute ici. Je vais lui donner son passeport et l'envoyer à Saint-Pétersbourg avec une lettre de recommandation. Il connaît les quatre règles de l'arithmétique, il se sert adroitement d'un boulier, il se placera comme aide-comptable dans quelque commerce. Et, quand il aura gagné assez d'argent, il m'achètera sa liberté. Rassurez-vous, je lui en demanderai un prix très modique ! Peut-être même, finalement, la lui laisserai-je pour rien ! Etes-vous satisfaite ?

Il s'attendait à noter une trace de désarroi chez sa belle-fille et fut surpris de voir qu'elle ne sourcillait pas. « Elle cache bien son jeu », pensa-t-il. Sophie le remercia et sortit du bureau avec la sensation d'être comblée. Mais, tout en se réjouissant pour Nikita des perspectives que lui ouvrait la décision de Michel Borissovitch, elle s'attristait d'avoir à se séparer de ce garçon dont elle avait encouragé le goût pour les études. Elle le trouva dans le cabinet de travail, lisant l'*Histoire de Russie* de Lomonossoff. Quand elle lui dit qu'il quitterait bientôt Kachtanovka pour s'installer à Saint-Pétersbourg, il blémit et ses yeux s'agrandirent. Debout devant Sophie, il laissait courir machinalement ses doigts sur un boulier. Longtemps, le silence ne fut rompu que par le bruit des billes de bois qui se heurtaient l'une l'autre.

— Je vous remercie, barynia, dit-il enfin. Je sais que tout cela est pour mon bien. J'irai là-bas, puisque vous le voulez...

— Tu le veux aussi, j'espère ? dit-elle.

— Je ne demandais rien.

— A Saint-Pétersbourg, tu seras traité en employé et non plus en esclave ; tu gagneras de l'argent ; un jour, tu rachèteras ton indépendance...

— A quoi sert l'indépendance si on n'a pas le bonheur ? balbutia-t-il en la regardant droit dans les yeux.

Cette déclaration la gêna. Voulait-il dire qu'il aimait mieux vivre en serf auprès d'elle qu'en homme libre sans la voir ? Elle refusa de l'admettre. Il y avait une explication plus simple : Nikita était attaché à son village, à ses maîtres, et souffrait de partir pour une grande ville où il ne connaissait personne !...

— Barynia ! barynia ! dit-il d'une voix rauque.

Il avait un doux regard de chien. Craignant qu'il ne la devinât émue, elle lui sourit évasivement et sortit de la pièce.

★

Depuis son retour, Nicolas avait décidé vingt fois de rendre visite à Daria Philippovna et, vingt fois, il avait renoncé à le faire. Il n'éprouvait plus l'ombre d'un sentiment pour elle et le souvenir même de leur liaison l'ennuyait. Sans doute, n'ayant reçu aucune lettre de lui, était-elle préparée à l'idée d'une rupture. Il n'en redoutait pas moins d'avoir à lui signifier de vive voix que tout était fini entre eux. Cette explication, qu'il n'avait pas le courage de provoquer, le hasard la lui imposa, au moment où il n'y pensait plus. Un après-midi, aux portes de Pskov, son traîneau rencontra celui de Daria Philippovna. Elle quittait la ville, alors qu'il y entrait. Leurs regards se heurtèrent. Daria Philippovna blanchit sous sa toque de fourrure. Nicolas ordonna à son cocher d'arrêter les chevaux. Elle fit de même. Les deux voitures se trouvèrent patin contre patin. Encombré d'une pitié soudaine, Nicolas dit :

— Depuis longtemps, je voulais vous voir, Daria Philippovna...

— Moi aussi, dit-elle dans un souffle.

— Où pourrions-nous parler tranquillement ?

— Vous le savez bien ! Venez !

Il comprit qu'elle l'emmenait dans le pavillon chinois et se hérissa de méfiance. Les traîneaux partirent, celui de Nicolas derrière celui de Daria Philippovna. L'air était vif. La neige brillait d'un éclat rose sur le sol, bleu sur les branches des arbres. Le tintement guilleret des clochettes s'accordait mal avec les pensées sombres des voyageurs. Enfin, la route déboucha dans une clairière. Au milieu de cet espace blanc, l'étrange construction, bariolée de quatre couleurs, évoquait un tas de légumes saisis par le gel. Nicolas suivit Daria Philippovna dans la pièce principale. Il y faisait très froid, comme lors de leur premier baiser. La vapeur sortait des lèvres de Daria Philippovna à chaque expiration. Son regard s'alanguit et elle chuchota :

— Cela ne te rappelle rien ?

— Si, dit-il.

Et, comme il était décidé à frapper vite et fort pour en finir, il ajouta :

— Mais il faut que cela cesse !

— Ah ! ne le dis pas ! s'écria-t-elle et elle se mordit le poing à travers son gant. Je ne peux croire que ta passion pour moi n'ait été qu'un feu de paille ! En aimerais-tu une autre ?

Il ne répondit pas. Les yeux de Daria Philippovna s'emplirent de larmes. Nicolas l'observait attentivement, notait ses paupières fripées, le grain irrégulier de sa peau et s'étonnait d'avoir pu être séduit par elle. Au bout d'un long moment, il dit avec douceur :

— Tôt ou tard, notre liaison aurait fini de la sorte. Nous avons eu des instants merveilleux. Ne gâchons pas ce souvenir par une dispute vulgaire. Mon plus cher souhait, maintenant, est que nous restions bons amis.

Elle le traita de cruel et réclama ses lettres. Il lui confessa les avoir brûlées, ce qui acheva de la désespérer. Effondrée dans un fauteuil, elle gémissait :

— Quand je pense à la confiance que j'avais en toi ! Tu n'es qu'un monstre d'égoïsme ! Un cœur sec ! Ah ! je souffre !... Va-t'en ! Va-t'en ! Tu n'entendras plus jamais parler de moi !

Sur le mur, un masque chinois, rouge brique, à la bouche déchirée de colère, prenait fait et cause pour elle. Nicolas jugea prudent de se retirer. Il allait passer le seuil, lorsqu'elle cria :

— Reste ! Je te pardonne tout !

Rentrant la tête dans les épaules, il se précipita dehors et grimpa dans le traîneau.

— A la maison ! dit-il d'une voix joyeuse.

Quand les chevaux s'ébranlèrent, il connut, dans tout son être, la satisfaction du devoir accompli.

★

Ayant reçu son passeport et une lettre de recommandation pour un tanneur de Saint-Pétersbourg, Nikita se mit en route le premier jeudi du mois de mars. Le soir même, Antipe apporta, en secret, à Sophie, un cahier qu'elle seule devait lire. Cette démarche la contraria beaucoup. Il lui déplaisait que d'autres moujiks fussent au courant de la dévotion qu'elle inspirait à Nikita. Heureusement, les pages étaient fermées par un ruban, lui-même cacheté à la cire.

— Ah ! je sais ce que c'est ! murmura-t-elle d'un ton détaché. Des comptes en retard...

— C'est ce qu'il m'a dit lui aussi, barynia ! grogna Antipe avec un empressement qui parut suspect à Sophie.

Et il ajouta, en clignant ses grosses paupières aux cils roux :

— Si vous l'aviez vu quand il m'a donné ces comptes ! On aurait juré qu'il me tendait ses tripes sur un plateau !...

Elle le toisa du regard et il disparut avec des courbettes de pitre. Comme il restait une heure avant le souper, elle se retira dans sa chambre et ouvrit le paquet. L'écriture s'était améliorée. L'orthographe aussi.

« Mon départ est décidé. Ceux qui m'entourent trouvent que j'ai de la chance. Moi seul sais pourquoi mon cœur est si lourd ! En quittant Kachtanovka, je renoncerai à la lumière de ma vie. Quand je serai loin, elle brillera pour les autres et moi je souffrirai dans l'ombre. Antipe m'a tout raconté sur Saint-Pétersbourg, ses rues, ses voitures, ses magasins et ses habitants. Il dit que, là-bas, les gens sont tristes, importants et pressés ; que les pauvres y sont plus pauvres et les riches plus riches qu'à la campagne ; qu'à chaque coin de rue on peut voir surgir l'empereur, et alors, malheur à toi ! J'ai repensé aux paroles de ma bienfaitrice sur les serfs qui ont le droit de vivre comme les autres. Que Dieu l'exauce ! Un jour, à la foire de Pskov, je me suis arrêté devant un marchand d'oiseaux, j'ai acheté une alouette et je lui ai donné la liberté. Elle est montée tout droit dans le ciel, a décrit un grand cercle et s'est mise à chanter d'allégresse. Peut-être les messieurs sauront-ils convaincre le tsar et il nous délivrera tous, comme les alouettes de la foire, pour nous entendre célébrer ses louanges ? Mais le temps n'est pas encore venu de se réjouir. J'ai pris les vieux journaux qu'Antipe a rapportés de Saint-Pétersbourg et j'ai lu, à haute voix, pour les gens de l'office, qu'un cuisinier était à vendre, avec sa femme blanchisseuse et sa fille de seize ans, jolie et habile à repasser les chemises. Il y avait beaucoup d'autres annonces de ce genre. Au lieu de s'indigner, les domestiques, autour de moi, discutaient sérieusement du prix des serfs, à la ville et à la campagne. Fédka était fier de pouvoir dire qu'un de ses oncles avait été vendu trois mille roubles, comme laquais, par un comte à un autre comte. Moi, j'avais honte. Je pensais : ont-ils seulement envie d'être libres ? Depuis que je sais lire et écrire, je me sens différent des autres serviteurs. Je réfléchis à des choses qu'ils ne soupçonnent pas et cela m'attriste. La date du départ approche. J'ai rendu visite à mon père et à ma belle-mère, au village. Ils ont beaucoup pleuré, m'ont béni trois fois et m'ont demandé de leur envoyer de l'argent. Puis j'ai fait le tour de toutes les isbas et, dans chacune, j'ai dû manger quelque chose : du gruau de sarrasin, de la gelée de pois, de la confiture d'airelles, des champignons salés. Le père Joseph m'a recommandé de fréquenter assidûment l'église, car le diable est plus malin à la ville qu'à la campagne. Hier, ce sont les domestiques de Kachtanovka qui m'ont fêté avec tendresse. Vassilissa gémissait : « Le pain de notre maison est doux ! Que sera celui de la capitale aux pierres grises ? » J'avais, moi aussi, les larmes aux yeux. Le soir, j'ai joué très tard de la balalaïka et j'ai chanté avec les autres. Toute la tristesse de mon âme montait vers le ciel avec ma voix. Aujourd'hui, j'ai pris un bon bain dans l'étuve. Puis je suis allé voir les maîtres. Le vieux barine et le jeune barine m'ont reçu avec gentillesse. Le jeune barine m'a dit que, si j'avais besoin de conseils à Saint-Pétersbourg, je n'avais qu'à aller trouver de sa part un certain Platon, domestique chez le seigneur Ladomiroff. Ma bienfaitrice m'a remis, pour le voyage, une bourse de cuir, avec de l'argent à l'intérieur. Je ne me séparerai jamais de cette relique. On m'enterrera avec elle. J'écris ces lignes dans mon lit, à la lueur d'une chandelle. Dès l'aube, je grimperai dans une charrette qui me conduira à Pskov. De là, un roulier me transportera à Saint-Pétersbourg, avec tout un convoi de marchandises. Je ne suis pas pressé d'arriver. Adieu, mon village ! Adieu, tout ce que j'aimais !.. »

Sophie achevait cette lecture, quand Nicolas entra dans la chambre. Incapable de maîtriser son trouble, elle lui tendit le cahier. Il le parcourut à son tour et dit, avec un sourire mélancolique :

— Pauvre garçon ! Tu l'as ébloui pour la vie. Ce qu'il a écrit là est d'ailleurs charmant. Je voudrais pouvoir montrer ces lignes à nos amis de Saint-Pétersbourg. Ils y verraient une justification de notre effort.

★

A quelque temps de là, Nicolas reçut une lettre d'un certain Moïkine, « conseiller juridique » à Pskov, qui le priait de venir le voir dans son bureau pour affaire. Sauf contrordre, il l'attendrait le samedi suivant, à quatre heures. La réputation de Moïkine était celle d'un chicaneur et d'un usurier, mais Nicolas, n'ayant rien à craindre, se rendit à l'invitation.

Moïkine l'accueillit avec une affabilité extrême, le conduisit dans une pièce pleine de dossiers, s'assit derrière une table, et, subitement, prit l'apparence d'un rongeur. Ses yeux, petits et noirs, se pressaient contre son long nez. Une fine moustache dominait ses mâchoires aiguës. Il tenait ses deux pattes crochues à demi soulevées devant sa poitrine. Les piles de papiers constituaient sa réserve de nourriture.

Quand Nicolas lui demanda pour quelle raison il l'avait convoqué, Moïkine se perdit dans des considérations étranges sur la douceur du printemps et l'avenir agricole de la Russie, puis il avoua :

— Je préférerais attendre l'arrivée de Vladimir Karpovitch Sédoff pour vous parler de la chose.

— Mon beau-frère doit venir ? dit Nicolas étonné.

— Oui. C'est pour obéir à ses instructions que je me suis permis de vous proposer ce rendez-vous.

— Que me veut-il ?

— Il vous l'expliquera lui-même.

— Dans ce cas, pourquoi ne s'est-il pas adressé directement à moi ? Nous n'avons pas besoin d'intermédiaire entre nous.

— Ma présence vous gêne ? dit Moïkine. Vous avez tort ! Je suis là autant pour vous éclairer, vous, que pour assister Vladimir Karpovitch. Si vous me faites confiance tous les deux, je vous servirai d'arbitre.

— Nous n'avons rien à arbitrer !

— Mais si, voyons ! La vente de cette maison, à Saint-Pétersbourg...

— Eh bien ?

— Je crois qu'elle ne s'est pas terminée très correctement...

La surprise de Nicolas fut telle, qu'il hésita une seconde avant de se fâcher. Puis la colère le prit de toutes parts. Il cria :

— Précisez votre pensée, Monsieur !

Au même instant, la porte s'ouvrit derrière lui. Il se retourna pour voir entrer son beau-frère, glabre, osseux, ironique, une cravate bleue nouée sous le menton.

— Je m'excuse d'arriver un peu en retard, dit-il, mais les rues sont si encombrées...

Sans même le saluer, Nicolas demanda :

— Que dois-je comprendre ? Vous contestez la validité de la vente ?

— Je m'en garderai bien ! dit Sédoff en s'asseyant sur un coin de la table et en croisant les jambes. Les signatures sont échangées, l'argent versé, la quittance remise à qui de droit. Tout est en règle... apparemment !

— Eh bien ?

— Eh bien ! dit Moïkine, malgré cette apparente régularité, Vladimir Karpovitch se considère, à juste titre, comme lésé dans le partage. Il estime que vous auriez pu vendre plus cher...

Le pied de Sédoff se balançait lentement dans le vide.

— Nous avions fixé d'un commun accord le chiffre minimum de quatre-vingt mille roubles ! dit Nicolas.

— C'était avant l'inondation ! dit Moïkine en levant un index jauni par le tabac. Depuis, le prix des maisons a augmenté !

— Evidemment ! dit Nicolas. Le preuve ? J'ai traité à cent !

— Avec un peu de ténacité, vous auriez obtenu cent vingt-cinq.

— Certainement pas !

— Ne vous emportez pas, mon cher ! dit Sédoff en riant. Ni vous ni moi ne sommes des hommes d'affaires. Sans doute, à votre place, me serais-je laissé embobiner comme vous. Ce qui me navre, c'est le résultat. Il se trouve que, si vous aviez été plus gourmand, nous aurions reçu davantage, voilà tout ! Dans ma triste situation, dix mille roubles de plus ou de moins, cela compte. Le peu d'argent que Marie a touché grâce à vous est déjà parti pour payer nos dettes. Il ne nous reste rien pour vivre, rien pour préparer dignement la naissance de votre neveu, ou de votre nièce !... Heureusement, M. Moïkine a eu, cette fois encore, la gentillesse de se porter à mon aide. Mais, tôt ou tard, il faudra que je le rembourse. Les intérêts courent...

— Eh oui ! soupira Moïkine en baissant pudiquement les paupières.

— Où voulez-vous en venir ? demanda Nicolas.

— En toute équité, dit Sédoff, vous devriez réparer, dans la mesure du possible, le préjudice que vous avez causé à Marie en vous débarrassant à vil prix d'une maison qu'on vous avait chargé de vendre dans les meilleures conditions ! Versez-nous dix mille roubles encore sur votre part personnelle, et je vous promets que je ne vous embêterai plus avec cette histoire !

— Pour rien au monde ! gronda Nicolas en maîtrisant ses nerfs qui tremblaient.

— Aimez-vous si peu Marie ? dit Sédoff.

— Je l'aime trop pour lui donner de l'argent qui aboutira dans votre poche !

— La belle excuse ! Autrement dit : si elle n'avait pas été dans le besoin, vous lui auriez spontanément offert de l'aider !

Moïkine fit entendre un rire pareil à une série d'éternuements.

— N'essayez pas de m'exaspérer ! dit Nicolas. Je suis décidé à rester tranquille. J'aurais peut-être prêté quelques milliers de roubles à ma sœur, si elle m'en avait prié elle-même, mais, puisque vous m'accusez d'avoir mal défendu vos intérêts dans la vente, je vous répète que vous n'obtiendrez rien de moi, ni par les récriminations ni par les menaces. Marie est-elle au courant de votre démarche ?

— Non, dit Sédoff.

— Je préfère cela ! Ainsi, du moins puis-je lui conserver ma tendresse.

— Une tendresse qui ne vous coûte pas cher !

Moïkine croisa ses griffes sur son ventre replet et susurra :

— Nicolas Mikhaïlovitch, laissez un vieil homme de loi vous mettre en garde contre les dangers de l'obstination. Pour vous éviter des ennuis, vous devriez souscrire à l'offre très raisonnable de Vladimir Karpovitch.

— A quels ennuis faites-vous allusion ? demanda Nicolas. Vous voulez me traîner en justice ?

— Mon Dieu, non ! Nous perdrions !

— Alors ? Expliquez-vous !

Les yeux de Sédoff étincelèrent de méchanceté. Un plissement abaissa les coins de ses lèvres.

— Tout homme a ses points faibles, Nicolas Mikhaïlovitch, dit-il. Nous savons beaucoup de choses sur vous. Il nous serait facile de vous nuire...

Nicolas pensa immédiatement que les deux compères étaient au courant de son appartenance à une société secrète. Quel que fût le danger d'une dénonciation, il ne pouvait, sans se déshonorer, accepter le marché que lui proposait son beau-frère. Plutôt mourir que passer pour un lâche !

— Je ne vous crains pas, Messieurs ! dit-il fièrement.

Et il marcha vers la porte.

— Pesez bien le pour et le contre, Nicolas Mikhaïlovitch ! cria encore Sédoff. Et ne tardez pas trop à revenir nous voir ! Sinon, vous le regretterez !

Une fois dehors, Nicolas s'étonna d'avoir conservé son calme jusqu'au bout. Seul le souci de ne pas envenimer les rapports avec sa sœur l'avait retenu de gifler Sédoff. « J'aurais tout de même dû ! Il le méritait ! Quel scélérat ! », se répétait-il en déambulant dans les rues. Réflexion faite, il lui semblait impossible que Sédoff exécutât ses menaces. Il s'agissait d'une banale manœuvre d'intimidation. Le coup des dix milles roubles ayant échoué, Moïkine et Sédoff reviendraient bientôt à la charge avec des exigences plus modestes. Puis, devant la fermeté de Nicolas, ils renonceraient définitivement à leur entreprise. Rasséréné, il s'intéressa au mouvement de la ville. Dans les petits jardins, qui entouraient les maisons de bois, tous les arbres étaient déjà en feuilles. Un pâle soleil brillait dans les vitres. Des orties poussaient entre les pierres de la chaussée.

Nicolas traversa le marché désert, où flottait une odeur de poisson, et se dirigea vers le Kremlin. Un factionnaire, la hallebarde au poing, le regarda passer avec indifférence. Il gravit un large escalier voûté, entra dans la cathédrale et laissa ses yeux s'habituer à la pénombre. Quatre piliers soutenaient un dôme bleu, semé d'étoiles d'or. L'air était imprégné d'un parfum de cire, d'étoffe moisie et d'encens. Quelques cierges allumés palpitaient près de l'iconostase. De petites vieilles se prosternaient devant le tombeau en bois de saint Dovmont, dont l'épée, suspendue dans le vide, brillait, comme prête à trancher les liens du mal. Aux moments d'inquiétude, ou simplement de fatigue, Nicolas aimait se retirer dans ce lieu de méditation. Parmi toutes les images de la nef, sa préférence allait à une icône qui représentait la Sainte Vierge veillant sur les habitants de Pskov, pendant le siège de leur ville par Etienne Bathory. L'artiste avait dessiné l'antique cité en miniature, avec ses coupoles, ses créneaux, ses barques sur le fleuve et ses défenseurs aux remparts. Les Polonais montaient à l'assaut, portant des drapeaux rouges. Des canons leur tiraient dessus. Tous les saints de la Russie tenaient conseil dans le ciel. Nicolas ne savait pas lui-même pourquoi la contemplation de ce tableau naïf lui procurait un tel bien-être. En le regardant, il se sentait comme raccordé avec le passé lointain de sa patrie. Le courant de l'Histoire coulait à travers lui. Joignant les mains, il se mit à prier : « Protège-moi, mon Dieu, quels que soient mes péchés, car je suis surtout coupable d'une grande faiblesse ! » Ses dernières craintes s'apaisèrent. De l'entrevue qu'il avait eue avec Moïkine et Sédoff, il ne lui restait plus que du mépris pour son beau-frère et de la pitié pour Marie. Derrière lui, les fidèles arrivaient pour les vêpres. Les toux et les pas résonnaient fort sous les voûtes. Des cloches sonnèrent.

Nicolas sortit de l'église, descendit l'escalier bordé de mendiants et de nonnes quêteuses, longea un mur écroulé, et s'arrêta au point le plus haut du Kremlin, d'où on découvrait le confluent des deux rivières. Le clocher de l'église Ousspensky se mirait dans le flot de la Vélikaïa. Les croix dorées du couvent de femmes Ivanovsky brillaient dans un massif de verdure. Sur la berge opposée, se haussait la flèche du monastère de Snétogorsk. L'eau de la Pskova portait des flottilles de troncs écorcés, qui, à cette distance, paraissaient minuscules. D'une poutre à l'autre, rampaient des ouvriers, pas plus gros que des hannetons. Le soleil déclinait dans le ciel. Une douce rumeur venait de ce petit monde industrieux. Nicolas se refusait aux vives impressions de la peur, de la joie, de l'espoir, et ne se plaisait plus que dans une rêverie tellement confuse, qu'interrogé à brûle-pourpoint il n'eût su dire à quoi il pensait.

Plus tard il se rendit au club. Bachmakoff l'accueillit par des hurlements d'allégresse. On avait justement besoin de lui pour un quatrième au whist. Ce soir-là, par extraordinaire, il repartit avec un gain d'une quarantaine de roubles.

## 10

En pleine nuit, Sophie entendit gratter à sa porte. Elle alluma une bougie, se leva, ouvrit et se trouva devant Vassilissa, massive comme une tour.

— Je m'excuse de vous réveiller, barynia, chuchota la vieille, mais un serviteur vient d'arriver d'Otradnoïé. Il paraît que la petite Marie est dans les douleurs. Elle vous envoie cette lettre.

Sophie décacheta le pli que lui tendait Vassilissa et lut : « L'enfant va naître. Je souffre atrocement. Ici, personne ne me comprend, personne ne m'aime. Venez, je vous en supplie... »

— Quelle heure est-il ? demanda Sophie en repliant le billet.

— Cinq heures du matin, barynia.

— Le temps de m'habiller et je pars ! Dis à Fédka d'atteler la calèche !

Vassilissa joignit les mains :

— Ne voulez-vous pas m'emmener, barynia ? J'ai tellement l'habitude ! Avec moi, elle aura moins mal, la pauvrette !

Sophie réfléchit un instant et dit :

— Tu as raison. Va te préparer.

— Merci, barynia ! balbutia Vassilissa en lui baisant l'épaule.

Sophie referma la porte et regarda Nicolas qui dormait profondément. L'éveiller ? A quoi bon ? Après ce qu'il lui avait raconté de sa dispute avec Sédoff, il n'allait pas prendre le risque de retrouver cet homme au chevet de Marie. Peut-être même, furieux contre son beau-frère, voudrait-il empêcher Sophie de se rendre à Otradnoïé. Sur ce point, elle ne céderait pas. Un devoir impérieux l'appelait. Si Sédoff osait entamer une discussion d'intérêt avec elle, en quatre répliques elle le remettrait à sa place. Elle s'habilla en silence, prit une feuille de papier dans un tiroir et écrivit :

« Mon chéri,

« On m'apprend que Marie est en train d'accoucher. Tu n'as rien à faire là-bas. Moi, si ! Je pars donc, sans déranger ton sommeil. Je reviendrai le plus vite possible. Ne t'inquiète pas. Un tendre baiser sur ton front plein de rêves — Sophie. »

Elle épinglait la lettre sur l'oreiller, quand Nicolas se retourna en grognant. Vite, elle éteignit la bougie et sortit de la chambre. La maison était silencieuse. Une lumière brillait au bas de l'escalier. Vassilissa obligea Sophie à boire une tasse de thé bouillant et à manger un craquelin, pendant que le palefrenier finissait d'atteler les chevaux. Il faisait encore sombre, lorsqu'elles se mirent en route. Mais déjà une certaine légèreté de l'air, une transparence grisâtre à la cime des arbres annonçaient la fin de la nuit.

Au passage d'un petit bois, les voyageuses furent assourdies par le pépiement des oiseaux qui s'éveillaient. Puis une poussière d'or envahit le monde. La base du ciel s'enflamma, tandis que sa voûte bleuissait derrière un voile de brume. Une gaieté insolite s'empara de Sophie. Elle assistait à la naissance du jour et pensait à une autre naissance, qui se déroulait dans le même temps. Comme elle s'impatientait, Vassilissa la rassura :

— Soyez tranquille, barynia, nous ne serons pas en retard. J'ai interrogé l'homme qui est venu d'Otradnoïé. La pauvrette commençait à peine quand il est parti. Elle a des hanches étroites. C'est son premier. Elle mettra beaucoup de temps et beaucoup de souffrance à le faire.

Néanmoins, Sophie ordonna au cocher d'aller plus vite. Il fouetta ses chevaux. La voiture dansa rudement dans les ornières.

— Reine du ciel ! s'écria Vassilissa. S'il continue, c'est moi qui vais accoucher !

Sophie éclata d'un rire nerveux. Elle avait l'impression qu'une course était engagée entre l'enfant et l'attelage, à qui arriverait le premier. Lorsqu'elle aperçut la maison d'Otradnoïé, elle s'étonna de lui trouver un aspect coutumier, malgré l'événement extraordinaire qui se préparait dans ses murs. Une servante sortit sur le perron.

— Comment va la barynia ? demanda Sophie en mettant pied à terre.

— Elle est en plein travail ! dit la fille d'une voix traînante. Elle vous attend. Si vous voulez me suivre...

En franchissant le seuil de la chambre, Sophie fut brusquement rejetée dans le passé. Cette pénombre chaude, ce lit défait, ces cuvettes, ces linges, cette odeur de peau moite, d'entrailles ouvertes et de vinaigre, tout lui rappelait l'épreuve qu'elle avait subie elle-même pour rien. Elle se précipita vers Marie, qui tendait vers elle un visage exténué, aux yeux luisants de fièvre.

— Merci d'être venue, chuchota Marie. Et Vassilissa aussi est là ! Oh ! comme c'est bien !...

Une matrone s'écarta pour laisser approcher les visiteuses. Sans doute, était-ce elle qui dirigeait les opérations depuis le début. En voyant Vassilissa, elle devina une rivale, se renfrogna et dit :

— Faut pas la fatiguer : elle est entre deux poussées.

— On s'en doute ! dit Vassilissa avec un haussement d'épaules.

Elle s'agenouilla devant Marie, la bénit d'un signe

de croix et se mit à lui caresser le ventre sous la chemise. Sophie s'assit au chevet de sa belle-sœur et lui prit la main.

— Oh ! comme c'est bien ! Oh ! comme c'est bien ! répétait Marie avec une voix de fillette.

Des larmes coulaient de ses yeux grand ouverts.

— Ne parlez pas tant, dit la matrone.

— Mais si ! dit Vassilissa. Il faut qu'elle parle ! Ça la soulage par le haut !

Marie se dressa sur ses coudes :

— Vous n'entendez pas ?... Des clochettes !... Une calèche !... C'est peut-être lui ?...

— Ça ne peut pas être lui, vous le savez bien ! dit la matrone en secouant la tête. Allons, soyez sage ! Poussez au lieu de bavarder !

Marie retomba sur son oreiller et serra les dents.

— Elle attend son mari, reprit la matrone. Il est reparti en voyage, la semaine dernière.

— Tais-toi, Fiokla ! gémit Marie.

Fiokla était maigre, avec un visage de bois, des bras longs et des mains plus grandes que ses pieds.

— Pourquoi, ma beauté ? dit-elle. Ce qui est vrai est vrai ! Vladimir Karpovitch est un barine très occupé. On ne peut pas lui demander de rester toujours en place. Il va, il vient. D'ailleurs, ici, il nous aurait plutôt gênées. A l'homme la jouissance, à la femme la souffrance. Dieu l'a voulu ainsi !

— Où est-il en ce moment ? demanda Sophie.

— A Saint-Pétersbourg, je crois, répondit Marie. Chez des amis...

Sophie laissa déborder son indignation :

— Il aurait pu attendre quelques jours pour y aller !

— Oh ! non, dit Marie humblement. C'était pressé ! Toujours ces histoires d'argent ! Il espère en trouver là-bas. Et puis, je n'aurais pas voulu qu'il assiste à cela... C'est laid... C'est... c'est répugnant... J'ai honte !...

— Elle devrait être fière et elle a honte ! s'écria Vassilissa.

Un spasme saisit Marie à l'improviste, ses reins se creusèrent, sa face se convulsa, elle poussa une plainte animale.

— Très bien ! dit Vassilissa. Force-toi encore ! Aide-nous !

Serrant la main de sa belle-sœur, Sophie éprouvait le contrecoup de ces élans douloureux et revivait la torture qu'elle-même avait connue jadis. Que n'eût-elle donné, en cette minute, pour être à la place de Marie ? Bientôt, un enfant allait se détacher de cette chair souillée, meurtrie et triomphante. Un enfant qui, lui, ne mourrait pas au bout de quelques jours ! Les cris de la jeune femme se turent. Elle se reposait en attendant la prochaine contraction. Fiokla prétendit lui faire boire de l'eau bénite. Mais Vassilissa avait apporté la sienne dans un flacon. Celle de Fiokla provenait de l'église où Marie avait été mariée, celle de Vassilissa de l'église où elle avait été baptisée. Les deux femmes s'affrontèrent, chacune tenant sa fiole à la main :

— Mon eau à moi a été consacrée par le père Joseph ! dit Vassilissa. C'est un saint homme !

— Moins saint que notre père Ioan ! s'écria Fiokla. Il ne boit jamais, lui !

— Le père Joseph non plus !

— Si !

— Non !

De nouveau, Marie se tordit, comme mordue au flanc. Vassilissa et Fiokla se portèrent à son secours. Elles se bousculaient autour du lit. Leurs mains se touchaient sur le corps à demi nu.

— Laissez-moi ! haletait Marie. Je veux... Vassilissa seule !

Fiokla se redressa, vexée, et dit :

— C'est moi que le barine a choisie pour faire l'accouchement !

— S'il voulait que tout se passe à son idée, il n'avait qu'à ne pas partir ! dit Vassilissa. Il a préféré être un oiseau, ton barine ! Qu'il aille donc pépier ailleurs !

— Je ne te permettrai pas d'insulter mon maître, vieille sorcière ! rugit Fiokla.

Sophie intervint avec autorité, gronda Vassilissa pour son insolence et renvoya Fiokla en l'assurant qu'on la rappellerait quand le travail serait plus avancé.

Après le départ de Fiokla, Vassilissa annonça gaiement :

— Maintenant, à nous deux, ma jolie ! Tu penses bien que je n'allais pas montrer mes secrets devant cette servante de Hérode !

Et, ouvrant un sac, elle en tira de petits pots, des touffes d'herbes et une icône. Son premier soin fut d'enduire le ventre et les cuisses de Marie avec de la graisse de blaireau. Pendant ce massage, la jeune femme écarquilla les yeux et se mit à parler d'une voix pressée, sifflante, comme dans le délire :

— Je veux que vous sachiez... Mais ne le répétez à personne... Il m'a laissée... Il ne m'aime pas... Il se moque bien que je lui donne un enfant... Pauvre petit !... Il n'est pas encore né et tout est contre lui dans le monde... Nul ne le désire... Il sera malheureux... Comme moi !...

Elle roulait sa tête sur l'oreiller avec une violence maniaque.

— Ne parle pas ainsi, marmonna Vassilissa effrayée, tu vas tourner Dieu contre toi ! Récite une prière plutôt !

Marie refusa. Elle avait trop mal. Vassilissa lui toucha les lèvres, le front et le sein avec un mouchoir imbibé d'eau bénite : « La bonne, celle du père Joseph ! » Un râle roula dans la poitrine de la jeune femme. Ses ongles s'enfoncèrent dans la main de Sophie. Son regard se leva au plafond. Vassilissa dit, d'un ton inspiré :

— Il sera beau ! Il sera fort ! Il sera juste ! Il sera intelligent ! Il sera riche ! Il sera aimé ! Il se nommera Serge !

★

Sophie regagna Kachtanovka au crépuscule. Elle rapportait une grande nouvelle : Marie avait donné le jour à un garçon. Nicolas s'en réjouit et voulut faire partager ce bonheur à son père. Une fois de plus, Michel Borissovitch refusa de s'intéresser aux événements d'Otradnoïé. Sophie dut attendre d'être seule avec son mari pour raconter les péripéties de la journée. Il lui reprocha d'être partie sans l'éveiller, mais, au fond, il ne semblait pas mécontent d'avoir été tenu à l'écart de l'affaire. Son égoïsme masculin le prédisposait à ignorer les circonstances pénibles d'une naissance pour mieux goûter la joie du résultat final. Peut-être même ne jugeait-il pas l'absence de Sédoff aussi scandaleuse qu'il voulait bien le dire. Pour sa part, Sophie était surexcitée d'avoir connu jusqu'au bout l'horreur et la beauté de l'enfantement. Couchée dans son lit, la lampe éteinte, elle revoyait avec précision le moment où le paquet de viande rouge avait jailli à l'air libre entre les mains de Vassilissa. Cette force d'expulsion, cette souillure sanglante, ce vagissement de délivrance, tout cela donnait au commencement de la vie l'apparence d'un crime affreux. Plus tard, penchée sur le berceau, elle avait douté que ce bébé fragile, blanc et rose, à la grosse tête aveugle et aux mains parfaites, eût été tiré d'une infecte boucherie. Il était étrangement calme. Il appartenait encore à l'au-delà. Elle l'avait embrassé, comme elle eût cherché la fraîcheur d'une source. Marie, rompue, déchirée, reposait, un sourire aux lèvres. Le bonheur la rendait muette. Sophie prit la main de Nicolas assoupi et la serra doucement, puis plus fort. Une griserie sensuelle la possédait. Enfin, il ouvrit les yeux et se rapprocha d'elle. Dans ses bras, elle continua de penser à l'enfant.

Le lendemain, Nicolas et Sophie se rendirent à Otradnoïé avec Vassilissa, qui apportait un trousseau pour le nouveau-né. Toute la gent féminine de Kachtanovka avait travaillé en cachette à tricoter et à coudre les pièces de cette minuscule garde-robe. Marie reçut le cadeau avec émotion. Les fatigues de la veille l'avaient à peine marquée. Elle rayonnait d'orgueil, couchée près du berceau où respirait son fils. Nicolas le trouva superbe. On chercha des ressemblances. De l'avis unanime, il était tout à fait du côté des Ozareff. Sophie n'osa dire à sa belle-sœur que cette naissance contrariait Michel Borissovitch. La jeune femme devait s'en douter, du reste, car elle ne posa aucune question au sujet de son père. De même, elle évita toute allusion au voyage de son mari. Nicolas lui demanda si elle avait besoin d'argent. Elle refusa. En partant, il laissa mille roubles sur la table de nuit.

— Je n'ai que vous deux au monde ! chuchota Marie. Vous deux et mon enfant !

★

Des semaines s'écoulèrent sans que Sédoff revînt. Chaque fois que Sophie allait à Otradnoïé, elle trouvait Marie plus inquiète et plus renfermée. Le bonheur que lui procurait le petit Serge était assombri par l'ignorance où elle était des intentions de son mari. Elle lui avait écrit vingt fois sans obtenir de réponse. Eût-il voulu l'abandonner avec son enfant, qu'il se fût conduit de la même manière. Raisonnée par Sophie, elle acceptait maintenant que son frère l'aidât pécuniairement. Mais Nicolas estimait que cette situation ne pouvait se prolonger. Il envisageait de se rendre lui-même à Saint-Pétersbourg, d'y rechercher le fugitif et de l'obliger, sous la menace, à réintégrer le domicile conjugal. A tout hasard, il écrivit à Vassia pour le prier de se renseigner sur l'adresse exacte, les occupations et les fréquentations de Sédoff. Sa lettre resta sans écho. Enfin, le 9 septembre, il reçut de son ami un billet conçu en termes laconiques : « J'ai quitté Saint-Pétersbourg et suis venu passer deux semaines de vacances dans ma famille. Il faut absolument que je te voie. Tu me trouveras tous les jours à Pskov, au club, à partir de trois heures. »

La sécheresse de cette invitation surprit Nicolas, et aussi le fait que Vassia ne l'eût pas averti plus tôt de son arrivée à Slavianka. Pressentant quelque mystère, il se rendit au club, le jour même, après le dîner. Il découvrit Vassia dans la pièce réservée à la lecture des journaux et se précipita sur lui, avec joie. Mais le jeune homme l'arrêta d'un regard dur comme un coup de pointe. Devant ce visage hostile, Nicolas perdit contenance :

— Qu'est-ce qui te prend ? Tu n'es pas content de me revoir ?

— Avant de te répondre, je voudrais te montrer ceci, que j'ai reçu à Saint-Pétersbourg, dit Vassia d'une voix blanche.

Entre ses doigts tremblait un lambeau de papier, couvert d'une écriture régulière. Les caractères imitaient ceux de l'imprimerie. Nicolas saisit le feuillet, lut quelques lignes et une froide angoisse le pénétra :

« Ignorez-vous que votre meilleur ami est l'amant de votre mère ? Je l'espère pour vous, car autrement je ne m'expliquerais pas que vous continuiez à fréquenter Nicolas Mikhaïlovitch Ozareff. Il retrouve Daria Philippovna dans le pavillon chinois, construit, soi-disant, à votre intention. La malheureuse est subjuguée par cet homme sans moralité, qui pourrait presque être son fils. Elle se couvre de ridicule aux yeux de ses voisins. Si vous n'intervenez pas, elle finira de déshonorer votre famille. Un ami qui vous estime trop pour vous cacher plus longtemps cette honte. »

Nicolas replia le billet d'un geste machinal. Son visage restait calme, mais, au-dedans de lui, régnait un désordre de catastrophe. Dénoncé pour une liaison qu'il avait rompue, il ne savait plus s'il devait nier l'évidence ou accepter le reproche avec fierté. Qui avait écrit cette ordure ? Immédiatement il pensa à son beau-frère. Lassé d'attendre ses dix mille roubles, Sédoff était passé à la vengeance. Mais ce n'était qu'une supposition parmi dix autres. Les preuves manquaient. D'ailleurs, là n'était pas la question. Que faire ? Dans le silence qui se prolongeait, la peur, la colère, le dégoût, grandirent en lui comme un orage s'empare du ciel. Affolé, il balbutia :

— Une lettre anonyme !... C'est répugnant !...

— Le procédé importe peu, dit Vassia. C'est la révélation qui compte. Je suis venu ici pour vérifier mes soupçons !

— Tu as osé interroger ta mère ?

— Non. J'ai la faiblesse de la respecter encore. Quoi qu'il arrive, elle ne saura rien de mon inquiétude. Je n'ai pas non plus questionné mes sœurs, par égard pour leur innocence. Ce sont les domestiques qui m'ont renseigné sur vos rendez-vous.

— Et tu les as crus ?

— Les réponses qu'ils m'ont données concordent avec les précisions de ce billet sans signature. Mais cela ne me suffit pas. Je tiens à entendre la vérité de ta bouche. Si tu nies, je te considérerai comme un lâche...

— Et si j'avoue ?

— Tu auras droit à ma haine, mais non à mon mépris !

Nicolas jeta un regard par-dessus son épaule : ils étaient seuls dans la pièce.

— Ecoute, dit-il, cette histoire est absurde ! Notre amitié...

— Ne parle pas de notre amitié ! cria Vassia. Réponds : oui, ou non ! C'est tout ce que je veux savoir !

Il avait un visage de jeune femme irascible. Sa bouche menue se crispait, ses yeux brillaient à l'ombre de ses longs cils, des mèches de cheveux noirs bouclés pendaient sur son front blanc.

— Me donnerais-tu ta parole d'homme qu'il n'y a jamais rien eu entre ma mère et toi ? reprit-il.

Nicolas se gonfla d'honneur, voulut être sublime et dit :

— Soit. Je reconnais les faits.

Les traits de Vassia se tendirent brusquement :

— J'exige une réparation par les armes !

— Tu es fou ? murmura Nicolas, atterré.

— Serais-tu aussi poltron qu'hypocrite ? dit Vassia. Pour moi, la vie n'aura plus de signification tant que je n'aurai pas lavé cet affront dans le sang !

— Non ! Non ! dit Nicolas. Je ne me battrai pas contre toi ! Tu as été mon frère ! L'idée que...

Il n'acheva pas sa phrase. Une gifle s'aplatit sur sa joue. La honte et la rage l'envahirent en grondant. D'un coup d'œil, il s'assura que personne n'était entré pendant la dispute. Un bruit de voix venait de la salle voisine. La respiration entrecoupée, il proféra lentement :

— Tu l'auras voulu, Vassia. J'accepte ton défi. Mais à une condition : nul ne devra savoir les motifs de notre querelle. Pas même nos témoins !

— D'accord, dit Vassia.

— Quel jour choisis-tu ?

— Le plus tôt possible.

— Et nos seconds ? demanda Nicolas.

— Nous les trouverons ici-même, parmi les membres du club. Je pense que Bachmakoff pourrait régler tout cela. Je vais le chercher.

Vassia quitta la pièce et Nicolas resta immobile, sans force pour combattre l'impression de fatalité qui pesait sur ses épaules. Il ne s'éveilla de son hébétude qu'en voyant reparaître son ami, flanqué de Bachmakoff et de Goussliaroff. Bachmakoff paraissait plus grand et plus robuste encore à côté du jeune Goussliaroff, qui était petit et rondelet, avec une face de lune au front couvert d'un duvet blond. Tous deux avaient des mines graves : Vassia les avait mis au courant du service qu'on attendait d'eux.

— Je serai ton témoin, dit Bachmakoff à Nicolas. Celui de Vassia sera Goussliaroff.

— Parfait, dit Nicolas. Notez, dès à présent, que je souscrit à toutes les conditions que mon adversaire désirera imposer à la rencontre. Qu'on en finisse ! N'importe comment, mais vite !

Il ne s'était jamais battu en duel. Vassia non plus. En revanche, Bachmakoff était un habitué des affaires d'honneur.

— Attention, mon cher ! dit-il. Cela ne va pas ainsi ! Certaines règles doivent être respectées. Une première réunion des témoins aura lieu tout à l'heure. Nous rédigerons un projet de protocole...

Nicolas l'interrompit :

— Faites votre cuisine. Je rentre chez moi. Je n'en bougerai que pour me rendre sur le terrain. Vous voudrez bien me prévenir, entre-temps, des dispositions que vous aurez prises !

Et, sans saluer personne, il sortit. Son cheval l'attendait dans l'écurie du club. Il le fit seller et partit pour Kachtanovka. L'air vif de la course ne parvint pas à dissiper son malaise. Ce qui lui arrivait était si absurde, qu'il ne se sentait plus le moindre point commun avec le monde où il avait coutume de vivre. Il retrouva Sophie, non comme sa femme, mais comme une étrangère charmante, dont il devait craindre la perspicacité. Pour éviter d'avoir à lui parler, il se réfugia dans son cabinet de travail, sous prétexte de vérifier les comptes du domaine.

A sept heures du soir, Bachmakoff se présenta. Il était guindé, cramoisi, la nuque roide, l'œil funèbre et la moustache hérissée.

— Tout est réglé ! dit-il en s'asseyant dans un fauteuil qui craqua sous son poids.

Nicolas jeta un regard méfiant dans le couloir, ferma la porte et demanda :

— Quand nous battons-nous ?

— Demain, à onze heures du matin, dans un petit bois que je connais, près de la Vélikaïa. Tu passeras me prendre. Je te conduirai.

— Les armes ?

— Pistolets, dit Bachmakoff.

— Quelles sont les autres conditions ?

La moustache de Bachmakoff prit une position oblique, ce qui, chez lui, était le signe de l'embarras :

— Ton adversaire veut donner à cette rencontre un caractère chevaleresque. Il refuse de se contenter d'un simple échange de balles. Sur sa demande, nous avons élaboré les dispositions suivantes... Bien entendu, si elles ne te conviennent pas, nous en chercherons d'autres...

— J'ai affirmé, devant Vassia et Gousslïaroff, que j'étais d'accord sur tout, par avance ! grommela Nicolas. Je ne vais pas me dédire maintenant !

— Bon ! dit Bachmakoff. Je n'en attendais pas moins de toi. Donc, voici comment se présente l'affaire...

Il frotta ses mains sèches l'une contre l'autre, plissa un œil et poursuivit d'un ton d'organisateur :

— Vous serez placés à huit pas de distance. Nous jouerons à pile ou face pour savoir lequel des deux tirera le premier. Celui qui sera désigné par le sort recevra un pistolet et nous lui nouerons un mouchoir sur les yeux.

— Pour quoi faire ?

— Pour compliquer sa tâche et mettre à l'épreuve la vaillance et la dignité de l'autre. L'homme désarmé devra, en effet, par ses indications, diriger sur lui le tir de l'homme aveugle. Si celui-ci rate son coup, il deviendra point de mire à son tour. Autrement dit, ayant recouvré la vue, il donnera toutes les précisions nécessaires pour que son adversaire, à qui on aura entre temps bandé les yeux et remis un pistolet, puisse le viser avec les plus grandes chances de l'atteindre.

— Si je comprends bien, dit Nicolas, ce genre de duel exige que chacun des deux intéressés fasse le nécessaire pour être tué par l'autre.

— Exactement ! dit Bachmakoff radieux. J'ai entendu raconter qu'une telle rencontre a eu lieu, dernièrement, en Prusse. Vassia, à qui j'ai soumis mon projet, en a été enchanté. Il considère, comme moi, que c'est le sommet du raffinement en matière d'explication par les armes.

— Il a raison, dit Nicolas.

— Donc, nous marchons comme ça ?

— Bien sûr !

— Etant donné les conditions exceptionnelles de ce combat, les adversaires seront convenus avoir satisfait aux lois de l'honneur après un seul échange de balles sans résultat.

— Si tu veux.

— Je m'occuperai des pistolets.

— Oui, oui ! soupira Nicolas.

Il avait hâte de voir partir ce visiteur, dont la bêtise et la vanité l'accablaient. Pourtant, quand Bachmakoff se fut retiré, il regretta de n'avoir plus personne à qui parler de son prochain duel. Jusqu'à l'heure du coucher, il dut se contraindre affreusement pour dissimuler son tourment à Sophie. Pouvait-elle supposer que l'homme qui l'embrassait, ce soir, avant de se mettre au lit, n'avait qu'une chance sur deux de survivre ?

En éteignant la lampe, il eut l'impression d'être à la fois plus seul et plus libre, plus lucide et plus désespéré. Les yeux ouverts dans l'eau noire de la nuit, il essaya d'analyser son angoisse. Non, il n'avait pas peur de la mort. Il se la figurait comme une chute vertigineuse dans un puits, une douce déperdition de forces, un repos sans fin parmi des allégories bibliques... Mais s'il eût accepté avec exaltation de se sacrifier pour un noble dessein, il souffrait de risquer inutilement son existence à cause d'une femme qu'il n'aimait plus et qu'il n'avait même, au fait, jamais aimée. Pensant à son idéal politique, à ses amis, à la révolution future, il enrageait que ce rêve de grandeur fût compromis par un petit écart de conduite. Comment Dieu tolérait-il que le châtiment fût si disproportionné à la faute ? Il s'aperçut qu'il plaidait son procès devant un juge qui se trouvait approximativement à l'endroit de l'icône. La flamme de la veilleuse éclairait les dorures de l'image sainte. S'il était écrit que Vassia le tuerait demain, que deviendrait Sophie ? Il fut déchiré de pitié à l'idée du chagrin qu'elle éprouverait par lui. Il l'avait amenée de France en Russie, il l'avait plongée dans une famille étrangère, il n'avait pas su lui donner un enfant, il l'avait trompée et, maintenant, il s'apprêtait à mourir, la laissant seule, déshonorée par un scandale, elle qui eût mérité le plus grand bonheur ! « Si j'en réchappe, songea-t-il, je jure de me consacrer entièrement à ma femme et au bien de l'humanité... » Aussitôt, ses craintes s'allégèrent. Il refusa de croire que la machine de chair et de sang, qui se nommait Nicolas Mikhaïlovitch Ozareff allait s'arrêter demain, vers onze heures. Il se sentait trop vivant pour s'imaginer en cadavre.

— Tu ne dors pas ? demanda la voix de Sophie dans les ténèbres.

Il sursauta, interpellé par un fantôme. Un goût salé lui vint dans la bouche. Au comble de la tendresse, il répondit faiblement :

— J'allais m'assoupir.

Il resta éveillé toute la nuit. L'aurore le surprit, épuisé, énervé, composant en esprit la lettre qu'il laisserait à sa femme. Il attendit qu'elle fût sortie de la chambre, au matin, pour la rédiger. Mais le texte qu'il avait préparé lui sembla ridicule. Il écrivit sur un feuillet ces simples mots : « Pardonne-moi, ma Sophie, tout le mal que je t'ai fait. Je ne pouvais agir autrement. Je t'aime plus que ma vie. Adieu. » Il glissa le papier dans sa poche : on le trouverait sur lui, s'il était tué.

Pour ce qui serait peut-être sa dernière apparition dans le monde, il voulait être particulièrement élégant. Il se rasa de près, mit du linge fin, noua une belle cravate et revêtit une redingote de couleur prune, à collet noir. Cette toilette soignée ne l'empêcha pas d'être, pour ses proches, le Nicolas de tous les jours, insouciant et aimable. Sophie lui demanda ce qu'il allait faire à Pskov de si bonne heure. Il répondit que Bachmakoff désirait avoir son avis sur une jument qu'on cherchait à lui vendre.

— Mais tu seras de retour pour le dîner ! dit Sophie.

— Bien sûr ! dit-il.

Et son cœur se serra douloureusement. Michel Borissovitch le pria de lui rapporter du tabac. Il promit de ne pas l'oublier.

— Quelle belle matinée ! dit-il en mettant le pied à l'étrier.

La selle neuve grinça légèrement sous lui. Le cheval bougea les oreilles. « Pourquoi ai-je vécu ? se dit-il. Pour rien ! Pour rien !... » Son père et sa femme étaient sortis sur le perron. Il enveloppa d'un regard triste les deux silhouettes familières, la vieille maison rose, avec ses colonnes blanches, les arbres jaunissants, tout cela que, peut-être, il ne reverrait plus. Puis, sans courage devant l'afflux des souvenirs, il poussa son cheval dans l'allée des sapins noirs.

Quand Nicolas et Bachmakoff arrivèrent dans le petit bois, au bord de la Vélikaïa, Vassia et Goussliaroff se trouvaient déjà sur les lieux. De grêles bouleaux, au feuillage d'or, entouraient un espace d'herbe fanée. Bien que le soleil fut déjà haut dans le ciel, une brume ténue, montant de l'eau, s'accrochait aux branches. Il faisait frais. L'air sentait la vase, la mousse, le feu de bois. Un corbeau passa en croassant. « Mauvais présage ! », se dit Nicolas. Il attacha son cheval et celui de Bachmakoff à un arbre. Goussliaroff et Vassia étaient venus en voiture. Le cas échéant, elle servirait d'ambulance. Mais on n'avait pas jugé utile d'amener un médecin.

Vassia, pâle dans une redingote noire, était assis sur une pierre et mordillait un brin de paille. Il ne leva même pas les yeux sur les nouveaux venus. Nicolas ne pouvait se résoudre à l'idée qu'il était en présence non d'un ami de jeunesse, mais d'un ennemi acharné à sa perte. Contre toute vraisemblance, il espérait encore que ce garçon taciturne se précipiterait vers lui, l'embrasserait et renoncerait en pleurant à l'épreuve. Mais le temps s'écoulait et Vassia ne bougeait pas. Déjà, les témoins, marchant côte à côte — l'un tout petit, l'autre très grand — mesuraient les huit pas convenus. Ils posèrent leurs chapeaux aux endroits où devaient se tenir les deux adversaires. Puis ils se consultèrent à voix basse. Chacun avait apporté des pistolets de duel dans un coffret. Ils comparèrent les armes, les vérifièrent, les chargèrent. De toute son âme, Nicolas souhaitait que le sort désignât Vassia pour ouvrir le feu. « S'il en est ainsi, se disait-il, je n'aurai pas de problème à résoudre : ou il me tuera et tout sera fini, ou il me ratera et, quand viendra mon tour, je déchargerai mon arme en l'air. Mais si c'est à moi de tirer le premier, que devrai-je faire ? Essayer de l'abattre, ou l'épargner en acceptant que lui, ensuite, ne me manque pas ? »

— Est-ce bientôt fini ? demanda-t-il sèchement.

Vassia redressa la tête et lui adressa un regard de mépris.

— Voilà ! Voilà ! dit Bachmakoff. Nous allons tirer au sort.

— Je prends pile, dit Vassia.

— C'est bon, dit Nicolas.

Bachmakoff lança en l'air une pièce d'argent. Elle tourna sur elle-même et tomba dans l'herbe piétinée. Quatre têtes se penchèrent ensemble vers le sol.

— Face ! annonça Goussliaroff. Nicolas Mikhaïlovitch, à vous l'honneur...

Nicolas tressaillit sous le coup de la déception. Son cœur battait au milieu d'un vide sonore. Il se dirigea vers la place qui lui était assignée. Vassia se campa, raide, à huit pas de distance.

— Choisissez, dit Goussliaroff, en présentant à Nicolas un coffret où reposaient deux pistolets identiques, aux longs canons gravés.

Nicolas prit une arme au hasard. Elle lui parut

lourde, mais bien équilibrée. Bachmakoff sortit un fichu noir de sa poche, et, passant derrière son ami, lui banda les yeux.

— Me jurez-vous sur l'honneur que vous ne voyez plus ? demanda Goussliaroff.

— Je vous le jure, dit Nicolas.

Il avait l'arête du nez écrasée par le mouchoir. Le nœud, très serré, appuyait en boule à la base de son crâne. Un parfum de tabac et de cosmétique lui emplit la tête : l'odeur de Bachmakoff. Nuit complète. Plus une seconde à perdre. La même question se posa à son esprit avec plus d'acuité encore : « Tuer Vassia pour être sûr de rester en vie, ou lui laisser la vie au risque d'être tué ? »

— Prêt ? demanda Bachmakoff.

— Prêt, dit Nicolas.

Et il leva son bras avec lenteur. Il imaginait Vassia, pâle, droit, le regard fixe, plein de terreur et de courage, Vassia qui n'avait rien à se reprocher, Vassia dont les plus belles années étaient dans l'avenir !... En comparaison de ce garçon, il se sentait usé, flétri, inutile. L'arme pesait au bout de son poignet. Il abaissa le canon, visant au jugé dans les ténèbres. La voix de Vassia frappa ses oreilles. Elle sortait de la tombe :

— Plus bas... Plus à gauche... Là, un peu plus à droite maintenant... Non, c'est trop... Très bien... Encore un peu... Encore...

Nicolas obéissait docilement à ces indications : un assassin encouragé par sa victime !

— Parfait, dit Vassia. Ne bougez plus. Tirez !

Ce vouvoiement étonna Nicolas. Il comprit, soudain, qu'il aimerait mieux se tuer lui-même. Sa main se mit à trembler.

— Eh bien ! Tirez ! Tirez ! Qu'attendez-vous ? hurla Vassia d'une voix hystérique.

Nicolas pointa son pistolet vers le haut et pressa sur la détente. La détonation l'assourdit, en même temps qu'il percevait le recul de l'arme jusque dans son épaule. Il arracha son bandeau. La clarté du jour l'éblouit. Il était heureux d'avoir tiré en l'air. A huit pas devant lui, Vassia, défiguré par la colère, cria :

— Ne croyez pas m'enchaîner par votre geste magnanime ! Il n'y a pas de place pour la gratitude entre nous ! J'entends disposer de mon droit !

— Qui t'en empêche ? dit Nicolas.

Et il pensa : « Continuera-t-il à me haïr après m'avoir tué ? » Déjà, Bachmakoff présentait les pistolets à Vassia, lui bandait les yeux et posait la question rituelle :

— Me jurez-vous sur l'honneur que vous ne voyez plus ?

— Je vous le jure, dit Vassia.

Il effaça une épaule et brandit son arme. Jeune dieu, aveugle comme la Fortune, il attendait qu'une voix le mît en mouvement. Sous les regards attentifs des témoins, Nicolas ne pouvait manquer à son devoir. D'ailleurs, il n'avait nulle envie de tricher. S'il avait souffert au moment où il tenait l'adversaire à sa merci, il n'avait plus peur depuis qu'à son tour il servait de cible. La vie, la mort, tout lui était indifférent. Il lui sembla qu'il se désincarnait, qu'il traversait une pellicule d'air transparent, qu'il passait de l'autre côté. Il s'emplit les yeux des pâles couleurs de l'automne et dit :

— Tu n'y es pas du tout... Reviens sur ta gauche... Lève un peu ton arme... Moins que ça...

Le pistolet se déplaçait avec circonspection. Enfin, il s'immobilisa dans la bonne ligne. La bouche du canon était un petit œil noir et méchant dardé sur Nicolas. « Il ne peut pas me rater », se dit-il. Et il cria :

— Ne bouge plus ! Tire !

Très vite, il songea à Sophie, à ses amis... Un coup de feu. La balle siffla à son oreille gauche. Le premier instant de surprise passé, il constata qu'il était debout, sans une égratignure, et que son cœur battait régulièrement. La fumée se dissipa. Vassia, l'air furieux, rendit son pistolet à Goussliaroff.

— Messieurs, dit Bachmakoff, vous avez satisfait aux conditions de l'honneur. Comme convenu, il n'y aura pas d'autre échange de balles. Voulez-vous vous réconcilier sur le terrain ?

Vassia secoua la tête négativement. Ses yeux flambaient.

— C'est impossible ! balbutia-t-il. Je n'exigerai pas un autre duel, mais ne me demandez pas de serrer la main de cet homme ! Tout est fini entre lui et moi ! Je ne le connais plus ! Adieu !

Il se dirigea d'un pas vif vers sa voiture, suivi de Goussliaroff, qui trottinait sur ses courtes jambes. Bachmakoff partit d'un rire en fanfare :

— *Finita la commedia !* Tout s'est très bien passé ! Tu es content ?

— Très content, dit Nicolas.

Il ressentait, de la tête aux pieds, un soulagement sans joie, comme si, en gardant la vie sauve, il eût perdu au change. Son seul plaisir était de penser que Sophie ne se douterait de rien. Il tira de sa poche la lettre qu'il avait écrite à l'intention de sa femme, la relut avec mélancolie et la déchira. Les morceaux s'éparpillèrent dans l'herbe.

— Invite-moi à dîner au club pour fêter l'heureuse issue de cette rencontre ? proposa Bachmakoff.

— Non, dit Nicolas. On m'attend à la maison.

En passant par Pskov, il acheta du tabac pour son père.

## 11

Avec le temps, Nicolas comprenait mieux que ce duel, dont il était sorti apparemment indemne, l'avait, en fait, profondément marqué. Un homme avait quitté cette maison pour se battre, un autre homme y était revenu, désabusé, assagi, pensif. Convaincu que Sédoff était l'auteur du billet anonyme, il méditait de se rendre à Saint-Pétersbourg pour l'obliger aux aveux et le mettre hors d'état de nuire. Par quel moyen ? Il ne le savait pas au juste. Le personnage était dangereux. Aux dénonciations d'ordre sentimental pouvaient succéder les dénonciations d'ordre politique. Nicolas eût préféré mourir, plutôt que de voir ses amis compromis par sa faute ! Kostia Ladomiroff lui adressait des appels toujours plus pressants : « Ryléïeff nous parle souvent de toi... Tu pourrais nous rendre de grands services... Quel dommage que tu habites si loin ! » Il montrait ces lettres à Sophie. Elle ne paraissait pas deviner ce qu'il espérait.

Profitant de l'absence prolongée de Sédoff, elle passait des journées entières à Otradnoïé, auprès de Marie et du petit Serge dont elle était ravie.

Aux premières pluies d'automne, l'humeur de Nicolas s'assombrit encore. Il songeait souvent à Vassia, qui était reparti sans consentir à le revoir. La campagne, dépouillée, détrempée, s'enfonçait dans la boue et la brume. La saison des théâtres s'ouvrait à Saint-Pétersbourg, les réunions chez Ryléieff devaient être de plus en plus captivantes, et, ici, la meilleure distraction était d'entendre chanter le vent, craquer les arbres et ruisseler les gouttières. Comment se faisait-il que Sophie ne fût pas, elle aussi, accablée d'ennui par la perspective de passer encore un hiver à Kachtanovka ? A étudier le comportement de sa femme, Nicolas se persuadait que cette républicaine était, en réalité, très heureuse dans son rôle de maîtresse d'une grande terre. Tout en réprouvant les mœurs barbares de la Russie, elle s'accommodait du pouvoir qui lui était donné sur deux mille paysans serfs. En essayant d'améliorer leur sort, elle agissait par bonté d'âme, certes, mais aussi par désir de diriger la vie des autres. Même pour complaire à son mari, même pour participer avec lui à la lutte pour la liberté, elle ne se résignait pas à quitter le domaine. Sans doute, l'idée qu'elle était partie de rien pour gagner la confiance de tant de gens, à commencer par son beau-père et à finir par le dernier des moujiks, l'attachait farouchement à ces lieux où elle était arrivée jadis en intruse. Kachtanovka était sa conquête. L'orgueilleux Michel Borissovitch lui-même ne le contestait plus. Nicolas ne pouvait penser à son père sans acrimonie. Quel jeu jouait-il entre ses enfants ? Il s'était promptement rétabli, montait à cheval pour de courtes promenades et parlait d'organiser de nouveau une battue aux loups. Le dernier dimanche du mois d'octobre, il fut prié à dîner par le gouverneur de Pskov, von Aderkas, qui, chaque année, à la même date, réunissait chez lui des notables de la région. Pour la première fois depuis longtemps, Michel Borissovitch, chapitré par Sophie résolut d'accepter l'invitation.

Le jour venu, ce fut elle qui choisit la façon dont il s'habillerait. Elle disait qu'il avait le devoir d'être d'autant plus élégant que ses visites dans le monde étaient rares. Il mit longtemps à se préparer et quitta sa chambre comme un ours sortant de sa tanière. L'œil inquiet, il quêta l'approbation de Sophie. Elle le félicita, rectifia du doigt le tour de sa cravate et exigea de voir ses lunettes. Il s'était bien gardé de les nettoyer. Elle le réprimanda et frotta les verres avec son mouchoir, tandis qu'il souriait de contentement. M. Lesur demanda la permission de profiter de la voiture pour aller à Pskov. Il avait, disait-il, des emplettes à faire en ville. Mais, sans doute, n'était-ce là qu'un prétexte pour passer une heure, seul à seul, avec Michel Borissovitch en calèche : toutes les occasions lui étaient bonnes pour se rapprocher de son tourmenteur. Après avoir taquiné le Français jusqu'à lui tirer des larmes, Michel Borissovitch lui cria de se dépêcher, que les chevaux étaient prêts, qu'on n'attendait que lui !... M. Lesur grimpa dans sa chambre et en redescendit bientôt, les souliers cirés, la calvitie parfumée et le gilet boutonné de travers. Nicolas et Sophie assistèrent, du perron, au départ des deux hommes. Assis à côté de l'imposant Michel Borissovitch, le précepteur, tout petit, ratatiné dans son paletot, le chapeau sur les yeux, la face épanouie, était un enfant qu'on emmène à la foire.

Il y avait des années que Nicolas et sa femme n'avaient dîné en tête-à-tête. Sophie se réjouissait de cette circonstance, mais ne pouvait s'empêcher de penser constamment à son beau-père. Cette maison n'était concevable pour elle qu'animée par la présence de Michel Borissovitch. Il suffisait qu'elle regardât le fauteuil où il avait coutume de s'asseoir pour n'être plus seule avec son mari. Nicolas, en revanche, paraissait libéré d'une contrainte. Dès le début du repas, il se remit à parler d'une lettre de Kostia Ladomiroff, qu'il avait lue, la veille, à Sophie. Tout à coup, il affermit le ton et passa à l'attaque :

— Il faut prendre une décision, Sophie. Si nous devons rester ici d'un bout à l'autre de l'année, je périrai d'ennui, de désœuvrement, de désespoir !...

Jamais encore il ne s'était plaint devant elle avec autant d'amertume.

— Tu voudrais partir de nouveau ? demanda-t-elle.

— Oui, dit-il. Avec toi !

Elle redoutait cette réponse.

— Comment peux-tu ne pas te plaire à Kachtanovka ? soupira-t-elle.

— Et toi, Sophie, comment peux-tu t'y plaire, après avoir connu Paris et Saint-Pétersbourg ?

Elle sourit :

— Il y a dans les villes une agitation, un faux éclat, qui me font horreur. Ici, tout est vrai, tout est simple, tout pèse son juste poids...

— Je penserais comme toi, peut-être, si je me désintéressais de l'avenir de mon pays ! Mais tu sais que des camarades m'attendent à Saint-Pétersbourg, tu sais que je brûle de me dévouer à leur cause ! Tu ne vas pas me désapprouver quand je parle de les rejoindre ! Après tout, c'est toi qui m'as poussé dans cette voie ! Avant de te connaître, je n'entendais rien à la politique, je ne voyais pas l'utilité de supprimer le servage, j'ignorais même, à peu près, ce que c'était qu'une constitution !

Elle s'attendait depuis longtemps à ce grief ! Oui, il pouvait paraître étrange à Nicolas qu'après lui avoir donné le goût de la liberté elle ne l'encourageât pas davantage dans son entreprise. Comment lui faire comprendre que la vie avait émoussé en elle la passion des idées, qu'elle préférait le commerce des petites gens à celui des grands esprits, que son bonheur était devenu terrestre, immédiat, quotidien ?...

— Je voudrais te mettre en garde contre ton enthousiasme, dit-elle doucement.

— Que lui reproches-tu, à mon enthousiasme ? s'écria-t-il. Te serais-tu convertie au monarchisme, par hasard ?

Elle l'observa dans sa colère avec l'espèce de sollicitude critique, d'affection sans aveuglement, qui lie le maître à l'élève :

— Non, Nicolas, je n'ai pas varié dans mes opinions.

— Tu n'aurais pourtant pas tenu ce langage en France !

— En France, j'étais chez moi, parmi des compatriotes dont les réactions m'étaient compréhensibles...

— Ne dirait-on pas que tu viens de débarquer en Russie ? Il y a des années que tu vis parmi nous !...

— Des années, oui, murmura Sophie. Et, cependant, je me sens politiquement étrangère à la nation russe. Chaque fois que je veux agir, quelque chose me gêne, m'inquiète, me surprend. Il me semble que je n'ai pas les qualités requises pour détruire l'ordre d'un pays où je ne suis pas née. Pour un peu, — tu vas rire — je croirais manquer aux lois de l'hospitalité si je vous aidais à implanter ici les idées républicaines que je défendais en France !

Il se renversa sur sa chaise et grommela :

— C'est bien ce que je disais : tu es contre la révolution !

— Absolument pas ! Je la considère même comme indispensable. Mais je ne me reconnais pas le droit de m'en mêler personnellement. T'ai-je assez répété que ce nouveau régime devait être pensé, préparé, institué par des Russes, autrement dit par toi et par tes amis ? Tout ce que je puis faire, moi, c'est former les paysans à recevoir le bonheur que vous leur donnerez un jour. Pour cela, je n'ai nul besoin d'aller en ville ! Il faut même évidemment que je reste à la campagne...

Elle parlait des moujiks et songeait à Michel Borissovitch. Lui aussi avait besoin d'elle. Soudain, elle se réjouit de le revoir pour le souper. Il lui raconterait le dîner chez von Aderkas en critiquant le menu, en se moquant des convives. Elle lui reprocherait d'être peu sociable. Il conviendrait qu'elle avait raison. Peut-être, ensuite, feraient-ils une partie d'échecs... Elle entendit Nicolas qui disait :

— Nous pourrions n'y passer qu'une quinzaine de jours...
— Non, Nicolas, répondit-elle, ma place est ici.
— Je sais pourquoi tu ne veux pas partir : c'est à cause de père !
— En effet. Il est âgé. Sa santé m'inspire des inquiétudes...
— Allons donc ! dit-il en riant. Quand il te regarde, il a vingt ans !
Elle s'offusqua de cette mauvaise plaisanterie.
— Je te taquine ! reprit-il. D'ailleurs, il n'est pas le seul qui te retienne. Il y a Marie ! Et Serge ! Et les moujiks ! Aussi incroyable que cela paraisse, c'est tout ce monde-là qui nous empêche de vivre comme nous l'entendons !
— Pourquoi ne retournerais-tu pas seul à Saint-Pétersbourg ? dit-elle.
Il la considéra avec étonnement :
— Nous n'allons pas nous séparer encore !
Elle sourit :
— M'oublies-tu tout à fait quand tu es loin de moi ?
— Non seulement je ne t'oublie pas, s'exclama-t-il, mais, dès le moment où je te quitte, je rêve de celui où je te retrouverai !
— Attention ! S'il en est ainsi, je vais te conseiller de partir très souvent en voyage !
— Je ne le supporterais pas, dit-il. Mais, là, tu ne peux savoir comme j'ai envie de revoir les amis ! Je devine que de grandes choses se préparent ! Si je devais manquer une réunion importante, je ne m'en consolerais jamais ! Ah ! Sophie, que c'est bon d'avoir un idéal ! Combien je te remercie de m'avoir révélé le bonheur de vivre intensément par l'esprit !
Elle l'approuva en faisant de petits hochements de tête. Cette fougue juvénile l'amusait, la charmait.
— Eh bien ! va à Saint-Pétersbourg, Nicolas, dit-elle. C'est moi qui te le demande !

Michel Borissovitch ne rentra qu'à cinq heures de

l'après-midi. En le revoyant, Sophie eut un élan de joie et s'aperçut qu'elle n'avait cessé de l'attendre. Le dîner de von Aderkas l'avait fatigué.

— Je vous raconterai tout ce soir ! dit-il.

Et il se retira dans sa chambre. Mais, au lieu de faire sa sieste, il appela son fils. Nicolas le trouva étendu sur le canapé de cuir noir, un coussin sous la nuque et les jambes couvertes d'un plaid écossais. Les yeux clos, Michel Borissovitch respirait fort, à la manière d'un dormeur. En entendant la porte qui se refermait, il dit sans relever les paupières :

— C'est toi, Nicolas ?

— Oui.

— Qu'est-ce que c'est que cette histoire de duel ?

Nicolas tressaillit, et, pour gagner du temps, marmonna :

— Un duel ?

— Oui, on m'en a parlé chez von Aderkas. Il paraît que tu t'es battu contre Vassia Volkoff !

Incapable de nier les faits, Nicolas proféra d'une voix défaillante :

— C'est exact.

Aussitôt, une terreur le saisit à l'idée que son père connaissait, peut-être, le motif de la rencontre.

— Vous vous étiez disputés ? demanda Michel Borissovitch.

— Oui.

— Pourquoi ?

Nicolas reprit espoir : son questionneur ne savait rien de précis.

— Je veux bien vous le dire, père, murmura-t-il, mais promettez-moi de ne pas le répéter à Sophie... Elle n'est pas au courant... C'est une affaire d'honneur, vous comprenez, une affaire d'hommes...

— Tu as ma parole, dit le gisant.

Seules ses lèvres avaient bougé dans sa figure de pierre.

— Eh bien ! voilà, dit Nicolas, Vassia Volkoff m'a accusé de tricher au jeu...

En prononçant cette phrase, il se demanda quand

il l'avait préparée. Cette aisance dans l'invention lui rappela les premiers temps de son mariage, alors qu'il mentait à son père, pour le convaincre d'accueilllir sa femme, et à sa femme, pour excuser la rudesse de son père.

— Tiens ? dit Michel Borissovitch. Cela ne ressemble guère à ce garçon !

— J'en ai été moi-même surpris, dit Nicolas. Mais il a beaucoup changé à Saint-Pétersbourg. Il est devenu ombrageux, vaniteux, vindicatif... Comme il m'a fait cette remarque devant témoins et que j'ai refusé de lui présenter des excuses, il a exigé une réparation par les armes ! Devais-je me dérober ?

— Non, évidemment ! grogna Michel Borissovitch. Mais c'est stupide ! L'un de vous aurait pu rester sur le terrain ! Tout ça pour une peccadille ! Ah ! jeunesse !...

Soudain, il ouvrit un œil. Nicolas fut frappé par un regard perçant, qui semblait mettre en doute la sincérité de ses explications. Pour éviter que son père ne revînt à la charge, il décida de l'embarrasser à son tour. Connaissant le point faible de son adversaire, il annonça d'un ton léger :

— Au fait, je me suis mis d'accord avec Sophie pour ce voyage à Saint-Pétersbourg...

Il avait bien dirigé son coup. Michel Borissovitch s'assit sur son séant. Ses gros sourcils se froncèrent. Il bredouilla :

— Quel voyage ?

— Sophie ne vous a pas averti ?

— Non.

— C'est vrai ! Tout s'est décidé si vite ! D'ailleurs, nous n'avons pas encore fixé la date du départ. Dans quatre ou cinq jours, je pense...

Tout en parlant, il jouissait du désarroi où il voyait son père.

— Tu es fou ? dit Michel Borissovitch. Que vas-tu faire là-bas ? Te battre de nouveau contre Vassia Volkoff ?

— Certainement pas, dit Nicolas. Nous nous sommes quittés froidement, mais honorablement. Non, ce sera, je l'espère, un voyage de distraction. J'ai besoin de me changer les idées...

— Mais c'est... c'est impossible !... C'est la plus mauvaise saison pour voyager !... Et puis, la maison est vendue !... Où logeras-tu avec ta femme ?

Nicolas estima que le jeu avait assez duré.

— Comment avez-vous pu croire que Sophie m'accompagnerait, père ? dit-il avec un sourire sarcastique.

— Elle n'ira pas avec toi ? demanda Michel Borissovitch.

— Mais non ! Elle restera ici. Avec vous.

Michel Borissovitch eut de la peine à cacher son bonheur. Ses lourdes joues frémirent. Toute sa figure revêtit un caractère de désordre et de triomphe.

— Eh bien ! Etes-vous content ? dit Nicolas.

— Pas du tout ! répondit Michel Borissovitch. Je trouve cette séparation entre époux désolante. Mais, enfin, si c'est votre idée à tous les deux...

« Il ment autant que moi, mais plus mal ! », pensa Nicolas avec dégoût. Debout devant le canapé, il lut dans les yeux de son père un secret informe, quelque chose de méchant et de joyeux à la fois, haussa les épaules et marcha vers la porte.

## 12

A peine la calèche eut-elle franchi la barrière d'Otradnoïé, que Sophie voulut rebrousser chemin. Parmi un groupe d'hommes qui se pressaient devant la maison, elle avait reconnu de loin la silhouette maigre de Sédoff. Si elle avait su qu'il était rentré de Saint-Pétersbourg, elle ne serait pas venue. Roulant et cahotant dans la boue de la cour, la voiture s'arrêta devant le perron. Sédoff aida Sophie à descendre. Il portait de hautes bottes crottées et un gilet rouge à boutons de cuivre, sous une veste de velours noir.

— Soyez la bienvenue, dit-il avec une amabilité appuyée. Marie ne vous attend pas, mais elle sera ravie de vous voir. Elle doit être dans sa chambre. Je ne vous accompagne pas...

Sophie répondit froidement à son salut et gravit les marches. Toute la demeure semblait vide. Du côté de l'office, des paysannes sanglotaient comme à un enterrement. Sophie frappa à la porte de la chambre à coucher. Une seconde plus tard, Marie était dans ses bras, la figure marquée par l'émotion.

— Que se passe-t-il ? dit Sophie. Vous paraissez bouleversée !

— N'avez-vous rien remarqué dehors ? demanda Marie.

— J'ai rencontré Vladimir Karpovitch...

— Oui, il est arrivé avant-hier. Mais ces hommes, vous les avez vus ? Ce sont des acheteurs...

— De quoi ?

— De serfs, de chevaux, de bétail. Mon mari a décidé de vendre le peu qui nous reste. Nous ne garderons que la maison, un cheval, deux vaches, trois ou quatre domestiques. Je continuerai d'habiter ici avec le bébé. Vladimir Karpovitch, lui, aura un petit logement à Saint-Pétersbourg, pour ses affaires. Il viendra me voir, de temps en temps...

Sophie était consternée mais n'osait le dire, par crainte d'aggraver la situation. Après tout, il était possible que Marie fût plus heureuse dans cette retraite campagnarde qu'à Saint-Pétersbourg, auprès d'un homme qui ne l'aimait pas. Quoi qu'il en fût, la manœuvre de Sédoff était abominable ; il liquidait tous ses biens, il abandonnait femme et enfant, il fuyait avec l'argent du ménage.

— N'aimeriez-vous pas aller, vous aussi, à Saint-Pétersbourg ? demanda Sophie.

— Non, répondit Marie précipitamment. Je déteste la ville. Je m'y ennuierais. Je l'ai dit à Vladimir Karpovitch...

Par orgueil, elle feignait de prendre à son compte une décision qui lui était évidemment imposée par Sédoff. Depuis son mariage, elle était ainsi déchirée entre le besoin d'avouer sa détresse et celui de se prétendre heureuse. Une vilaine robe lilas tendre, à galons bleus, moulait sa taille et tournait en draperies compliquées autour de ses hanches. Elle s'était rapprochée de la fenêtre.

— Regardez, dit-elle. C'est affreux !...

Des domestiques s'avançaient en file vers un chariot couvert. L'homme qui les avait achetés — sans doute pour un propriétaire foncier des environs — les arrêtait au passage, les reluquait sous le nez, palpait le bras de l'un, ouvrait la bouche de l'autre, s'essuyait les doigts à son pantalon et cochait un nom sur la liste. Les femmes avaient droit à une claque sur la croupe. Jeunes ou vieilles, toutes pleuraient. Elles avaient dû mettre leurs jupes l'une sur l'autre, car elles paraissaient énormes. Les épaules rondes, elles traînaient de lourds ballots d'étoffe, d'où émergeaient une louche, une queue de poêle. Marie les nommait à voix basse :

— Matriona, Xénia, Eudoxie, Zoé...

A l'autre bout de la cour, des maquignons examinaient les chevaux. Un moujik tira la première bête de la rangée par un bridon et la fit trotter. C'était une jument grise, au pelage terne, à la grande tête somnolente. Pour l'inciter à relever l'allure, Sédoff claquait dans ses mains, piétinait, sifflait. Le cheval s'effraya, traîna un moment le palefrenier au bout de sa longe, puis, de nouveau, se laissa guider. Le second ne fut pas plus fringant. Encore deux rosses aux flancs cerclés de côtes accomplirent leur petit tour de trot et reprirent leur place, en soufflant de misère. Les marchands avaient des mines désabusées. Comme pour les serfs, ils inspectèrent l'œil, la denture, la musculature des animaux. La discussion commença. Sédoff gesticulait et parlait avec importance, mais Sophie n'entendait rien à travers l'épaisseur des doubles carreaux.

Des vagissements retentirent dans la pièce voisine. Marie alla chercher son fils qui s'éveillait. Il parut sur les bras de Mélanie, une nourrice au chef couronné d'un diadème de verroterie et de rubans multicolores. Mélanie était grande, jeune, avec une poitrine rebondie, un teint rose et des prunelles de veau. Pendant qu'elle déboutonnait son corsage, Sophie coucha le bébé sur ses genoux. Il avait une tête parfaitement ronde, un mufle de petit animal et de gros yeux bruns, luisants, noyés de rêve. Remuant et grognant, il suivait une aventure intérieure. Soudain, il sourit à Sophie. Elle en fut étonnée comme d'un signe de l'autre monde et chuchota :

— Vous avez vu?

La nourrice lui reprit l'enfant. Il se saisit d'un sein volumineux et se mit à téter.

— Cette fille restera avec vous, j'imagine ? dit Sophie en français.

— Oui, répondit Marie. Je la garde, ainsi que Fiokla, Pulchérie, Arsène...

Les deux jeunes femmes retournèrent à la fenêtre. Une partie du convoi s'ébranlait déjà. Les chariots transportant des serfs roulaient par-devant. Des visages barbus passaient entre les pans de la bâche. Une main dessina le signe de la croix dans l'air gris. Quatre chevaux suivaient, la figure muselée par un bridon de cordes. Enfin, venaient deux vaches, que touchait un gamin en guenilles et pieds nus.

— Nous voici encore un peu plus pauvres ! soupira Marie.

A intervalles réguliers, la bouche de Serge émettait un bruit de succion.

— Pas si vite, goulu ! dit la nourrice.

Sédoff entra dans la chambre. Il paraissait content de lui.

— C'est fini, dit-il. Je me suis fait plumer, comme je l'avais prévu. Mais au moins, maintenant, la route est libre !

Puis, avisant la nourrice, il eut une grimace de répulsion, claqua des doigts en direction de la porte et gronda :

— Je déteste ces exhibitions de mamelles !

La nourrice, épouvantée, sortit à reculons. Il n'eut pas un regard pour son fils qu'elle emportait. Les yeux de Marie s'assombrirent de tristesse. Elle baissa la tête. Sédoff se tourna vers Sophie et dit aimablement :

— Quel dommage que votre mari ne soit pas venu avec vous !

— Il est à Saint-Pétersbourg, dit Sophie.

— Allons, bon ! Quand est-il parti ?

— Au début de la semaine.

— Nous nous sommes donc croisés sans le savoir ! On se déplace beaucoup, en Russie, ces derniers temps. Notre souverain nous donne l'exemple. Quelle extraordinaire randonnée pour un chef d'Etat ! Traverser tout le pays en cette saison ! Descendre vers le Sud ! Passer des inspections, des revues !... Le tsar a une santé de roc ! Nicolas Mikhaïlovitch se trouve dans la capitale pour affaires, sans doute ?

— Sans doute, dit Sophie.

— S'il reste là-bas quelques jours encore, j'aurai le plaisir de l'y rencontrer. Je reprends la route après-demain. Et je ne reviendrai pas de sitôt à Otradnoïé. Ma femme a dû vous mettre au courant de nos intentions.

— Oui, murmura Sophie.

Elle aurait voulu s'en tenir là. Mais l'attitude provocante de son beau-frère l'exaspérait. Sans réfléchir, elle dit :

— N'avez-vous pas quelque scrupule à laisser Marie seule avec son enfant ?

— Elle ne sera pas seule ! dit-il. Sa famille se rapprochera d'elle, dès que j'aurai le dos tourné. Ai-je tort de croire qu'elle pourra toujours compter sur vous, en cas de besoin ?

— De quelque secours que je puisse lui être, répliqua Sophie, je ne remplacerai jamais son mari ! Si elle vous a épousé, ce n'est pas pour vivre loin de vous ! Si elle a eu un enfant de vous, ce n'est pas pour l'élever comme s'il était sans père !

Les traits de Sédoff se durcirent. Ses yeux se rapetissèrent dans la haine. Il prononça d'une voix sèche :

— Je n'ai pas voulu cette naissance !

Marie cacha son visage dans ses mains. Prise entre le désir de consoler la jeune femme et celui de rabrouer Sédoff, Sophie demeura un moment interloquée. Puis sa colère l'emporta. Elle oublia toute prudence.

— Et votre mariage, vous ne l'avez pas voulu non plus, peut-être ? dit-elle.

— Si, répondit Sédoff. Mais je me suis trompé.

— Dans vos sentiments ou dans vos calculs ?

— Dans les deux !

Marie balança la tête sans désunir ses doigts et gémit :

— Taisez-vous !...

Ni son mari ni sa belle-sœur ne l'entendirent. Dressés face à face, ils se défiaient du regard.

— Ce que vous venez de dire est indigne ! balbutia Sophie.

— Comme si vous ne le soupçonniez pas ! s'écria-t-il en riant.

Et, reprenant le masque de la fureur, il poursuivit :

— Assez de singeries ! Notre ménage n'est peut-être pas une réussite. Mais Marie et moi essayons d'éviter le pire. Ne venez donc pas tout brouiller avec vos conseils. Ce qui se passe ici ne vous regarde pas !

— Si, dit Sophie. Que vous le vouliez ou non, vous me trouverez toujours aux côtés de Marie pour l'aider contre un homme qui fuit ses responsabilités et oublie ses devoirs !

A ces mots, Sédoff poussa un soupir et alla s'appuyer du dos à la porte, comme pour en interdire l'accès.

— Ne croyez-vous pas que vous feriez mieux de surveiller votre mari au lieu de critiquer celui des autres ? dit-il.

— Vos insinuations ne me touchent pas ! dit Sophie.

— Parce que ce ne sont encore que des insinuations ! Attendez que je précise...

Marie poussa un cri désespéré :

— Vladimir, je t'en supplie !

Visiblement, elle savait quelles révélations il se préparait à faire. Cette pensée inquiéta Sophie. Elle fut prise de dégoût, comme si elle se fût fourvoyée en un lieu malpropre. Son regard se porta sur sa belle-sœur, assise, en larmes, au bord du lit, puis sur la porte à demi masquée par la stature de son beau-frère, en bottes noires et gilet rouge.

— Laissez-moi sortir ! dit-elle.

— Auriez-vous peur de la vérité ? demanda Sedoff.

— De quelle vérité ? Quoi que vous disiez, je ne vous croirai pas !

— Me voici donc libéré de mon dernier scrupule, dit-il en s'inclinant devant elle. Et pourtant, c'est encore un service que je vous rendrai en vous recommandant plus de modestie dans l'étalage de votre bonheur conjugal. Votre sotte vanité de Française ne peut plus faire illusion. Trop de gens savent, aujourd'hui, que votre mari vous est infidèle...

L'insulte atteignit Sophie en plein visage. Elle tressaillit et serra les dents. Son silence dédaigneux excita la rage de Sédoff. Une veine fourchue se gonfla sous la peau de son front. Il hurla :

— Cela vous est égal, peut-être ? Vous vous imaginez que j'invente cette histoire par esprit de vengeance ?

— Vous êtes un être abject ! dit Sophie dans un souffle. Je plains Marie d'avoir lié son existence à celle d'un individu tel que vous !

— Et vous vous félicitez d'avoir lié la vôtre à celle d'un parfait honnête homme, tel que Nicolas Mikhaïlovitch ? dit-il avec arrogance. Demandez-lui donc, par curiosité, ce qu'il faisait avec Daria Philippovna dans un certain pavillon chinois !

— Vladimir, tu n'as pas le droit ! cria Marie en se jetant sur Sédoff. Pour l'amour de Dieu ! Je t'en conjure !...

Elle frappa de ses poings faibles la poitrine de son mari. Il la repoussa brutalement :

— Laisse-moi, idiote !

Elle tomba dans un fauteuil et courba les épaules. Sophie s'avança vers la porte d'une démarche raide. La figure de Sédoff grandit devant elle, avec, au centre, une bouche, qui parlait, qui parlait :

— Parfaitement ! Daria Philippovna Volkoff ! C'est de notoriété publique !... Et le fils, le fils Vassia, le meilleur ami de Nicolas Mikhaïlovitch !... Vassia a tout appris par une lettre anonyme !... Quel scandale !... Il n'a pu le supporter !... Sa mère ! Sa propre mère !... Pensez donc !... Il se sont battus en duel !... Etes-vous convaincue, maintenant ?...

Roulée en boule dans son fauteuil, Marie sanglotait :

— Ne l'écoutez pas, Sophie ! Il cherche à vous faire du mal ! Ce n'est pas vrai ! Cela ne peut pas être vrai !...

— Comment oses-tu dire que ce n'est pas vrai ? glapit Sédoff.

Et il la gifla. Dans ce mouvement, il s'était écarté de la porte. Sophie ouvrit le battant et se rua dehors. Sédoff ne courut pas derrière elle.

Ce fut seulement dans la voiture qu'elle recouvra ses esprits. Les chevaux s'élancèrent, soulevant des gerbes de boue au passage des flaques. Nicolas et Daria Philippovna ! la conjonction était si grotesque, si monstrueuse, que Sophie refusait de l'admettre. Il s'agissait sûrement d'une calomnie. Mais les accusations de Sédoff contenaient des précisions inquiétantes : le pavillon chinois, le duel... Elle se souvint de la visite qu'elle avait faite à Daria Philippovna, l'année précédente, à l'époque de l'inondation de Saint-Pétersbourg. Il lui semblait, à la réflexion, que cette femme l'avait reçue d'un air embarrassé et craintif. Des bribes de conversation lui revinrent en mémoire. Elle revit un petit livre à reliure de cuir vert, posé sur un guéridon : les poésies de Joukovsky. Le même ouvrage, habillé de la même façon, figurait dans la bibliothèque de Kachtanovka. Simple coïncidence ? A présent, elle était frappée d'un doute affreux : n'était-ce pas Nicolas qui avait prêté ce recueil de vers à Daria Philippovna ?

A peine arrivée, elle se précipita dans le bureau. Heureusement, son beau-père n'y était pas. Le cœur battant, elle contourna la table et se planta devant la bibliothèque. Toutes les œuvres des poètes russes étaient rangées sur le même rayon. Entre deux volumes reliés, un petit vide, une niche d'ombre. Le recueil de vers de Joukovsky manquait à la collection. Sophie ressentit une chute au-dedans d'elle-même. Comment Nicolas avait-il pu la tromper avec cette créature âgée, molle et lourde, la mère de son meilleur ami ? Depuis quand vivait-il dans le mensonge ? Qui était au courant de sa liaison ? Il suffisait que Sophie évoquât la dernière conversation qu'elle avait eue avec son mari, la gentillesse de Nicolas au moment du départ, ses recommandations, son sourire, son baiser, pour qu'une vague de dégoût lui coupât le souffle. Tous les souvenirs de son mariage en étaient empoisonnés. Elle avait envie de les oublier sur-le-champ, de se laver des pieds à la tête. Son désordre n'avait d'ailleurs rien à voir avec les bas tumultes de la jalousie. Ce n'était pas l'infidélité de Nicolas qui la tourmentait le plus, mais l'appareil de fausseté dont il avait entouré son intrigue. Blessée dans son amour-propre plus que dans son amour, elle ne pouvait supporter l'idée d'avoir si longtemps accordé sa confiance à un homme qui se moquait d'elle ! Il ne valait pas mieux que Sédoff ! Subitement, elle engloba tous les Russes dans la même aversion. Impossible de faire fond sur les gens de cette race. Rompre avec Nicolas, trancher toutes les amarres, retourner en France... Elle ne réfléchissait plus, elle maniait la hache. Puis elle s'arrêta. Allait-elle bouleverser son destin à cause d'un livre déplacé, ou prêté, ou perdu ? Il fallait d'autres preuves avant de prendre une décision aussi grave. Ce duel dont Sédoff avait parlé...

Un pas se rapprochait. Elle fit face à la porte. Michel Borissovitch entra.

— Déjà de retour ? dit-il avec une fausse bonhomie.

Il n'aimait pas que sa belle-fille le quittât, des après-midi entiers, pour aller à Otradnoïé. Prise de lassitude, elle s'adossa à la bibliothèque. Elle n'avait plus d'autre ami, d'autre soutien au monde, que cet homme aux traits rudes et au poil grisonnant. Elle dit à voix basse :

— Père, savez-vous que Nicolas s'est battu en duel ?

Il s'immobilisa. La table les séparait.

— Oui, dit-il.

Et ses yeux s'éteignirent, son visage s'alourdit, comme sous l'effet d'une souffrance.

— Je l'ai appris incidemment, peu avant son départ, reprit-il. Bien entendu, il m'a fait promettre de ne pas vous révéler cette affaire. Mais, puisque vous êtes déjà au courant...

— Vous a-t-il dit pourquoi Vassia l'avait provoqué ?

— Il m'a parlé d'une querelle à la table de jeu...

— Et vous l'avez cru ?

Michel Borissovitch ne répondit pas. Il savourait les prémices de la victoire. Non, il n'avait jamais été dupe. Et cela pour la simple raison qu'il avait recueilli les renseignements les plus précis au dîner du gouverneur. Au moment où Nicolas s'imaginait le convaincre en racontant le duel à sa manière, il savait déjà, lui, à quoi s'en tenir. Ah ! le rare plaisir que de paraître crédule en face d'un mauvais menteur ! Ecoutant son fils et feignant de le suivre, il l'avait jugé avec une haine froide, avec un tranquille mépris. Depuis cette conversation, son seul espoir était que Sophie connût un jour la vérité. Il songeait même à la mettre sur la voie. Et voici qu'elle semblait informée de tout, sans qu'il eût à se reprocher une indiscrétion. Décidément, Dieu était avec lui dans cette aventure !

— Vous ne dites rien ! poursuivit Sophie. Vous avez peur de me faire mal ! Mais, si vous ne m'aidez pas à sortir de mon incertitude, je devrai m'adresser à quelqu'un d'autre. Est-ce là ce que vous voulez ?

— Non, s'écria-t-il.

— Alors, parlez-moi franchement. C'est à cause de sa mère que Vassia a exigé une réparation par les armes ? Nicolas était...

Elle chercha ses mots et acheva, rouge de honte :

— Nicolas était l'amant de cette femme ?

Une explosion de joie ébranla le crâne de Michel Borissovitch. « Cette fois, tout est bien cassé entre eux ! », se dit-il. Cependant, il sut garder un visage triste. Ses lèvres prononcèrent comme à regret :

— Je ne puis le nier, Sophie.

Elle s'attendait à cette réponse, mais n'en fut pas moins désemparée. Sa disgrâce lui apparut dans une lumière aveuglante. Les jambes coupées, elle se traîna vers un fauteuil, s'assit et fléchit les épaules. Michel Borissovitch s'émerveilla de la voir si belle dans cette pose d'abandon. Il pensait à un oiseau blessé, à une biche hors d'haleine. Comment Nicolas avait-il pu préférer l'épaisse Daria Philippovna à cette jeune femme dont chaque mouvement mettait en valeur la souplesse du corps, la finesse des traits, la chaleur de l'âme ?

— Mon fils, dit-il, est un misérable ! Il ne grandira jamais ! Il sera toujours ce gamin sans cervelle, léger, fourbe, aimable, dansant, inutile !... Il ne mérite pas la femme incomparable que vous êtes ! Je le déteste pour l'affront qu'il vous a fait ! Je donnerais ma vie afin de racheter ses erreurs ! Ah ! Dieu, si vous saviez ce que j'éprouve en ce moment !...

Penché sur Sophie, il la regardait dans les yeux d'une manière si implorante, qu'elle en fut troublée. Quelle différence entre le père et le fils ! L'écart de deux générations ne suffisait pas à expliquer que l'un de ces hommes fût un modèle d'inconstance, alors que l'autre avait tant de noblesse, de persévérance et de volonté dans le caractère. Si elle avait souvent traité son mari en grande sœur indulgente, devant Michel Borissovitch elle ne pouvait oublier qu'elle était avant tout une femme. Il entretenait en elle la notion de sa grâce et de sa primauté. Il s'ingéniait à la persuader qu'elle était le centre du monde, alors qu'elle se sentait bafouée, avilie, perdue, il lui apportait l'hommage de son admiration.

— Tout cela est lamentable ! soupira-t-elle. Je m'en veux de mon inconscience, de mon insouciance...

— Ne parlez pas ainsi ! dit-il. Vous ne feriez qu'aggraver votre peine !

Elle dressa le menton :

— Je n'ai pas de peine ! Je suis écœurée !

Il lui saisit la main. Elle frissonna, tandis qu'une chaleur se répandait dans ses veines. Tant d'affection, succédant à tant de honte, lui donnait envie de pleurer.

— Croyez-moi, dit Michel Borissovitch, votre vraie raison de vivre est ici, au milieu de cette campagne que vous aimez, dans cette maison qui est la vôtre. Le départ de Nicolas est une bonne chose. Il a emporté avec lui toutes ses saletés, tous ses mensonges. Place nette ! Nous n'avons pas besoin de lui pour être heureux !...

Il redouta d'être allé trop loin et glissa un regard inquiet à sa bru. Elle semblait frappée d'inertie. Avait-elle seulement entendu son discours ? Un crépuscule pluvieux assombrissait le bureau. Michel Borissovitch n'osa allumer la lampe. Lâchant la main de Sophie, il s'assit près d'elle sur une chaise et poursuivit humblement :

— Sophie, Sophie, vous me comprenez, vous pensez comme moi, n'est-ce pas ?

Elle inclina le front sans répondre.

— Vous ne m'en voulez pas du mal que vous a fait mon fils ?

Elle secoua la tête négativement.

— Vous demeurerez ici, quoi qu'il arrive ?

— Oui, dit-elle.

Elle se leva et ajouta faiblement :

— Excusez-moi, père, je monte dans ma chambre, j'ai besoin d'être seule.

Il l'accompagna jusqu'à la porte en marchant tout près d'elle, pour rester le plus longtemps possible dans sa chaleur. Puis, retournant dans le bureau, il s'assit dans le fauteuil qu'elle venait de quitter. Là, une jubilation surhumaine le secoua, cependant que grandissait en lui la crainte de ce qui allait suivre.

## 13

Nicolas et Kostia finissaient de dîner en silence, dans la grande salle à manger aux murs tendus de cuir sombre. Deux serviteurs allaient et venaient sous les ordres de Platon. La présence de ces domestiques obséquieux agaçait Nicolas. Il logeait chez son ami, prenait tous ses repas avec lui, mais ne retrouvait pas l'insouciance qu'il avait connue lors de son précédent voyage. Sans doute était-ce parce qu'il était inquiet au sujet de sa femme ! On était le 27 novembre, et il n'avait toujours pas reçu de réponse aux trois lettres qu'il avait adressées à Sophie. Ce soir, il lui écrirait encore. En conscience, il se demandait ce qu'il était venu faire à Saint-Pétersbourg. C'était en vain qu'il avait cherché Sédoff par toute la ville. A supposer même qu'il eût rencontré cet homme, comment eût-il prouvé que la lettre anonyme était bien de sa main ? Pour quel motif l'eût-il provoqué, sans augmenter le scandale ? La sagesse exigeait qu'il renonçât provisoirement à son projet de représailles. D'autre part, il n'avait nulle envie de revoir Tamara, la petite Polonaise. Il n'était même pas retourné dans son ancienne maison. Le duel lui avait forgé une âme sérieuse. Il eût voulu se dévouer tout entier à la politique. Mais la politique paraissait en sommeil. Le départ de l'empereur pour son voyage d'inspection dans les provinces méridionales avait institué à Saint-Pétersbourg une sorte de trêve entre le pouvoir et la conspiration. On vivait un temps mort. La Russie n'avait plus de capitale. D'après certaines rumeurs non confirmées, le tsar avait pris froid et se reposait à Taganrog. L'impératrice veillait sur lui avec une sollicitude admirable. C'était le prince Troubetzkoï, qui, quatre jours auparavant, avait rapporté ces nouvelles du palais. Les conjurés n'y attachaient aucune importance. La solide nature d'Alexandre aurait tôt fait de surmonter la maladie.

Devant Nicolas, les restes d'une bécasse farcie aux noix furent remplacés par une pâte de fruits arrosée de crème. Du vin de Malaga emplit son verre. Il but une gorgée et soupira :

— Trois semaines déjà que je suis ici ! Et pour quel résultat, mon Dieu ?

Les valets, ayant servi le dessert, se retirèrent derrière la porte. Seul demeura Platon, qui était un homme de confiance.

— Tu ne te figurais tout de même pas que Ryléïeff allait déclencher la révolution dès ton arrivée, pour te faire plaisir ! dit Kostia.

— Non, dit Nicolas. Mais, d'après tes lettres, je m'attendais à trouver notre société en pleine ébullition, préparant ses troupes au combat, étendant ses ramifications dans toutes les casernes, dans toutes les administrations... Or, rien n'a changé depuis ma dernière visite. Vous en êtes toujours à discuter le genre de constitution qu'il faudrait appliquer à la Russie et à quelles conditions nous pourrions nous allier avec Pestel et les gens du Sud. Je t'assure que votre inertie est décourageante !

— Si tu vivais toute l'année parmi nous, dit Kostia, tu saisirais mieux les difficultés de l'entreprise et qu'elles ne peuvent être résolues que lentement.

— Peut-être ! En tout cas, j'ai décidé de partir après-demain.

Kostia laissa tomber sa fourchette. L'œil fixe, les sourcils dressés, il dit :

— Déjà ? Tu voulais rester jusqu'au 15 décembre !
— J'ai réfléchi : ce n'est pas possible.
— Pourquoi ?
— Ma femme ne comprendrait pas.
— Allons donc ! Je suis sûr que si ! Elle sait pourquoi tu es à Saint-Pétersbourg ! Elle t'approuve ! En tout cas, elle ne s'impatiente pas encore...

Nicolas convint en lui-même que Kostia avait raison. Cette pensée l'attrista. Il eût voulu que la liberté dont il jouissait à présent n'eût pas comme contrepartie une désaffection de Sophie à son égard. Que devenait-elle en son absence ? Peut-être une moisissure conjugale, faite de mille habitudes, de mille déceptions, gagnait-elle du terrain sur leur amour ? Peut-être était-il en train de perdre sa femme ? Peut-être ne serait-elle même pas contente de le revoir ? Il eut peur et considéra son ami d'un air si étrange, que celui-ci demanda :

— Qu'as-tu ?
— Rien, dit-il, je réfléchissais à mon voyage de retour. Il faudra que j'aille retenir des chevaux à la maison de poste.

Il était venu de Pskov en voiture de louage, sans domestiques.

— Les amis seront désolés ! dit Kostia. Donne-nous une semaine encore...
— Non.
— Sacrée tête de mule ! Serais-tu amoureux de ta femme au point de ne plus pouvoir attendre ?

Nicolas rit sans gaieté, grommela : « Je crois bien que c'est ça ! » et accepta un petit cigare. Ils allèrent fumer dans le salon. Repliant ses longues jambes sur une jonchée de coussins turcs, Kostia, le nez aigu, le toupet en bataille, s'efforça encore de convaincre son ami :

— Je te préviens : plus tu te feras désirer d'elle, plus elle sera heureuse de te retrouver. En brusquant les choses, tu te prives d'une grande séduction !
— Tu parles en célibataire ! dit Nicolas.

— Pourquoi ? Une épouse n'a-t-elle pas les mêmes réactions que les autres femmes devant l'amour ?

Nicolas bâilla, secoua la cendre de son cigare dans une soucoupe de cuivre et dit :

— Entre un amant et sa maîtresse, il n'y a que l'amour : dans un ménage, il y a, en plus, l'amitié, la confiance réciproque, l'estime... Ainsi, Sophie et moi...

Il n'acheva pas sa phrase. Un pas précipité se rapprochait dans le couloir. La voix de Platon bégaya :

— Attendez ! Attendez au moins que je vous annonce !...

La porte s'ouvrit. Stépan Pokrovsky parut sur le seuil. Son visage poupin était marbré par le froid. Un regard tragique brillait derrière ses lunettes. Il reprit sa respiration et dit :

— Le tsar est mort !

Nicolas tressaillit. Le monde extérieur vacilla comme ses propres pensées. Kostia bondit sur ses jambes et demanda :

— Tu es sûr ?

— Certain ! dit Stépan Pokrovsky. La nouvelle vient d'être rendue publique ! Il est mort d'une fièvre infectieuse le 19 novembre, à Taganrog. Huit jours déjà que la Russie est sans tsar ! Et personne n'en savait rien !...

La tête de Nicolas s'inclina sur sa poitrine. « Mort, le vainqueur de Napoléon ! songea-t-il. Mort, le demi dieu qui passait ses troupes en revue à Paris, sur les Champs-Elysées ! » Il évoqua le tsar en grand uniforme, la poitrine bombée, les épaulettes scintillantes, un bicorne, orné de plumes de coq, ombrageant son visage de marbre, et ce souvenir l'émut parce qu'il lui rappelait sa jeunesse. Il avait beau juger sévèrement les dernières années du règne d'Alexandre, il ne pouvait empêcher que toute une part de lui-même s'affligeât de cette disparition comme d'une page tournée dans sa propre vie.

— Qui lui succédera ? demanda-t-il. Son frère Constantin, cette brute fantasque et ignare, que les Polonais supportent comme vice-roi ?

— Rien n'est encore décidé, répondit Stépan Pokrovsky. Au palais, tout le monde prête, en effet, serment à Constantin. Mais il se trouve à Varsovie. On ignore s'il acceptera la couronne. Certains prétendent que, d'après le testament de l'empereur défunt, l'héritier désigné serait le grand-duc Nicolas Pavlovitch.

— Quoi ? s'écria Nicolas. Mais ce n'est pas possible ! L'ordre de succession serait donc bouleversé ?

— Peut-être ! Je l'espère et je le crains à la fois !

— Quel imbroglio ! dit Kostia.

— En tout cas, dit Stépan Pokrovsky, l'évolution des événements peut nous amener à prendre une résolution capitale. Ryléïeff nous attend tous à huit heures, ce soir. Vous y serez ?

— Bien sûr ! dit Nicolas.

Et il comprit, avec une netteté glaçante, qu'il n'avait plus le droit de quitter ses camarades.

★

En arrivant chez Ryléïeff, à huit heures du soir, Nicolas et Kostia trouvèrent la maison pleine de monde. Tous les visages étaient marqués par l'importance de l'événement. Au seuil de la salle à manger, Nicolas se cogna à Vassia Volkoff. C'était la première fois qu'ils se rencontraient depuis leur duel. Les circonstances présentes étaient si graves, qu'au lieu de se tourner le dos ils échangèrent un regard de compréhension. Ce signe d'amitié étonna Nicolas et il rougit de bonheur. Avant même qu'il eût pu dire un mot, Vassia Volkoff s'était éloigné de lui. Encore perdu dans ses pensées, Nicolas aperçut Ryléïeff, assis à une table ronde, parmi un groupe d'officiers. Il était pâle, les cheveux en désordre, la cravate mal nouée, et discutait nerveusement avec les deux frères Nicolas et Alexandre Bestoujeff. Brusquement, il se leva et fixa ses yeux sur la porte.

Un colonel de la garde, grand, maigre, avec un très long nez, pénétra en se dandinant dans la pièce. La croix de fer de Kulm se balançait sur sa poitrine creuse. Son visage touché par la petite vérole exprimait une dignité funèbre. C'était le prince Troubetzkoï, l'un des directeurs de la conspiration. Il revenait du palais avec des nouvelles fraîches. On fit silence pour l'écouter.

— Mes amis, dit-il, ce que j'ai vu à la cour me donne l'impression d'un profond, d'un irrémédiable désarroi. La famille impériale se trouvait dans la chapelle du palais et priait pour le rétablissement de la santé d'Alexandre, lorsque parvint la nouvelle de sa mort. L'impératrice mère s'évanouit, et le grand-duc Nicolas, avec l'impétuosité que vous lui connaissez, prêta serment, sur-le-champ, à son frère aîné Constantin. Il exigea le même serment des quelques personnes présentes et de la garde intérieure du palais.

— A quel régiment appartenaient les hommes de garde ? demanda Ryléïeff.

— Au Préobrajensky.

— N'ont-ils fait aucune difficulté pour obéir ?

— Si ! Certains d'entre eux disaient qu'ils n'avaient même pas été avertis d'une maladie de l'empereur, que c'était peut-être une fausse nouvelle. Il a fallu que le grand-duc intervienne en personne pour les décider. J'ai vu la scène de mes propres yeux ! Aussitôt après, Nicolas Pavlovitch a envoyé des ordres à la garnison et un message de congratulation et de soumission à Constantin, à Varsovie. Lorsque l'impératrice mère est revenue à elle, des témoins l'ont entendue s'écrier : « Nicolas, qu'avez-vous fait ? Ne savez-vous pas qu'il y a un autre acte qui vous nomme héritier présomptif ! » Il aurait répondu : « S'il y en a un, je ne le connais pas et personne, autour de moi, ne le connaît. Jusqu'à preuve du contraire, c'est mon frère aîné qui doit succéder à Alexandre. Advienne que pourra ! » Son entourage est consterné. L'opinion générale est que Constantin ne voudra pas du trône. Dans ce cas, nous irions vers une période d'inter-règne...

— Circonstances idéales pour une révolution ! dit Stépan Pokrovsky.

Les regards se tournèrent vers Ryléïeff, qui s'était rassis et contemplait ses mains rêveusement.

— Encore faudrait-il être en mesure de la faire ! dit-il.

Nicolas Bestoujeff, en uniforme d'officier de marine, se dressa de toute sa taille :

— Veux-tu dire que nous ne sommes pas prêts ?

Comme Ryléïeff se taisait, il poursuivit :

— Je t'ai toujours entendu affirmer que la mort de l'empereur servirait de signal à l'insurrection. Or, voici qu'on t'apporte cette nouvelle sur un plateau d'argent ! Voici qu'on t'annonce même que le sucesseur n'est pas encore désigné ! Et, au lieu de t'en réjouir, tu es accablé, perdu, tu ne sais qu'entreprendre !...

Alexandre Bestoujeff, capitaine de dragons, rédacteur en chef et éditeur de l'*Etoile Polaire*, appuya son frère :

— Il a raison ! Explique-toi, je t'en prie ! Nous aurais-tu trompés sur la puissance de notre organisation ?

— Je me suis trompé moi-même ! soupira Ryléïeff. Quand on discute dans le vide, tout paraît possible. Mais, à l'épreuve des événements, les mirages se déchirent. Nous n'avons pas de plan de combat, pas de troupes sûres, nos responsabilités, aux uns et aux autres, sont imparfaitement définies. Agir dans des conditions pareilles serait de la folie !...

Il laissa tomber son front dans ses mains. Ses épaules se voûtèrent.

— Je vous demande pardon à tous, dit-il encore d'une voix sourde.

— Vous n'avez pas à nous demander pardon ! s'écria Nicolas, bouleversé par la vue de cet homme remarquable qui pliait sous le poids des scrupules. L'essentiel est d'adapter notre effort aux moyens dont nous disposons. Même petite, même limitée, notre intervention peut améliorer le cours des choses...

Au milieu de son discours, il se rendit compte qu'il ne proposait aucune solution concrète, mais égrenait des mots pour le plaisir de s'entendre parler. C'était le défaut même qu'il reprochait le plus volontiers à ses camarades. Il se découragea. Stépan Pokrovsky le relaya dans l'enthousiasme :

— Ce que tu dis est très juste. De toute façon, notre cause a déjà fait un pas en avant. Constantin est aimé des soldats de la garde. On raconte parmi eux qu'il paye les hommes, à Varsovie, en monnaie d'argent. Ne pourrait-on utiliser ce mouvement d'opinion à nos fins ?

— Comment ? demanda Ryléïeff.

Le jeune prince Obolensky, qui, depuis un moment, se rongeait les ongles, proclama d'une voix de coq :

— J'ai interrogé des chevaliers-gardes pour savoir si nous pourrions compter sur leur régiment en cas de révolution : ils m'ont tous traité de fou !

Au mot de révolution, le prince Troubetzkoï fit la grimace. Son long nez se pinça. Ses doigts de squelette tambourinèrent sur le bord de la table.

— Ménagez vos expressions ! dit-il sévèrement. Nous nous occupons ici d'un soulèvement militaire et non d'une révolution ! Discipline d'abord ! Tout devra se passer comme à la parade !

— Pour cela, il faudrait que nous eussions dix fois plus d'officiers dans nos rangs, murmura Ryléïeff.

— Tâchons de les trouver ! dit Nicolas. Il en est temps encore !...

— Ce qui serait bien, dit le prince Troubetzkoï, ce serait que, devant le refus simultané des grands ducs Constantin et Nicolas, la veuve de l'empereur défunt, l'impératrice Elisabeth, montât sur le trône. A elle, on pourrait, je pense, suggérer d'adopter une constitution.

— Prince, dit Ryléïeff, vous prenez vos rêves pour des réalités. Vous savez comme moi qu'il n'y a aucune chance pour que l'impératrice succède à son époux !

— Dans ces conditions, notre affaire me paraît fort compromise, dit le prince. Je tombe de sommeil. Bonne nuit à tous ! Nous nous reverrons demain. D'ici-là, il y aura peut-être du nouveau.

Son départ jeta un froid dans l'assistance. La conversation reprit sans entrain. Ryléïeff, tassé sur sa chaise, ne s'intéressait plus au débat. Nicolas eût aimé échanger quelques mots avec Vassia, mais celui-ci ne tarda pas à s'en aller. D'autres conjurés le suivirent. Il ne restait plus qu'une dizaine de personnes dans la salle à manger, quand les frères Bestoujeff proposèrent de rédiger des proclamations et de les répandre secrètement dans les casernes. Ryléïeff, soudain ranimé, trouva l'idée excellente. Il distribua du papier, des plumes. Officiers et civils s'assirent autour de la table devant le même devoir. Une lourde lampe, pendant du plafond à des chaînes, versait sa lumière sur leurs têtes studieuses. On discuta le texte. La première phrase fut adoptée à l'unanimité : « Soldats, on vous trompe ! » Pour la suite, le désaccord commença. Tout à coup, Nicolas eut une illumination :

— Nous écrivons des proclamations pour les soldats, alors que la plupart d'entre eux sont illettrés ! dit-il. C'est absurde ! Si nous voulons nous faire entendre de la troupe, il faut nous adresser aux hommes de vive voix !

— Vous avez parfaitement raison ! dit Ryléïeff.

Nicolas s'épanouit dans la fierté. Enfin, il se sentait important, nécessaire ! Ah ! non, ce n'était pas le moment de repartir pour Kachtanovka ! Sophie le lui eût déconseillé elle-même, si elle avait assisté à cette séance !

— Mais oui ! dit Alexandre Bestoujeff. Nous devrions descendre dans la rue, arrêter les soldats permissionnaires qui rentrent dans leurs casernes, interpeller les sentinelles...

— On pourrait leur dire par exemple, renchérit

son frère, que le tsar a promis d'accorder la liberté aux moujiks et de ramener le service militaire à quinze ans, mais que le nouveau gouvernement veut détruire le manifeste !

— Racontons-leur n'importe quoi, mais inquiétons-les, tirons-les de leur apathie, préparons-les, le cas échéant, à prendre les armes contre le futur empereur ! dit Ryléïeff. Evidemment, ils écouteront plus volontiers un homme en uniforme d'officier. Obolensky, tu es magnifique en lieutenant de la gartaire, c'est la bonne formule !

— Voulez-vous être mon compagnon ? demanda Alexandre Bestoujeff à Nicolas, en s'inclinant devant lui comme s'il eût invité une dame pour la danse.

Ils éclatèrent de rire. Kostia Ladomiroff se joignit à Nicolas Bestoujeff, Stépan Pokrovsky à un jeune cornette, nouveau venu dans la confrérie... Une fois dehors, chaque groupe prit une direction différente.

La nuit était claire. Un vent glacial soufflait du Nord. Alexandre Bestoujeff entraîna Nicolas, par la grande Morskaïa, vers la caserne des gardes à cheval. Il était onze heures du soir. La plupart des maisons avaient éteint leurs fenêtres et barricadé leurs portes. De temps à autre, un bruit de sabots résonnait sur le pavé sec. Une calèche passait, avec ses portières vernies, ses flambeaux d'argent allumés, ses chevaux à la robe de soie et son cocher barbu, découpé en ombre chinoise. Les piétons étaient rares. Nicolas désespérait déjà de rencontrer des soldats, quand Alexandre Bestoujeff en désigna un qui s'avançait vers eux.

— Il doit avoir la permission de minuit, dit-il.

En apercevant un officier, l'homme se mit au garde-à-vous contre le mur et retira son shako.

— Ne crains rien, mon brave ! lui dit Alexandre Bestoujeff. J'ai une question à te poser. As-tu entendu parler du testament que notre empereur bien-aimé a rédigé avant de mourir ? Un testament tout en lettres d'or...

Le soldat, un rouquin, au nez écrasé et aux prunelles pâles, renifla et dit d'une voix de basse enrouée :

— Non, Votre Noblesse.

— Eh bien ! ce document existe ! Il promet l'abolition du servage, l'augmentation de la solde, la diminution du temps à passer sous les drapeaux ! Mais les ennemis du peuple ne veulent pas que cela se sache...

Tandis qu'il pérorait avec emphase, le vent ébouriffait son plumet. Son manteau, ayant glissé, découvrit une épaulette brillante et le cordon blanc des aiguillettes d'aide de camp. L'épouvante se peignit sur les traits du soldat. Sans doute n'aurait-il jamais supposé qu'un officier pût tenir des propos aussi déraisonnables en sa présence. De quoi envoyer celui qui parlait et celui qui écoutait en Sibérie !

— Cela t'étonne, hein ? dit Nicolas. Tu le répéteras à tes camarades !

— Jamais ! balbutia l'homme. Je vous promets que je ne le répéterai jamais !

— Mais, espèce d'idiot, cria Alexandre Bestoujeff, il faut que tu le répètes ! Je te demande, je t'ordonne de le répéter !

— Heureux de servir Votre Noblesse !

— Si vous êtes nombreux à savoir que ce testament existe et à réclamer son application, le nouveau tsar sera obligé de vous accorder tout ce que vous désirez !

— Nous ne désirons rien d'autre que le bien de la patrie, Votre Noblesse !

— C'est justement cela, le bien de la patrie !

— Quoi, cela, Votre Noblesse ?

— La liberté !

— Battez-moi, tuez-moi, Votre Noblesse, mais je ne suis pas coupable de liberté ! marmonna le soldat.

Soudain, il se mit à trembler, rentra la tête dans les épaules et partit en courant.

— Eh ! reviens ! cria Alexandre Bestoujeff. On ne te veut pas de mal ! Reviens !

Le fuyard disparut au tournant de la rue. L'écho de sa galopade se perdit dans la nuit.

— S'ils sont tous aussi bornés, dit Nicolas, notre tâche ne sera pas aisée.

Ils firent quelques pas encore dans un monde de pierres sombres, coupées à angle droit. Le vent sifflait, hurlait et chassait vers le visage de Nicolas une poussière blanche, piquante. De temps à autre, il se frottait le nez, les oreilles, pour les empêcher de geler. Son haleine fumait en sortant de sa bouche.

— Attention ! chuchota Alexandre Bestoujeff. Voici du gibier !

Deux robustes gaillards se hâtaient vers la caserne. Leurs bottes résonnaient sur le pavé avec un ensemble martial. Une lanterne, plantée sur un poteau à raies blanches et noires, éclaira un instant leur figure. L'un pouvait avoir une trentaine d'années, l'autre vingt ans à peine. Ils avaient l'air de paysans costumés. Alexandre Bestoujeff et Nicolas sortirent de l'ombre. Les deux soldats s'immobilisèrent et toute expression s'effaça de leur visage. Ayant répondu à leur salut, Alexandre Bestoujeff leur demanda s'ils avaient entendu parler du testament impérial. A sa grande surprise, l'aîné des soldats répondit :

— Oui, Votre Noblesse.

— Et qu'est-ce qu'on en dit, à la caserne ?

— Je ne peux pas le répéter, Votre Noblesse.

— Pourquoi ?

— Vous me feriez passer par les baguettes !

— Non seulement je ne te ferai pas passer par les baguettes, mais je te féliciterai et je te donnerai trois roubles ! dit Alexandre Bestoujeff.

— Trois roubles ?

— Mais oui ! dit Nicolas. Nous sommes vos amis. Nous voulons vous aider à obtenir tout ce que le tsar défunt a promis dans son manifeste.

— Ce n'est pas possible ! bredouilla le plus jeune. Tu entends, Nicanor ?

Nicanor hocha la tête. Ses sourcils blonds se froncèrent sous la visière de son shako. Il réfléchit un moment et grommela :

— Il paraît que, dans le testament du tsar, il est dit que tous les mauvais riches seront pendus, qu'on ouvrira toutes les casernes, toutes les prisons, que la terre sera distribuée aux moujiks et que ce seront les pauvres qui rendront la justice !

Nicolas et Alexandre Bestoujeff échangèrent un regard étonné : Nicanor allait trop loin dans ses rêves. Aucune révolution n'apporterait jamais ce qu'il espérait là ! Fallait-il le détromper au risque de le décevoir, ou utiliser son enthousiasme en le maintenant dans l'erreur ?

— C'est à peu près cela, dit Nicolas. Le tsar, avant de mourir, a voulu racheter ses péchés en accordant la liberté et la prospérité au peuple qui a tant souffert par sa faute. Mais de mauvais conseillers se sont saisis du document. Ils prétendent le détruire. L'armée les en empêchera.

— L'armée ? demanda Nicanor.

— Oui, toi et tes camarades, à qui tu raconteras ce que nous t'avons dit !

— Et les officiers ? Ils seront avec nous ?

— Quelques-uns seront avec vous. Les autres, contre vous...

— Mais dans notre régiment à nous, par exemple ?...

— Soyez tranquilles ! Vos chefs vous conduiront vers le bon combat ! dit Alexandre Bestoujeff.

— Quand cela se fera-t-il ?

— Bientôt ! Très bientôt ! dit Nicolas avec aplomb.

Il avait conscience du caractère puéril et improvisé de cette campagne. Ce n'était certes pas en interpellant des soldats isolés dans la rue que Bestoujeff et lui recruteraient les troupes nécessaires à la révolution. Et pourtant, il n'y avait pas un autre moyen pour approcher ces gens et capter leur confiance !

— Dieu vous entende, Votre Noblesse ! dit le plus jeune.

— Je compte sur vous pour répandre la bonne nouvelle !

Un sourire niais découvrit la denture solide et blanche de Nicanor :

— Vous le pouvez, Votre Noblesse. Dès demain, nous commencerons à raconter partout que les seigneurs seront pendus !

Alexandre Bestoujeff toussota d'agacement, tira trois roubles de sa poche et les remit à Nicanor. Les deux hommes claquèrent des talons, saluèrent, pivotèrent et partirent en marchant comme des automates.

— Ils n'ont rien compris, les imbéciles ! soupira Alexandre Bestoujeff.

— Peut-être est-ce nous qui n'avons rien compris ? dit Nicolas.

Et ils se préparèrent à affronter d'autres soldats, dont le pas se rapprochait dans la nuit.

# 14

La lettre était datée du 28 novembre « à l'aube ». Sophie en relut quelques phrases : « Pourquoi me laisses-tu sans nouvelles ? N'es-tu pas malade ? Je me ronge d'inquiétude à ton sujet. Réponds-moi par retour du courrier, je t'en supplie !... La mort du tsar, que j'ai apprise hier, m'obligera à rester ici quelque temps encore. Mes amis comptent sur moi. Je ne peux les abandonner... Ah ! Sophie, si tu savais comme il est grisant de se sentir de nouveau utile après des années d'inaction !... Je rentre d'une promenade nocturne à travers la ville. J'ai parlé à des soldats. Ces gens simples, rudes, nous comprennent... A propos, il y a trois ou quatre jours, j'ai vu Nikita. Il rendait visite au vieux Platon, qui est devenu son guide en toute chose. Saint-Pétersbourg réussit à ton protégé. Je lui ai trouvé l'air moins paysan. Il a travaillé d'abord chez un tanneur. Maintenant, il est employé dans un magasin d'étoffes. En bavardant avec lui, j'ai évoqué Kachtanovka et cela a ravivé ma tristesse. Mon bonheur serait complet, si tu étais auprès de moi. Je pense à ton cher visage et l'air me manque, mon cœur s'élance, je veux te serrer dans mes bras ! Il faut absolument que tu viennes me rejoindre. Père se porte assez bien pour que tu le quittes sans crainte... »

Elle leva ses yeux du papier et regarda la fenêtre du salon, fouettée par une grosse pluie, mêlée de neige. Ces protestations d'amour la touchaient aussi peu que si la lettre eût été destinée à une autre. Elle se sentait définitivement guérie de Nicolas, oublieuse de ses qualités comme de ses défauts. Puisqu'il exigeait une réponse, elle lui écrirait qu'il ne devait plus chercher à la revoir. Il n'avait qu'à se fixer à Saint-Pétersbourg, alors qu'elle-même resterait à la campagne. Pour le monde, ils seraient un ménage séparé, comme il y en avait tant. Plus tard, peut-être retournerait-elle en France. En tout cas, elle n'adresserait aucun reproche à son mari. A quoi bon ? Il ne comprendrait pas qu'elle s'offensât pour si peu de chose. Un être veule, inconsistant, papillonnant, voilà l'homme qu'elle avait épousé et dont elle allait se défaire. Elle comptait sur son beau-père pour la protéger contre d'éventuelles attaques de Nicolas. Michel Borissovitch manifestait un tel souci de l'honneur et de la tranquillité de sa belle-fille, qu'auprès de lui elle se trouvait en sécurité comme dans une place forte. Elle aimait leur solitude à Kachtanovka, leur vie étroite et abritée, qu'un observateur superficiel eût pu juger ennuyeuse ; elle aimait ce pays gris aux nuances délicates ; elle aimait les gens humbles qui la servaient. Son existence de femme était d'ailleurs finie. Elle ne s'imaginait guère éprise d'un autre homme. Et, après dix ans de mariage, elle savait qu'elle n'aurait pas d'enfant. Quelle lacune dans la trame de ses journées ! Un bébé à la bouche avide, aux yeux étonnés, aux mains ignorantes et molles ! Elle revint à cette idée, s'y réchauffa, s'en tourmenta. L'impression d'être frustrée dans sa chair la reprenait parfois avec violence. Elle n'était plus retournée à Otradnoïé depuis sa dispute avec Sédoff. Il devait être reparti maintenant. Dès qu'elle en serait sûre, elle irait revoir Marie et le petit Serge.

La lettre de Nicolas tremblait entre ses doigts. Elle la plia et la glissa dans son corsage. Un pas pesant ramena le sourire sur ses lèvres. Michel Borissovitch entra dans le salon, d'un air fatigué et rêveur. Il avait été très affecté en apprenant, quelques jours auparavant, la mort du tsar. Sans mot dire, il tendit à Sophie un journal. Une bordure de deuil entourait la première page de l'*Invalide russe.* Sous un cartouche représentant l'aigle bicéphale, Sophie lut : « Dimanche, 29 novembre 1825 — Un messager, arrivé de Taganrog le 27 de ce mois, a apporté la triste nouvelle du décès de Sa Majesté l'Empereur Alexandre. Ayant appris ce deuil inattendu, les plus hauts membres de la famille impériale, le Conseil de l'Empire, les ministres, se sont assemblés au Palais d'Hiver. Le premier, Son Altesse le Grand-Duc Nicolas Pavlovitch et, après lui, tous les fonctionnaires qui se trouvaient là, ainsi que tous les régiments de la garde impériale, ont prêté un serment de fidélité et de soumission à Sa Majesté l'Empereur Constantin I^er^. »

— Ainsi, dit Michel Borissovitch, nous entrons dans un nouveau règne. Ce sera le quatrième empereur que j'aurai connu dans ma longue vie : Catherine la Grande, Paul I^er^, Alexandre I^er^, maintenant Constantin... Vous devez me considérer comme un monument historique !

— Nullement, dit-elle. Je vous trouve même d'une jeunesse surprenante. Habillé de pied en cap, dès le matin ! Vous vous apprêtez à partir ?

— Oui, dit-il, je dois me rendre à Pskov. Une messe à la mémoire de l'empereur sera célébrée à la cathédrale. Le gouverneur a prié tous les notables d'y assister. Je dînerai en ville. Peut-être rentrerai-je tard. Et vous, que ferez-vous en mon absence ?

— J'irai à Tcherniakovo, puis à Krapinovo...

— Voir encore des paysans malades ?

— Ne me le reprochez pas, puisque j'y trouve mon plaisir et, en quelque sorte, ma justification.

— Votre justification... votre justification n'est pas là !... Oh ! non, Sophie !...

Il n'en dit pas plus, mais son regard n'était que douceur. Elle se troubla, comme s'il l'eût distinguée parmi cent autres. En respirant, elle entendait la lettre de Nicolas craquer contre sa poitrine. Un coin du papier piquait sa peau. Elle y porta la main.

— N'avez-vous pas eu des nouvelles de Saint-Pétersbourg au courrier ? demanda-t-il en suivant son geste des yeux.

— Si.

— Que comptez-vous faire ?

— Demeurer ici, à condition que Nicolas n'y revienne pas, dit-elle d'une voix nette.

Observant Sophie avec admiration, il songea qu'elle ne représentait même plus pour lui une préférence, un choix, une personne distincte ; non, elle était entrée en lui et s'était mélangée à sa chaleur, au point qu'il ne concevait pas davantage la vie sans elle que la persistance des sentiments dans la mort. Avec lenteur, mettant un poids terrible sur chaque mot, il dit :

— Soyez sans crainte : il ne franchira plus le seuil de cette maison. Je vais le lui signifier immédiatement.

— Je préfère lui écrire moi-même, dit-elle.

— A votre guise, Sophie. Mais ne tardez pas. Pour votre repos, pour votre bonheur, qui me sont si chers !...

Il lui baisa la main. Chaque fois qu'il inclinait devant elle sa rude tête grise, elle éprouvait une impression de fidélité. Fédka vint avertir le barine que la calèche était prête. Il se redressa. Grand et fort, le cheveu dru, le teint coloré, la taille serrée dans un habit noir à collet de velours, il semblait attendre un compliment.

— Vous êtes magnifique ! dit Sophie en riant.

Il reçut ces paroles d'un air grave, qui la surprit. Prenait-il tout ce qu'elle disait au pied de la lettre ? Fédka ouvrit un grand parapluie pour protéger son maître tandis qu'il montait en voiture. La calèche s'éloigna, sous l'eau et la neige, qui tombaient du ciel en traits brillants.

Sophie dîna seule avec M. Lesur, qui, durant tout le repas, l'entretint des mérites de la cuisine française comparée à la cuisine russe. Il l'agaçait tellement, qu'elle sortit de table sans avoir touché au dessert. Elle était pressée d'aller à Tcherniakovo, où la femme du staroste était, disait-on, en train de mourir. Sans attendre que la calèche fût avancée, elle se rendit à l'écurie et s'arrêta sur le seuil. Il ne pleuvait plus, il ne neigeait plus. Des poules quittèrent en caquetant un tas de fumier chaud. Une jument blanche, couverte déjà de son harnais, tourna sur elle-même, fit sonner ses sabots sur les pavés du caniveau et frissonna de la croupe en émergeant à l'air libre. Le palefrenier la poussa dans les brancards d'une calèche à la capote déchirée et passa les courroies dans les anneaux, tout en criant après les chiens qui couraillaient, jappaient et le gênaient dans son travail. Vassilissa apporta de l'office un ballot de vieux habits, qu'elle avait préparés sur l'ordre de la barynia, et le glissa sous la banquette. Sophie joignit au paquet trois couvertures de laine et sa boîte à médicaments.

— Vous allez trop bien soigner les moujiks, barynia, dit Vassilissa. Ils ne mourront plus. Ils deviendront vieux. Et on ne saura plus qu'en faire !

Elle riait, ronde, édentée et placide, avec une inconsciente cruauté. Un gamin, Grichka, monta sur le siège du cocher. Ses jambes nues s'enfonçaient dans des bottes trop larges. Un chapeau rond le coiffait jusqu'aux sourcils. Il paraissait très fier de conduire la barynia. « Tout le monde m'aime, ici ! pensa-t-elle. Je suis vraiment chez moi ! » Vassilissa l'aida à s'asseoir, lui enveloppa les genoux dans une peau de mouton, la signa et dit :

— Pas trop vite, Grichka !

Grichka claqua de la langue et la voiture partit dans une secousse. La neige n'avait pas tenu. La terre s'écrasait sous les roues avec un bruit mouillé. Des ornières pleines d'eau brillaient de chaque côté de la route. Les grands sapins noirs s'égouttaient à contre-jour sur un ciel encombré de nuages. Dans la brume, les haleines de Grichka et de la jument éparpillaient leur vapeur.

Comme la voiture atteignait le bout de l'allée, Sophie aperçut un cavalier qui venait à sa rencontre. Elle reconnut un paysan d'Otradnoïé (l'un des rares que Sédoff n'avait pas vendus !) à califourchon sur un cheval de labour. Immédiatement, elle pensa qu'il lui apportait une invitation de Marie et s'en réjouit. Quand il fut près de la calèche, l'homme ôta son bonnet. Son front apparut, propre et pâle, au-dessus de sa face cuite de soleil et tachetée de boue.

— J'ai une lettre pour vous, barynia, dit-il d'une voix essoufflée.

Il tendit un pli à Sophie. Elle le décacheta, parcourut les premières phrases et une angoisse horrible tomba sur elle comme un filet :

« Quand vous lirez ces lignes, j'aurai cessé de vivre. Dieu, qui a vu dans quelle honte je me débattais depuis mon mariage, me pardonnera, je l'espère, d'avoir mis fin à mes jours. Il le faut, pour notre tranquillité à tous. Mon mari est un être abominable, un monstre de froideur, de calcul et de méchanceté. Même sur le point de disparaître, je ne puis lui pardonner le mal qu'il vous a fait. C'est lui, je le sais maintenant, qui a écrit cette lettre anonyme à Vassia Volkoff. Rien ne saurait racheter sa faute ! Une fois de plus, il est parti en voyage. Je suis seule. Je vous supplie de venir chercher Serge. Dans quelques minutes, il n'aura plus que vous au monde. Ne le remettez à son père sous aucun prétexte. Vladimir Karpovitch serait trop content d'avoir en lui un souffre-douleur pour me remplacer. Sans doute est-il criminel pour une mère d'abandonner son enfant, mais j'ai l'impression de n'être qu'à demi coupable, puisque c'est à vous que je le confie. Je suis trop nerveuse, trop faible, je n'aurais pas su l'élever. Auprès de vous, qui êtes si forte, il sera plus heureux qu'auprès de moi. Prenez soin de mon fils. Aimez-le. J'espère que Nicolas et mon père l'aimeront aussi. Ma fatigue est immense. Je n'en peux plus. Priez pour moi. Adieu. — Marie. »

Sophie flotta un instant dans un vide et un silence surnaturels. Puis, reprenant ses esprits, elle murmura :

— Qui t'a remis cette lettre ?

L'homme la considéra avec des yeux stupides, sans répondre. Dans sa précipitation, elle avait posé la question en français. Elle la répéta en russe. La figure du moujik s'anima entre les poils des sourcils et ceux de la barbe :

— C'est la barynia elle-même !

— Tu l'as vue avant de partir ?

— Bien sûr !

— Comment était-elle ?

— Comme toujours !

L'air ignorant et calme du moujik la rassura. Sa belle-sœur avait dû rédiger la lettre dans un moment de crise. Mais il y avait loin du désir de la mort au suicide lui-même. Sans doute Marie était-elle déjà revenue de son idée. Sophie l'espérait, tout en reconnaissant que cet appel au secours ne pouvait émaner que d'une femme à bout de résistance et presque de raison. Chaque minute comptait, et il fallait au moins une heure et demie pour aller là-bas. Sophie tira Grichka par la manche et cria :

— Vite ! Vite ! A Otradnoïé !

Il fouetta la jument blanche. La voiture s'élança, craquant et cahotant. Cramponnée à la banquette, Sophie tremblait d'impatience. Son esprit volait devant le cheval et se noyait dans le brouillard. Elle se répétait avec une obstination machinale : « Pourvu que je n'arrive pas trop tard ! Pourvu que le cauchemar se dissipe ! » A fixer son esprit sur le même point, elle perdait la notion du temps. Des arbres nus défilaient, avec des corbeaux perchés sur leurs branches. La jument blanche s'essoufflait. Elle ralentit son allure. Sophie se désespéra. Grichka cingla la bête avec plus de violence. Elle repartit en trottant. C'était Marie qu'on frappait pour l'obliger à se ressaisir, à tirer encore son fardeau, à vivre, malgré l'épuisement de ses forces et la dureté du chemin ! Loin derrière la voiture, chevauchait le paysan d'Otradnoïé.

Quand la maison apparut, au centre de la cour déserte, l'anxiété comprima le cœur de Sophie. Elle chercha du regard quelque détail qui pût calmer son appréhension. Au pied du perron, un chien rongeait un os. Eût-il mangé si tranquillement à deux pas d'un cadavre ? Non. Tout cela était une aventure absurde, incohérente, une aventure russe ! Les roues s'embourbèrent devant les marches. La jument broya son mors et balança la tête dans un bruit de clefs entrechoquées. Grichka aida Sophie à descendre. Ramassant sa jupe, elle se précipita dans le vestibule. Une forme lui barra la route. C'était Mélanie, la nourrice. Elle avait un visage pâle et bouffi, aux yeux dilatés par la peur.

— Qu'y a-t-il ? s'écria Sophie.

La fille étouffa un sanglot, se signa et dit :

— Notre barynia est morte !

Sophie ressentit une déperdition de forces, une défaillance de l'âme si complète, qu'elle resta sans voix.

— Il y a une heure, reprit Mélanie. On l'a trouvée dans le hangar. Elle s'était pendue.

— Quelle horreur ! murmura Sophie. Où est-elle ?

Mélanie la conduisit dans la chambre à coucher. Les rideaux étaient tirés. Deux cierges brûlaient dans la pénombre. La flamme de la veilleuse palpitait devant l'icône. Sur le lit, une femme était étendue, tout habillée, dans une pose roide. Un mouchoir couvrait son visage. On ne lui avait pas retiré ses chaussures. Sophie reconnut la robe lilas tendre, à galons bleus, que sa belle-sœur portait lors de leur dernière entrevue. Mais étaient-ce les mains de Marie qui reposaient sur sa poitrine ? Les doigts n'étaient pas unis dans un geste de prière, mais tordus, contractés à se rompre. Deux paysannes et un moujik se tenaient debout, adossés au mur. Une ombre à trois têtes montait jusqu'au plafond. Au pied du lit, Fiokla, la matrone, pleurait. En apercevant Sophie, elle chuchota :

— J'ai envoyé chercher le père Ioan !

Malgré un effort de raison, Sophie ne pouvait encore se convaincre que tout espoir était perdu. Elle souleva le mouchoir. Il y eut un choc dans sa tête. Le visage livide qu'elle venait de découvrir était celui d'une Marie inconnue, qui, rejetant toute pudeur, laissait voir son âme violente, assoiffée, châtiée, dans une horrible grimace. Des taches violâtres marquaient ses joues. Entre ses paupières entrouvertes, luisait un regard laiteux. Un bout de langue bleue dépassait le coin de sa bouche. La corde avait taillé un sillon oblique dans la peau du cou et de la mâchoire inférieure. En pensant à cette vie si mal employée, Sophie eut l'impression d'avoir toujours su que Marie finirait d'une façon dramatique. La jeune fille qui, un jour de tempête de neige, s'était mariée, en robe blanche, dans une église de campagne, portait déjà en elle la femme pendue défigurée, qui gisait sur ce lit.

— Pardonne-lui, mon Dieu ! soupira Fiokla. Que sa souffrance lui serve de croix !

Sophie inclina la tête. Devant la rigueur implacable de la conclusion, elle aussi éprouvait le besoin d'élever son esprit vers le Maître invisible et omniscient, qui menait le jeu à l'instant même où l'homme se croyait le plus libre. Elle reposa le mouchoir sur les traits de la morte. Puis elle remarqua que les chaussures de Marie étaient souillées de boue. Ce détail, inexplicablement, la bouleversa. Le chagrin qu'elle avait longtemps contenu l'envahit avec impétuosité et ses yeux se voilèrent de larmes. Elle s'agenouilla près du lit, baisa une main à la peau froide, aux os durs, et balbutia pour elle-même :

— Oh ! Marie ! Marie ! Pourquoi avez-vous fait cela ?

Des souvenirs lui revenaient. Comme dans un rêve, elle se rappelait cette soirée d'hiver où la jeune fille et son père avaient dansé l'un devant l'autre au son des balalaïkas. Elle revoyait les mines coquettes de Marie tournant autour de Michel Borissovitch, qui, rouge de contentement, tapait du talon et claquait des doigts en criant : « Hop tsa ! Hop tsa ! » Tout était si facile alors, si lumineux, si propre !...

Des pas précipités retentirent derrière elle. Une grosse paysanne entra, haletante, le fichu sur la tête, et dit :

— Le père Ioan refuse de se déranger pour une suicidée ! Il dit qu'elle est morte en dehors de l'Eglise ! Il dit qu'elle ira en enfer !

Les femmes se signèrent avec épouvante. Le moujik grommela :

— Tu n'avais pas besoin de lui raconter qu'elle s'était pendue !

— Il l'aurait bien vu lui-même, en venant ! Et il aurait été encore plus furieux !

— C'est vrai ! dit Fiokla. Aïe ! Aie ! Aie ! Tous les saints, toutes les saintes ! La malédiction est sur nous ! Comment allons-nous l'enterrer sans prêtre ? La croix tiendra-t-elle seulement sur sa petite tombe ?

— Les morts qu'on enterre sans prêtre ne peuvent pas se calmer ! dit Mélanie. C'est bien connu ! Ils rôdent dans la campagne. Ils frappent aux fenêtres ! Ils demandent à rentrer ! Elle reviendra !

— Taisez-vous ! cria Sophie. N'avez-vous pas honte de débiter de pareilles sornettes ?

Ce ton autoritaire impressionna les paysannes.

— Dieu sera peut-être moins sévère que le pope ! dit Fiokla en haussant les épaules.

Et elle poursuivit, avec une douceur plaintive :

— Oh ! la chère colombe qui s'est envolée ! Oh ! la merveilleuse graine qui s'est perdue dans le vent !...

Entraînées par elle, toutes les femmes se mirent à pleurer. Leurs lamentations bien accordées ressemblaient à un exercice vocal où la tristesse n'avait qu'une faible part. A leurs sanglots, répondirent les vagissements du bébé, qui reposait dans la pièce voisine. Mélanie renifla, sécha ses yeux, déboutonna son corsage et dit :

— Il a faim, le pauvret ! Faut tout de même que j'y aille !

Peu après son départ, l'enfant cessa de geindre. Le front appuyé contre la hanche de la morte, Sophie continuait par l'esprit l'histoire de leur amitié si mouvementée et si maladroite. Sans souffrir au juste, elle avait le sentiment d'une rupture avec la vie. Etait-ce là ce qu'on nommait l'état de prière ?

★

Il était huit heures et demie du soir, quand Michel Borissovitch, épuisé d'impatience, entendit la voiture s'arrêter devant le perron. Pourquoi Sophie était-elle restée si longtemps dans les villages ? N'avait-elle pas pensé à l'inquiétude de son beau-père ? Il décida de marquer sa réprobation en n'allant pas l'accueillir dans le vestibule. Par la croisée du bureau, il vit un serviteur qui levait un fanal et la pluie tombant en poudre de diamant dans le halo. Un fantôme de cheval blanc tremblait de fatigue dans un nuage de vapeur. La capote de cuir ruisselait. Des gestes d'ombre passèrent devant la fenêtre. De la calèche, deux silhouettes descendirent : Sophie et une paysanne.

Michel Borissovitch n'aimait pas que sa belle-fille amenât des gens de la campagne à la maison. Il se promit de la gronder très fort. Cette perspective le réjouit. Avec un plaisir de comédien, il s'assit derrière sa table de travail, rectifia la position de l'encrier et du presse-papiers de malachite, boutonna son gilet et prit un visage mécontent.

Mais le temps passait et Sophie ne se montrait pas. L'envie qu'il avait de la revoir arrêtait le cours de son existence. Enfin, la porte s'ouvrit, et ce fut elle, brune, vive, élégante. Sa robe bruissa en accrochant une chaise. Comme elle arrivait dans la clarté de la lampe, il s'aperçut qu'elle portait un paquet blanc sur les bras. En y regardant de plus près, il reconnut un nourrisson dans ses langes. Sans doute quelque bébé de moujik ! Michel Borissovitch se fâcha. La charité avait des bornes ! S'il laissait faire sa bru, elle transformerait Kachtanovka en hospice !

— Enfin, Sophie, c'est ridicule ! dit-il, tandis qu'elle déposait l'enfant au creux d'un fauteuil.

Elle se redressa et fit face à son beau-père. Alors seulement, il remarqua qu'elle était pâle et que ses yeux avaient une fixité effrayante. On eût dit qu'une image visible d'elle seule la fascinait. Il eut peur et marmonna :

— Quel est cet enfant ?

— Votre petit-fils, dit Sophie.

Le premier moment de surprise passé, Michel Borissovitch s'enferma dans la méfiance. Il pressentait une manœuvre destinée à le circonvenir. Les deux poings appuyés au bord de la table, il se leva, avec une puissance menaçante dans le développement du buste et le port du menton.

— Pourquoi l'avez-vous amené? demanda-t-il d'un ton rude.

— Je ne pouvais faire autrement !

— Si vous croyez m'attendrir !...

— Oh ! non, père, dit-elle. Je vous supplie même d'être très courageux !

Elle lui tendit la lettre de Marie. Il refusa de la prendre :

— Ce qu'elle a à me dire ne m'intéresse pas !

— Ce n'est pas à vous qu'elle a écrit, mais à moi.

Comme elle insistait, il saisit le pli d'un air bourru et chaussa ses besicles à monture d'or. Dès qu'il eut jeté les yeux sur le papier, son visage se décomposa. Sophie le voyait vieillir, à mesure qu'il avançait dans sa lecture. Parvenu au bout, il lança à sa belle-fille un regard déraisonnable par-dessus ses lunettes.

— Elle n'a pas fait ça ? grommela-t-il.

— Si, père, dit Sophie. Je reviens d'Otradnoïé. Marie est morte.

Il tressaillit, comme frappé par un coup de cognée.

Ses mâchoires se contractèrent. Il retira ses lunettes. Puis, tourné vers l'icône, il se signa avec autant de lenteur et d'application que s'il eût gravé le dessin de la croix dans une matière dure. Sohie imaginait le débat de conscience que cachait cette apparente dignité. Attaqué à la fois par le chagrin et par le remords, Michel Borissovitch ne devait plus savoir de quel côté faire front. Elle eut pitié de lui. Il poussa un grand soupir et murmura :

— Eh bien ! elle a fini comme elle a vécu : dans le mépris de Dieu, de son père et du monde !

Cette déclaration stupéfia Sophie. Etait-ce là tout ce que trouvait à dire un homme dont la fille venait de se donner la mort ? Il ne cherchait même pas à savoir comment elle s'était tuée, il ne demandait même pas à la voir ! Roidi dans son orgueil comme dans un corset, il reprit :

— Cela ne m'explique toujours pas ce que cet enfant fait sous mon toit.

— Enfin, père, balbutia Sophie, vous le savez bien ! Vous avez lu ce que Marie demande dans sa lettre !...

— Pourquoi lui obéirais-je après sa mort, alors qu'elle ne m'a pas obéi de son vivant ? dit-il.

— Serge est votre petit-fils !

— Ayant renié ma fille une fois pour toutes, je n'ai aucun motif de m'intéresser à sa descendance. Rapportez ce bébé à Otradnoïé. Un jour ou l'autre, son père viendra le prendre là-bas !

La colère passa en elle avec le crépitement et l'éclat d'un incendie. Il n'était plus question de chercher des excuses à ce tyran domestique, mais de le vaincre dans son égoïsme, sa hargne et son autorité. Elle cria :

— Comment pouvez-vous repousser la seule chance que vous avez encore de racheter vos fautes ?

Il bomba le torse :

— Quelles fautes ?

— C'est vous qui avez tué Marie ! Vous l'avez tuée chaque jour un peu plus par votre indifférence, par votre dureté, par votre mépris !...

Elle élevait la voix, comme si elle eût voulu que la morte entendît de loin ce réquisitoire :

— Vous l'avez tuée et je vous ai aidé, involontairement, à le faire !

— Vous ? s'exclama-t-il. C'est absurde ! Vous n'êtes pour rien...

Elle lui coupa la parole :

— Tout le mal a commencé le jour où je suis arrivée à Kachtanovka ! Il a suffi que je paraisse pour que vous vous détourniez de vos enfants ! Très vite, Nicolas vous est devenu insupportable. Quant à Marie, vous lui avez fait grief de n'avoir pas les qualités que vous découvriez en moi, sans vous rendre compte qu'elle en possédait d'autres, cent fois plus estimables ! Lorsqu'elle a commis la folie de se marier, vous l'avez chassée comme une criminelle, au lieu de tout mettre en œuvre pour l'empêcher d'être trop malheureuse ! Et moi, moi qui aurais dû vous obliger à plus d'indulgence, je n'ai pas su le faire !... Ayez donc le courage, une fois au moins dans votre vie, d'avouer vos erreurs ! Considérez que c'est un devoir sacré, pour nous deux, d'exécuter les dernières volontés d'un être dont nous avons précipité la perte ! Cet enfant est à moi, maintenant ! Je l'ai recueilli ! Je le garde !

Elle se tut, à bout de souffle, remuée jusqu'au ventre par une émotion animale. Cependant, Michel Borissovitch demeurait immobile, muet. La lumière de la lampe lui modelait un masque aux plis pendants. Acceptait-il les accusations qu'elle avait portées contre lui ? Elle n'espérait pas qu'il se reconnût coupable. Il respirait lourdement. Son regard, empreint d'une froide curiosité, descendit vers le fauteuil où reposait son petit-fils.

— Je ne pourrai jamais m'attacher à cet enfant, dit-il enfin.

Le petit Serge somnolait, recroquevillé, renfrogné, un bonnet de dentelle tiré sur l'oreille, un ruban bleu noué sous le menton. Michel Borissovitch secoua la tête avec violence.

— Jamais, répéta-t-il, jamais !...

La pluie ruisselait sur les vitres noires. Les arbres craquaient autour de la maison. Sophie évoqua une autre nuit tragique : Michel Borissovitch arrivant à Saint-Pétersbourg pour voir le petit-fils qu'elle lui avait donné et apprenant qu'il était mort. Elle reprit Serge dans ses bras et pressa contre son sein ce fardeau tiède et léger. Comme elle faisait un pas vers la porte, Michel Borissovitch demanda :

— Sophie, où allez-vous ?

— Coucher Serge, dit-elle.

Il n'eut pas un mot pour la retenir. Sur le seuil, elle se retourna. Michel Borissovitch n'avait pas bougé. Sa tête penchait sur sa poitrine. A cette distance, elle ne pouvait distinguer l'expression de son visage. Il semblait mâcher quelque chose avec force. Au bout d'un moment, elle comprit qu'il pleurait.

*Les principaux personnages de ce roman, dont un certain nombre figuraient déjà dans le Tome I :* Les Compagnons du Coquelicot, *se retrouvent dans le Tome III :* La Gloire des Vaincus, *ainsi que dans le Tome IV :* Les Dames de Sibérie, *et dans le Tome V :* Sophie ou la fin des Combats, *qui terminent le cycle romanesque de* « La Lumière des Justes »

# Littérature

**extrait du catalogue**

*Cette collection est d'abord marquée par sa diversité : classiques, grands romans contemporains ou même des livres d'auteurs réputés plus difficiles, comme Borges, Soupault, Goes. En fait, c'est tout le roman qui est proposé ici, Henri Troyat, Bernard Clavel, Guy des Cars, Alain Robbe-Grillet, mais aussi des écrivains tels que Moravia, Colleen McCullough ou Konsalik.*

*Les classiques tels que Stendhal, Maupassant, Flaubert, Zola, Balzac, etc. sont publiés en texte intégral au prix le plus bas de toute l'édition. Chaque volume est complété par un cahier photos illustrant la biographie de l'auteur.*

| | |
|---|---|
| **ADAMS Richard** | ***Les garennes de Watership Down*** 2078/**6*** |
| **ADLER Philippe** | ***C'est peut-être ça l'amour*** 2284/**3*** |
| | ***Les amies de ma femme*** 2439/**3*** |
| **AMADOU Jean** | ***Heureux les convaincus*** 2110/**3*** |
| **AMADOU J. et KANTOF A.** | ***La belle anglaise*** 2684/**4*** |
| **ANDREWS Virginia C.** | *Fleurs captives :* |
| | ***-Fleurs captives*** 1165/**4*** |
| | ***-Pétales au vent*** 1237/**4*** |
| | ***-Bouquet d'épines*** 1350/**4*** |
| | ***-Les racines du passé*** 1818/**4*** |
| | ***-Le jardin des ombres*** 2526/**4*** |
| **ANGER Henri** | ***La mille et unième rue*** 2564/**4*** |
| **ARCHER Jeffrey** | ***Kane et Abel*** 2109/**6*** |
| | ***Faut-il le dire à la Présidente ?*** 2376/**4*** |
| **ARTUR José** | ***Parlons de moi, y a que ça qui m'intéresse*** 2542/**4*** |
| **AUEL Jean M.** | ***Les chasseurs de mammouths*** 2213/**5*** et 2214/**5*** |
| **AURIOL H. et NEVEU C.** | ***Une histoire d'hommes / Paris-Dakar*** 2423/**4*** |
| **AVRIL Nicole** | ***Monsieur de Lyon*** 1049/**3*** |
| | ***La disgrâce*** 1344/**3*** |
| | ***Jeanne*** 1879/**3*** |
| | ***L'été de la Saint-Valentin*** 2038/**2*** |
| | ***La première alliance*** 2168/**3*** |
| **AZNAVOUR-GARVARENTZ** | ***Aïda Petit frère*** 2358/**3*** |
| **BACH Richard** | ***Jonathan Livingston le goéland*** 1562/**1*** Illustré |
| | ***Illusions / Le Messie récalcitrant*** 2111/**2*** |
| | ***Un pont sur l'infini*** 2270/**4*** |
| **BALZAC Honoré de** | ***Le père Goriot*** 1988/**2*** |
| **BARBER Noël** | ***Tanamera*** 1804/**4*** & 1805/**4*** |
| **BARRET André** | ***La Cocagne*** 2682/**6*** |
| **BATS Joël** | ***Gardien de ma vie*** 2238/**3*** Illustré |
| **BAUDELAIRE Charles** | ***Les Fleurs du mal*** 1939/**2*** |
| **BEART Guy** | ***L'espérance folle*** 2695/**5*** |
| **BEAULIEU PRESLEY Priscilla** | ***Elvis et moi*** 2157/**4*** Illustré |
| **BECKER Stephen** | ***Le bandit chinois*** 2624/**5*** |

| | |
|---|---|
| **BELLONCI** Maria | **Renaissance privée** 2637/**6**★ Inédit |
| **BENZONI** Juliette | **Un aussi long chemin** 1872/**4**★ |
| | Le Gerfaut des Brumes : |
| | **-Le Gerfaut** 2206/**6**★ |
| | **-Un collier pour le diable** 2207/**6**★ |
| | **-Le trésor** 2208/**5**★ |
| | **-Haute-Savane** 2209/**5**★ |
| **BEYALA** Calixthe | **C'est le soleil qui m'a brûlée** 2512/**2**★ |
| **BINCHY** Maeve | **Nos rêves de Castlebay** 2444/**6**★ |
| **BISIAUX** M. et **JAJOLET** C. | **Chat plume - 60 écrivains parlent de leurs chats** 2545/**5**★ |
| | **Chat huppé - 60 personnalités parlent de leurs chats** 2646/**6**★ |
| **BLIER** Bertrand | **Les valseuses** 543/**5**★ |
| **BOMSEL** Marie-Claude | **Pas si bêtes** 2331/**3**★ Illustré |
| **BORGES et BIOY CASARES** | **Nouveaux contes de Bustos Domecq** 1908/**3**★ |
| **BOURGEADE** Pierre | **Le lac d'Orta** 2410/**2**★ |
| **BRADFORD** Sarah | **Grace** 2002/**4**★ |
| **BROCHIER** Jean-Jacques | **Un cauchemar** 2046/**2**★ |
| | **L'hallali** 2541/**2**★ |
| **BRUNELIN** André | **Gabin** 2680/**5**★ & 2681/**5**★ Illustré |
| **BURON** Nicole de | **Vas-y maman** 1031/**2**★ |
| | **Dix-jours-de-rêve** 1481/**3**★ |
| | **Qui c'est, ce garçon ?** 2043/**3**★ |
| **CALDWELL** Erskine | **Le bâtard** 1757/**2**★ |
| **CARS** Guy des | **La brute** 47/**3**★ |
| | **Le château de la juive** 97/**4**★ |
| | **La tricheuse** 125/**3**★ |
| | **L'impure** 173/**4**★ |
| | **La corruptrice** 229/**3**★ |
| | **La demoiselle d'Opéra** 246/**3**★ |
| | **Les filles de joie** 265/**3**★ |
| | **La dame du cirque** 295/**2**★ |
| | **Cette étrange tendresse** 303/**3**★ |
| | **L'officier sans nom** 331/**3**★ |
| | **Les sept femmes** 347/**4**★ |
| | **La maudite** 361/**3**★ |
| | **L'habitude d'amour** 376/**3**★ |
| | **La révoltée** 492/**4**★ |
| | **Amour de ma vie** 516/**3**★ |
| | **La vipère** 615/**4**★ |
| | **L'entremetteuse** 639/**4**★ |
| | **Une certaine dame** 696/**4**★ |
| | **L'insolence de sa beauté** 736/**3**★ |
| | **Le donneur** 809/**2**★ |
| | **J'ose** 858/**2**★ |

|  |  |
|---|---|
| | La justicière 1163/2* |
| | La vie secrète de Dorothée Gindt 1236/2* |
| | La femme qui en savait trop 1293/2* |
| | Le château du clown 1357/4* |
| | La femme sans frontières 1518/3* |
| | Les reines de coeur 1783/3* |
| | La coupable 1880/3* |
| | L'envoûteuse 2016/5* |
| | Le faiseur de morts 2063/3* |
| | La vengeresse 2253/3* |
| | Sang d'Afrique 2291/5* |
| | Le crime de Mathilde 2375/4* |
| | La voleuse 2660/3* |
| CARS Jean des | Elisabeth d'Autriche ou la fatalité 1692/4* |
| CASSAR Jacques | Dossier Camille Claudel 2615/5* |
| CATO Nancy | L'Australienne 1969/4* & 1970/4* |
| | Les étoiles du Pacifique 2183/4* & 2184/4* |
| | Lady F. 2603/4* |
| CESBRON Gilbert | Chiens perdus sans collier 6/2* |
| | C'est Mozart qu'on assassine 379/3* |
| CHABAN-DELMAS Jacques | La dame d'Aquitaine 2409/2* |
| CHAVELET J. et DANNE E. de | Avenue Foch / Derrière les façades... 1949/3* |
| CHEDID Andrée | La maison sans racines 2065/2* |
| | Le sixième jour 2529/3* |
| | Le sommeil délivré 2636/3* |
| CHOW CHING LIE | Le palanquin des larmes 859/4* |
| | Concerto du fleuve Jaune 1202/3* |
| CHRIS Long | Johnny 2380/4* Illustré |
| CLANCIER Georges-Emmanuel | Le pain noir : |
| | 1-Le pain noir 651/3* |
| | 2-La fabrique du roi 652/3* |
| | 3-Les drapeaux de la ville 653/4* |
| | 4-La dernière saison 654/4* |
| CLAUDE Madame | Le meilleur c'est l'autre 2170/3* |
| CLAVEL Bernard | Le tonnerre de Dieu qui m'emporte 290/1* |
| | Le voyage du père 300/1* |
| | L'Espagnol 309/4* |
| | Malataverne 324/1* |
| | L'hercule sur la place 333/3* |
| | Le tambour du bief 457/2* |
| | L'espion aux yeux verts 499/3* |
| | La grande patience : |
| | 1-La maison des autres 522/4* |
| | 2-Celui qui voulait voir la mer 523/4* |
| | 3-Le cœur des vivants 524/4* |
| | 4-Les fruits de l'hiver 525/4* |

| | |
|---|---|
| | Le Seigneur du Fleuve 590/3* |
| | Pirates du Rhône 658/2* |
| | Le silence des armes 742/3* |
| | Tiennot 1099/2* |
| | Les colonnes du ciel : |
| | 1-La saison des loups 1235/3* |
| | 2-La lumière du lac 1306/4* |
| | 3-La femme de guerre 1356/3* |
| | 4-Marie Bon Pain 1422/3* |
| | 5-Compagnons du Nouveau-Monde 1503/3* |
| | Terres de mémoire 1729/2* |
| | Bernard Clavel Qui êtes-vous ? 1895/2* |
| | Le Royaume du Nord : |
| | -Harricana 2153/4* |
| | -L'Or de la terre 2328/4* |
| | -Miséréré 2540/4* |
| CLERC Christine | L'Arpeggione 2513/3* |
| CLERC Michel | Les hommes mariés 2141/3* |
| COCTEAU Jean | Orphée 2172/2* |
| COLETTE | Le blé en herbe 2/1* |
| COLLINS Jackie | Les dessous de Hollywood 2234/4* & 2235/4* |
| COMPANEEZ Nina | La grande cabriole 2696/4* |
| CONROY Pat | Le Prince des marées 2641/5* & 2642 /5* |
| CONTRUCCI Jean | Un jour, tu verras... 2478/3* |
| CORMAN Avery | Kramer contre Kramer 1044/3* |
| CUNY Jean-Pierre | L'aventure des plantes 2659/4* |
| DANA Jacqueline | Les noces de Camille 2477/3* |
| DAUDET Alphonse | Tartarin de Tarascon 34/1* |
| | Lettres de mon moulin 844/1* |
| DAVENAT Colette | Les émigrés du roi 2227/6* |
| | Daisy Rose 2597/6* |
| DEFLANDRE Bernard | La soupe aux doryphores ou dix ans en 40 2185/4* |
| DHOTEL André | Le pays où l'on n'arrive jamais 61/2* |
| DICKENS Charles | Espoir et passion (Un conte de deux villes) 2643/5* |
| DIDEROT Denis | Jacques le fataliste et son maître 2023/3* |
| DJIAN Philippe | 37°2 le matin 1951/4* |
| | Bleu comme l'enfer 1971/4* |
| | Zone érogène 2062/4* |
| | Maudit manège 2167/5* |
| | 50 contre 1 2363/3* |
| | Echine 2658/5* |
| DORIN Françoise | Les lits à une place 1369/4* |
| | Les miroirs truqués 1519/4* |
| | Les jupes-culottes 1893/4* |

| | |
|---|---|
| **DUFOUR Hortense** | ***Le Diable blanc (Le roman de Calamity Jane)*** 2507/**4*** |
| **DUMAS Alexandre** | ***La dame de Monsoreau*** 1841/**5*** |
| | ***Le vicomte de Bragelonne*** 2298/**4*** & 2299/**4*** |
| **DUNNE Dominick** | ***Pour l'honneur des Grenville*** 2365/**4*** |
| **DYE Dale A.** | ***Platoon*** 2201/**3*** Inédit |
| **DZAGOYAN René** | ***Le système Aristote*** 1817/**4*** |
| **EGAN Robert et Louise** | ***La petite boutique des horreurs*** 2202/**3*** Illustré |
| **Dr ETIENNE J. et DUMONT E.** | ***Le marcheur du Pôle*** 2416/**3*** |
| **EXBRAYAT Charles** | ***Ceux de la forêt*** 2476/**2*** |
| **FIELDING Joy** | ***Le dernier été de Joanne Hunter*** 2586/**4*** |
| **FLAUBERT Gustave** | ***Madame Bovary*** 103/**3*** |
| **FOUCAULT Jean-Pierre & Léon** | ***Les éclats de rire*** 2391/**3*** |
| **FRANCK Dan** | ***Les Adieux*** 2377/**3*** |
| **FRANCOS Ania** | ***Sauve-toi, Lola !*** 1678/**4*** |
| **FRISON-ROCHE Roger** | ***La peau de bison*** 715/**2*** |
| | ***La vallée sans hommes*** 775/**3*** |
| | ***Carnets sahariens*** 866/**3*** |
| | ***Premier de cordée*** 936/**3*** |
| | ***La grande crevasse*** 951/**3*** |
| | ***Retour à la montagne*** 960/**3*** |
| | ***La piste oubliée*** 1054/**3*** |
| | ***Le rapt*** 1181/**4*** |
| | ***Djebel Amour*** 1225/**4*** |
| | ***Le versant du soleil*** 1451/**4*** & 1452/**4*** |
| | ***Nahanni*** 1579/**3*** Illustré |
| | ***L'esclave de Dieu*** 2236/**6*** |
| **FYOT Pierre** | ***Les remparts du silence*** 2417/**3*** |
| **GEDGE Pauline** | ***La dame du Nil*** 2590/**6*** |
| **GERBER Alain** | ***Une rumeur d'éléphant*** 1948/**5*** |
| | ***Le plaisir des sens*** 2158/**4*** |
| | ***Les heureux jours de monsieur Ghichka*** 2252/**2*** |
| | ***Les jours de vin et de roses*** 2412/**2*** |
| **GOES Albrecht** | ***Jusqu'à l'aube*** 1940/**3*** |
| **GOISLARD Paul-Henry** | *Sarah :* |
| | ***1-La maison de Sarah*** 2583/**5*** |
| | ***2-La femme de Prague*** 2661/**4*** |
| **GORBATCHEV Mikhaïl** | ***Perestroïka*** 2408/**4*** |
| **GOULD Heywood** | ***Cocktail*** 2575/**5*** Inédit |
| **GRAY Martin** | ***Le livre de la vie*** 839/**2*** |
| | ***Les forces de la vie*** 840/**2*** |
| | ***Le nouveau livre*** 1295/**4*** |
| **GRIMM Ariane** | ***Journal intime d'une jeune fille*** 2440/**3*** |
| **GROULT Flora** | ***Maxime ou la déchirure*** 518/**2*** |
| | ***Un seul ennui, les jours raccourcissent*** 897/**2*** |
| | ***Ni tout à fait la même, ni tout à fait une autre*** 1174/**3*** |

| | |
|---|---|
| | Une vie n'est pas assez 1450/3* |
| | Mémoires de moi 1567/2* |
| | Le passé infini 1801/2* |
| | Le temps s'en va, madame.... 2311/2* |
| GUIROUS D. et GALAN N. | Si la Cococour m'était contée 2296/4* Illustré |
| GURGAND Marguerite | Les demoiselles de Beaumoreau 1282/3* |
| HALEY Alex | Racines 968/4* & 969/4* |
| HARDY Françoise | Entre les lignes entre les signes 2312/6* |
| HAYDEN Torey L. | L'enfant qui ne pleurait pas 1606/3* |
| | Kevin le révolté 1711/4* |
| | Les enfants des autres 2543/5* |
| HEBRARD Frédérique | Un mari c'est un mari 823/2* |
| | La vie reprendra au printemps 1131/3* |
| | La chambre de Goethe 1398/3* |
| | Un visage 1505/2* |
| | La Citoyenne 2003/3* |
| | Le mois de septembre 2395/2* |
| | Le harem 2456/3* |
| | La petite fille modèle 2602/3* |
| | La demoiselle d'Avignon 2620/4* |
| HEITZ Jacques | Prélude à l'ivresse conjugale 2644/3* |
| HILL Susan | Je suis le seigneur du château 2619/3* |
| HILLER B.B. | Big 2455/2* |
| HORGUES Maurice | La tête des nôtres (L'oreille en coin/France Inter) 2426/5* |
| ISHERWOOD Christopher | Adieu à Berlin (Cabaret) 1213/3* |
| JAGGER Brenda | Les chemins de Maison Haute 1436/4* & 1437/4* |
| | Antonia 2544/4* |
| JEAN Raymond | La lectrice 2510/2* |
| JONG Erica | Les parachutes d'Icare 2061/6* |
| | Serenissima 2600/4* |
| JYL Laurence | Le chemin des micocouliers 2381/3* |
| KASPAROV Gary | Et le Fou devint Roi 2427/4* |
| KAYE M.M. | Pavillons lointains 1307/4* & 1308/4* |
| | L'ombre de la lune 2155/4* & 2156/4* |
| | Mort au Cachemire 2508/4* |
| KENEALLY Thomas | La liste de Schindler 2316/6* |
| KIPLING Rudyard | Le livre de la jungle 2297/2* |
| | Simples contes des collines 2333/3* |
| | Le second livre de la jungle 2360/2* |
| KONSALIK Heinz G. | Amours sur le Don 497/5* |
| | La passion du Dr Bergh 578/3* |
| | Dr Erika Werner 610/3* |
| | Aimer sous les palmes 686/2* |
| | Les damnés de la taïga 939/4* |
| | L'homme qui oublia son passé 978/2* |

| | |
|---|---|
| | *Une nuit de magie noire* 1130/2★ |
| | *Bataillons de femmes* 1907/5★ |
| | *Le gentleman* 2025/3★ |
| | *Un mariage en Silésie* 2093/4★ |
| | *Coup de théâtre* 2127/3★ |
| | *Clinique privée* 2215/3★ |
| | *La nuit de la tentation* 2281/3★ Inédit |
| | *La guérisseuse* 2314/6★ |
| | *Conjuration amoureuse* 2399/2★ |
| | *La jeune fille et le sorcier* 2474/3★ |
| | *Pour un péché de trop* 2622/4★ Inédit |
| | *Et cependant la vie était belle* 2698/4★ Inédit |
| KREYDER *Laura* | *Thérèse Martin* 2699/3★ |
| L'HOTE *Jean* | *La Communale* 2329/2★ |
| LACLOS *Choderlos de* | *Les liaisons dangereuses* 2616/4★ |
| LAHAIE *Brigitte* | *Moi, la scandaleuse* 2362/3★ Illustré |
| LAMALLE *Jacques* | *L'Empereur de la faim* 2212/5★ |
| LANE *Robert* | *Une danse solitaire* 2237/3★ |
| LANGE *Monique* | *Histoire de Piaf* 1091/3★ Illustré |
| LAPEYRE *Patrick* | *Le corps inflammable* 2313/3★ |
| | *La lenteur de l'avenir* 2565/3★ |
| LAPOUGE *Gilles* | *La bataille de Wagram* 2269/4★ |
| LASAYGUES *Frédéric* | *Bruit blanc* 2411/3★ |
| LAVAL *Xavier de* | *Le songe de Thermidor* 2528/6★ |
| LEVY-WILLARD *Annette* | *Moi, Jane, cherche Tarzan* 2582/3★ |
| LOTTMAN *Eileen* | *Dynasty-1* 1697/2★ |
| | *Dynasty-2 Le retour d'Alexis* 1894/3★ |
| LOWERY *Bruce* | *La cicatrice* 165/1★ |
| LUND *Doris* | *Eric (Printemps perdu)* 759/4★ |
| MAALOUF *Amin* | *Les croisades vues par les Arabes* 1916/4★ |
| MACLAINE *Shirley* | *L'amour foudre* 2396/5★ |
| | *Danser dans la lumière* 2462/5★ |
| McCULLOUGH *Colleen* | *Les oiseaux se cachent pour mourir* 1021/4★ & 1022/4★ |
| | *Tim* 1141/3★ |
| | *Un autre nom pour l'amour* 1534/4★ |
| | *La passion du Dr Christian* 2250/6★ |
| | *Les dames de Missalonghi* 2558/3★ |
| MAGRINI *Gabriella* | *La dame de Kyôto* 2524/6★ |
| MAHIEUX *Alix* | *Coulisses* 2108/5★ |
| MALLET-JORIS *Françoise* | *La tristesse du cerf-volant* 2596/4★ |
| MARGUERITTE *Victor* | *La garçonne* 423/3★ |
| MARKANDAYA *Kamala* | *Le riz et la mousson* 117/2★ |
| MARTIN *Ralph G.* | *Charles et Diana* 2461/6★ Illustré |

| | |
|---|---|
| MARTINO Bernard | Le bébé est une personne 2128/3* |
| MATTHEE Dalene | Des cercles dans la forêt 2066/4* |
| MAUPASSANT Guy de | Une vie 1952/2* |
| | L'ami Maupassant 2047/2* |
| MAURE Huguette | Vous avez dit l'amour ? 2267/3* |
| MERMAZ Louis | Madame de Maintenon ou l'amour dévot 1785/2* |
| | Un amour de Baudelaire - Madame Sabatier 1932/2* |
| MESSNER Reinhold | Défi-Deux hommes, un 8000 1839/4* Illustré |
| MICHAEL Judith | L'amour entre les lignes 2441/4* & 2442/4* |
| MODIANO P. et LE-TAN P. | Poupée blonde 1788/3* Illustré |
| MONSIGNY Jacqueline | Michigan Mélodie (Un mariage à la carte) 1289/2* |
| | Les nuits du Bengale 1375/3* |
| | Le roi sans couronne 2332/6* |
| | Toutes les vies mènent à Rome 2625/5* |
| MONTLAUR Pierre | Nitocris, la dame de Memphis 2154/4* |
| MORAVIA Alberto | La Ciociara 1656/4* |
| | L'homme qui regarde 2254/3* |
| MORRIS Edita | Les fleurs d'Hiroshima 141/1* |
| MOUSSEAU Renée | Mon enfant mon amour 1196/1* |
| MURAIL Elvire | Les mannequins d'osier 2559/3* |
| NASTASE Ilie | Tie-break 2097/4* |
| | Le filet 2251/3* |
| NELL DUBUS Elisabeth | Beau-Chêne 2346/6* |
| | L'enjeu de Beau-Chêne 2413/6* |
| NOLAN Christopher | Sous l'œil de l'horloge 2686/3* |
| NORST Joel | Mississippi Burning 2614/3* Inédit |
| ORIEUX Jean | Catherine de Médicis 2459/5* & 2460/5* |
| OWENS Martin | Le secret de mon succès 2216/3* Inédit |
| PARTURIER Françoise | Calamité, mon amour... 1012/4* |
| | Les Hauts de Ramatuelle 1706/3* |
| PAULHAC Jean | Les herbes de la Saint-Jean 2415/5* Inédit |
| PAUWELS Marie-Claire | Mon chéri 2599/2* |
| PEGGY | Cloclo notre amour 2398/3* |
| PEYREFITTE Roger | Les amitiés particulières 17/4* |
| | La mort d'une mère 2113/2* |
| PIRANDELLO Luigi | Le mari de sa femme 2283/4* |
| PLAIN Belva | Tous les fleuves vont à la mer 1479/4* & 1480/4* |
| | La splendeur des orages 1622/5* |
| | Les cèdres de Beau-Jardin 2138/6* |
| | La coupe d'or 2425/6* |
| | Les Werner 2662/5* |
| POE Edgar Allan | Le chat noir et autres récits 2004/3* |
| POUCHKINE Alexandre | Eugène Onéguine 2095/2* |
| PROSLIER Jean-Marie | Vieucon et son chien 2026/3* |
| | Excusez-moi si je vous demande pardon ! 2317/3* |

Impression Brodard et Taupin
à La Flèche (Sarthe) le 6 décembre 1989
6776B-5 Dépôt légal décembre 1989
ISBN 2-277-13274-8
1er dépôt légal dans la collection : juillet 1974
Imprimé en France
Editions J'ai lu
27, rue Cassette, 75006 Paris
*diffusion France et étranger : Flammarion*